Dröll Erfolgreich bewerben

Dieter Dröll

Erfolgreich bewerben

Von der Anzeige zum Vorstellungsgespräch

Societäts-Verlag

Die Deutsche Bibliothek – CIP-Einheitsaufnahme

Dröll, Dieter:
Erfolgreich bewerben Teil 1 + 2: Die Bewerbung /
Das Vorstellungsgespräch / Dieter Dröll. –
Frankfurt am Main: Societäts-Verl., 1992
ISBN 3-7973-0520-6;
ISBN 3-7973-0524-9

Alle in diesem Buch erwähnten Beispiele sind frei erfunden und stehen auch bei zufälliger Ähnlichkeit in keinem Zusammenhang mit lebenden Personen.

Zu diesem Buch sind zwei Video-Filme mit den Titeln: »Die Bewerbung« und »Das Vorstellungsgespräch« im Verlag der Frankfurter Allgemeinen Zeitung erschienen.

8. Auflage, 1996

Satz: Fotosatz Janß, Pfungstadt
Umschlag: Selinka, Köln
Druck und Verarbeitung: Clausen & Bosse, Leck
Printed in Germany 1996
ISBN 3-7973-0524-9

Inhalt

II. Teil: Bewerbungs-Muster

Die schriftliche Bewerbung

Als Einführung in das Thema ein Ausschnitt aus dem Drehbuch zum FAZ-Video I:

‚Ich und die Anzeigen'

Szene 1: Wir befinden uns auf der Bühne eines kleinen Theaters mitten in den Proben eines Stücks mit dem Titel ‚Die Bewerbung'. Alle Requisiten sind stilisiert, abstrakt gehalten. 'Workshop'-Atmosphäre.

Die Darsteller *Astrid* und *Peter* besprechen sich gerade mit ihrer *Regisseurin.* (Diese Situation ‚Probenpause' könnte in einer Ausgangstotalen dazu genutzt werden, die Titel einzublenden.)

Die *Regisseurin,* Typ gestandene Frau, die weiß, was sie will (ca. 40 Jahre alt), spricht daraufhin groß in die Kamera direkt zum Betrachter. Es könnte sich dabei auch um einen Producer handeln, der gerade in das Theater gekommen ist, um sich vom Fortgang des Stückes zu überzeugen. Die Regisseurin wird den Zuschauer/Producer immer mal wieder ansprechen. Natürlich agiert der Producer nie (ist nicht im Bild zu sehen).

Regisseurin (groß in die Kamera):
Ach, schön daß Sie da sind! Nein, Sie stören überhaupt nicht! Wir arbeiten gerade am Stück ‚Die Bewerbung'. (Zu Peter) Peter, sagen Sie doch mal kurz, wer Sie sind, und beschreiben Sie doch mal Ihre Rolle!

Peter (wirkt sehr engagiert):
Also, ich bin 30 Jahre alt und bin seit 3 Jahren im Rechnungswesen einer größeren Firma tätig – leider bisher nur in der Buchhaltung. Eigentlich bin ich ja Betriebswirt und ... na ja – ich brauche jetzt einfach mehr Verantwortung! Ich hatte übrigens gerade etwas Pech ... (Peter hält die entsprechende Stellenanzeige nah in die Kamera und tippt wütend mit einem Finger darauf herum.) Ich habe mich nämlich auf diese Anzeige hin beworben, und gerade ist mir eine Absage ins Haus geflattert!

Astrid:
Ja, und ich bin 28. 3 Jahre war ich als Chemikerin in einem Labor, jetzt möchte ich aber endlich in die Forschung. Na ja, und da suche ich einen Arbeitgeber, der mir das ermöglicht! (Astrid deutet bedauernd auf Peter.) Und den ersten Dämpfer habe ich auch schon gekriegt ...

Regisseurin (zum vermeintlichen Producer/Zuschauer):
Okay. (Sie geht zu einem Mischpult am Bühnenrand, nimmt dahinter Platz und schiebt langsam einen der Regler hoch.) Ich spiele Euch jetzt ein bißchen Musik ein! Die nächste Szene spielt in einem Cafe – so 'ne Art Bistro!

Es ertönt *Bistromusik/Popmusik* als Untermalung.
Die Bühne ist so vorbereitet, daß von den Darstellern und der Regisseurin im Handumdrehen verschiedene Räume angedeutet werden können – z. B. durch transparente Bühnenstoffe oder -wände, die ausgeklappt oder wie Rollos ausgerollt werden. Auch die Lichteffekte sind vorbereitet und werden wie intuitiv von der Regisseurin arrangiert. Ein zarter Lichtkegel umreißt den Bistrotisch. Das Farbspiel einer Lichtorgel angedeutet auf der Tischplatte. Astrid und Peter setzen sich.

Astrid:
(Resigniert holt sie ihre Absage aus der Tasche und reicht sie Peter herüber.) Ich war mir 100prozentig sicher, daß sie mich wenigstens zum Vorstellungsgespräch einladen würden! (Wütend, während Peter das Schreiben überfliegt.) Mein Gott! Ich habe eines der besten Diplome, Dr. Jäger hat, bevor er nach Bremen gewechselt ist, meine Leistung im Zwischenzeugnis sogar mit – stell Dir vor, exakt wörtlich – mit ‚vollster Zufriedenheit' bewertet, ... (Zählt an den Fingern auf.) Praktikumsbescheinigungen aus dem Studium, Praktikantenzeugnisse und gute Referenzen – ich weiß wirklich nicht, was die noch alles von mir erwarten!

Peter (Sicher, des Rätsels Lösung gefunden zu haben):
Die haben die Stelle intern besetzt!!! (Begegnet ihrem vorwurfsvollen Tonfall ebenso emotional.) Ja hör mal, da geht's Dir doch besser als mir. Dir nennen sie wenigstens klipp und klar einen Grund. Bei mir aber ...

Regisseurin (stellt die Musik ab, springt abrupt auf und läuft auf die Darsteller zu):
Stop mal eben! ich möchte nicht, daß hier etwas untergeht! (Zu Astrid.) Die müssen Dir ja nicht sagen, warum sie sich für 'nen anderen Bewerber entscheiden – die schreiben einfach was Nettes ... (Astrid lehnt sich seufzend zurück, rauft sich die Haare und starrt Peter ungläubig an. Peter zuckt mit den Achseln.) (Regisseurin winkt ab.) Reg Dich nicht unnötig auf, was sollen die denn anderes tun? Niemand außerhalb muß die wirklichen Gründe der Absage erfahren. (Astrid wird nachdenklicher und nickt schließlich zustimmend. Peter tut gerade so, als hätte er's die ganze Zeit gewußt, und deutet untermauernd mit der flachen Hand auf die Regisseurin. Sie geht in diesem Moment langsam rückwärts auf das Schnittpult zu. Sie schiebt den Lautstärkeregler wieder nach oben, und es ertönt wieder *leise Popmusik* als Untermalung. Wir sehen dabei Peter und Astrid im Hintergrund am Tisch Platz nehmen.)

Peter (zieht den zerknitterten Brief aus der Potasche und liest resigniert vor):
‚Sehr geehrter Herr Hansen, wir danken Ihnen recht herzlich für Ihr Interesse an unserem Unternehmen. Wir bedauern es sehr, Ihnen mitteilen zu müssen, daß wir die ausgeschriebene Stelle bereits anderweitig besetzen mußten. Mit freundlichen Grüßen, Dietmar Auer.' (Seufzt, dann etwas süffisant.) Tja, Mr. Auer, was soll das bedeuten?

Astrid (etwas irritiert):
Gibt es denn wirklich gute Aufstiegschancen im Finanz- und Rechnungswesen? Reichen da drei Jahre Berufserfahrung überhaupt aus?

Peter (gestikuliert ungeduldig mit dem ohnehin zerknitterten Schreiben herum):
Ein Freund von mir ist in der Finanzplanung, also eine ‚Etage' über mir. Er ist sicher, daß ich gute Chancen hätte, aufzurücken, sobald der nächste in Rente geht oder kündigt.

Astrid (blickt auf den Brief):
Sag mal, Du hast denen doch nicht so eine zerfledderte Bewerbung geschickt?!

Peter (rechtfertigend, lachend):
Aber ich denke, man sollte es mit diesen Formalitäten auch nicht unbedingt übertreiben ... (Zwinkert ihr zu.) Auf den Inhalt kommt es an ...! (Das Licht dimmt ab. Die Regisseurin im Schein einer Leselampe.)

Regisseurin (zu Peter, lächelnd):
Inhalt ist schon wichtig, ... (Mit erhobenem Zeigefinger.) ... aber wenn's formal nicht stimmt, hat ein Personalchef schon gar keine Lust mehr, sich mit Euch weiter zu beschäftigen! (Lehnt sich zurück.) Wir müssen darauf achten, wir dürfen nichts Wesentliches vergessen. Was mir zum Beispiel aufgefal-

len ist: ... (Zu Astrid.) Sie haben zwei grundlegende Aspekte zu Peters Bewerbung angesprochen ... (Erwartet Astrids Antwort.)

Astrid (unsicher):
Ja, eigentlich wollte ich vor allem auf das zerknitterte Blatt hinaus ...

Regisseurin (zu beiden):
Und wie sieht es tatsächlich mit Peters Aufstiegschancen aus? Astrids Frage danach war völlig berechtigt. (Zu Peter.) Daß Ihnen Ihr Freund einen Aufstieg in die Finanzplanung verspricht, ist zwar lobend für ihn, aber keine differenzierte Antwort auf Ihren tatsächlichen Marktwert! (Zu beiden. Die Regisseurin läuft aufzählend auf und ab.) Welches Know how brauche ich, wenn ich weiterkommen will? Bringe ich die geforderten persönlichen Eigenschaften mit? Passe ich in die Kultur des Unternehmens? (Klatscht auffordernd in die Hände und ruft in die Kulisse.) Kurze Pause ... und Umbau! (Das Licht auf der Bühne dimmt ab. Diffuse Konturen des Umbaus. An dieser Stelle werden Kernthesen anhand von *Schrifttafeln* erinnert:
1. Von allen Bewerbern kann nur einer die Stelle bekommen.
2. Eine Bewerbung muß deshalb auch in der Form überzeugen!
3. Absagen sind keine Katastrophen – aus Absagen kann man lernen.

I. Teil
Muster-Bewerbung

... qualifizierter Diplom-Kaufmann – *Dame oder Herr* – gesucht als GESCHÄFTSFÜHRER ...

– so oder ähnlich versuchen heute Texter von Stellenangeboten dem »Gesetz über die Gleichbehandlung von Männern und Frauen am Arbeitsplatz und über die Erhaltung von Ansprüchen bei Betriebsübergang« gerecht zu werden. Sie sind gehalten, nach § 611 b BGB eine »geschlechtsneutrale Stellenausschreibung« zu formulieren.

Nach diesem Gesetz sollen auch alle Ausführungen und Beispiele dieses Buches »geschlechtsneutral« sein. Sie sind es formal nicht, weil auch die Umgangssprache hier nicht immer geschlechtsneutral ist. Inhaltlich jedoch sind alle Ausführungen und Beispiele für Frauen und Männer gleichermaßen gedacht und gültig.

Wie zum Abschreiben ...

Jede Bewerbung ist ein Spiegelbild ihres Verfassers. Sie trägt seine individuellen Züge. Persönliche Struktur, Ausbildung und Praxis machen in ihrer jeweils wechselnden Kombination aus dem einzelnen Bewerber einen mit anderen nicht verwechselbaren Fall.

Legt man aber eine große Anzahl von solchen in der Kombination von Einzelheiten unvergleichbaren Bewerbungen nebeneinander, dann ergibt sich formal und inhaltlich ein gemeinsamer Rahmen, in dem alle unvergleichbaren Einzelheiten ihren Platz finden.

Zum gemeinsamen Rahmen aller Bewerbungen gehört das Ziel, eine neue Position zu erreichen, gehören der Inhalt, die eigene Ausbildung und Praxis darzustellen, sowie die Formen ‚Bewerbungsanschreiben', ‚Lebenslauf', ‚Lichtbild', ‚Zeugniskopien'. Um dieses Gemeinsame aller Bewerbungen geht es hier, wenn von ‚Muster-Bewerbung' die Rede ist. Die Muster-Bewerbung ist der Rahmen, in den jeder Bewerber seine unverwechselbaren Fakten einschreiben muß. Ein solcher Rahmen führt nicht dazu, daß alle Bewerbungen gleich werden. Er zeigt aber dem – oft in diesen Fragen unerfahrenen – Bewerber, welche individuellen Inhalte an welcher Stelle, in welcher Anordnung und in welcher Formulierung am besten zu plazieren sind.

Die Erfahrung hat erwiesen, daß eine bestimmte Reihenfolge der Selbstdarstellung in der Bewerbung wünschenswert ist. Gemeint ist hier die Erfahrung des Empfängers der Bewerbung, des Personalchefs. Dieser Empfänger mit seinen praktischen Wünschen und Vorstellungen muß oberstes Kriterium bei der formalen und inhaltlichen Gestaltung der Bewerbung sein. Wenn ein solcher Personalchef einmal die ersten tausend Bewerbungen durchgearbeitet, sortiert und beurteilt hat, dann weiß er, wie eine Bewerbung aussehen soll und was sie enthalten muß. Sein Ideal ist die Muster-Bewerbung, die übersichtlich und klar gegliederte Zusammenstellung von Fakten. Fakten, die den individuellen Bewerber mit seinen speziellen Erfahrungen, seiner Ausbildung und seinem besonderen Werdegang zeigen. Diese speziellen Fakten lassen keinen Platz für Muster zum Abschreiben, wohl aber für einen Rahmen, der sie ihrer Bedeutung entsprechend am wirkungsvollsten herausbringt.

Sicher war es früher einmal einfacher, eine Bewerbung zu beurteilen, etwa wenn der Verfasser unbeholfen im Ausdruck oder ungeschult in der Selbstdarstellung war. Ein Maschinenbau-Ingenieur zum Beispiel, der auf acht Seiten Handgeschriebenem erklärte, warum er sich für die ausgeschriebene Position des Technischen Leiters geeignet fühlt und warum er sich bewirbt, der konnte leicht abgetan werden. Wer zu einem solchen Anlaß acht Seiten mit der Hand schreibt, dem muß ja jede Systematik, jeder ökonomische Sinn, die Ader für Rationalisation und das Dispositionsgeschick abgehen. Und was für eine Zumutung für den Empfänger! Er müßte sich durch diese acht Seiten in Charakterschrift durchbuchstabieren! Nein! Abgelehnt! – So einfach ging das (und geht das manchmal heute noch).

Ganz anders der Bewerber, der seinen Bewerbungsinhalt richtig und formgerecht präsentiert. Hier kann sich niemand mehr an Formfehlern festhaken oder über verunglückte Selbstdarstellungen lustig machen („. . . ich bin ein Dynamiker mit Durchschlagskraft'). Der Empfänger muß sich mit den Fakten auseinandersetzen.

So selbstverständlich das klingt, so wenig stimmt es mit der Wirklichkeit überein. Die gut aufgemachte, inhaltlich klar gegliederte, übersichtliche und vollständige Bewerbung ist auch heute noch die Ausnahme. Jeder versucht nach dem Maßstab seiner speziellen beruflichen Erfahrungen in der Bewerbung die unterschiedlichsten Wege der Selbstdarstellung. Der Markenartikelverkäufer meint, er könnte mit einer Konsumgüterterminologie seine Persönlichkeit anpreisen; der Konstrukteur vergißt die Persönlichkeit ganz; der Vorstand scheint keine Ausbildung zu haben und ordnet ein Vorstellungsgespräch für sich einfach an; die Sekretärin ist sich dessen sicher, daß allein der Name ihres derzeitigen Chefs jede weitere Ausführung zu ihrer Qualifikation überflüssig mache; der Schüler, der sich um einen Ausbildungsplatz bewirbt, erklärt seine schlechten Noten mit seinem sportlichen Engagement in der Handball-Amateurliga. Kurz: das Individuelle, das Selbstgestrickte, das Dilettantische dominiert und blockiert viele gute Chancen. Warum? Weil offensichtlich kaum ein Bewerber dazu in der Lage ist, sich in die Position des Empfängers seiner Unterlagen zu versetzen. Eine Bewerbung schreiben, das kann doch wohl jeder. Es gibt Leute, die schon an die hundert Bewerbungsbriefe abgeschickt haben und die hundert Absagen erhielten. Sie sind nun von der Böswilligkeit der Personalchefs überzeugt. Sie denken sich die verrücktesten Schemata aus, um an eine der begehrten Positionen heranzukommen. Daß es an ihrer miserablen Bewerbung liegen könnte, darauf kommen sie nicht.

Vor diesem Hintergrund erhält die Muster-Bewerbung den Sinn, ein Korrektiv, ein Beispiel zu sein, an dem jeder Bewerber seine eigenen Entwürfe prüfen kann. Nicht um sie dann ganz zu verwerfen, sondern um sie auf ein ihrem wirklichen Inhalt adäquates Niveau zu bringen.

Von Fachmann zu Fachmann, auf hohem Niveau

Wer bekommt die Bewerbung? Der Personalchef. Manchmal noch im verpackten Zustand. In der Regel aber werden ihm die aus dem Umschlag herausgenommenen Bewerbungsunterlagen vorgelegt. Der Bewerber muß versuchen, schon in dieser Situation einen guten Eindruck zu machen. Gleichgültig, welche Erfahrungen der Empfänger mit Bewerbungen hat, wenn mit der Post die ersten Zuschriften auf seine Anzeige kommen, dann ist er neugierig-erwartungsvoll-positiv eingestellt. Manche Bewerber sind sich dieser Situation bewußt und versuchen es mit einem forschen: ‚Guten Tag, Herr Personalchef, jetzt werden Sie sicher gespannt sein auf meinen Lebenslauf. Um es gleich zu sagen: ich bin Ihr Mann.' ... und so weiter. So etwas kommt nur in den seltensten Fällen an. Der Bewerbungsempfänger hat eine Vorstellung davon, was er sucht. Diese kann schon ganz konkret bis in die Details hinein entwickelt sein oder auch eher verschwommen oder allgemein. Sie ist stets mit einer Erwartungshaltung verbunden. Die Bewerbung insgesamt nach Inhalt und Aufmachung muß dieser Erwartungshaltung entsprechen. Dann bewirkt sie beim Empfänger ein positives: Aha-wollen-mal-sehen-ob-er-paßt.

Grundlage der Erwartungshaltung des Bewerbungsempfängers sind bestimmte Vorstellungen. Einmal natürlich Vorstellungen darüber, was der gesuchte Mann oder die gesuchte Dame fachlich mitbringen muß. Zum anderen aber auch Vorstellungen mehr konventioneller Art, die einfach da sind. Zum Beispiel die Vorstellung über das Erscheinungsbild, das ein angehender Leiter des Finanz- und Rechnungswesens abgeben sollte. Wenn er im offenen Blumenhemd und abgewetzten Jeans zur Vorstellung erscheint, wird er es gänzlich unabhängig von seiner fachlichen Qualifikation schwer haben. Dieses sein bestimmtes Erscheinungsbild erwartet aber der Personalchef schon bei der Bewerbung. Das ist so ähnlich wie bei einem wichtigen Brief von einem wichtigen Absender, wenn er mehrere Rechtschreibfehler enthält, wird er auch bezüglich des Inhalts bis zu einem gewissen Grad relativiert („... der kann ja nicht mal Deutsch').

In diesem Sinne, wie sich ein bestimmtes Äußere für einen angehenden Leiter des Finanz- und Rechnungswesens von selbst versteht, erwartet der Personalchef ein inhaltlich und formal hohes Niveau von der Bewerbung. Denn die mustergültige Bewerbung, es gibt sie. Wer als Personalchef einmal eine solche Muster-Bewerbung in der Hand hatte, nimmt sie als Maßstab. *So* sollte eine Bewerbung aussehen, *so* sollte ihr Inhalt mit den gewünschten Voraussetzungen übereinstimmen!

Der Personalchef ist ein Fachmann, der vom Bewerber im Grunde erwartet, daß er sich wie ein Personalpraktiker einem Personalpraktiker präsentiert. Er wird der Bewerbung mehr Wohlwollen entgegenbringen, die ihm die für ihn interessanten Fakten so darbietet, wie er es selbst einem Kollegen gegenüber tun würde. Die Muster-Bewerbung zeigt, wie man seine Bewerbung ‚professionell' als Fachmann für den Fachmann mit hohem Niveau anfertigt.

Einkäufer von man power

Es lohnt sich, ausgiebig über den Empfänger einer Bewerbung nachzudenken. Es ist möglich, daß er gänzlich unerfahren ist, noch nie eine Bewerbung in der Hand hatte und im übrigen mit ganz anderen Aufgaben betraut ist. Das aber ist die Ausnahme. In der Regel ist der Bewerbungsempfänger, der Personalchef, auf seinem Gebiet fachlich qualifiziert. Der typische Personalchef ist 40 bis 50 Jahre alt, hat mittlere Reife oder Abitur, in mehr als jedem zweiten Fall hat er studiert, fast immer Jura bis zum Referendar-Examen, Soziologie oder Volkswirtschaft. Wenn er die mittlere Reife hat, dann macht er oft seinen Betriebswirt grad. Er hat in der Regel Handlungsvollmacht, seltener Prokura.

Eine seiner wesentlichen Aufgaben ist der Einkauf von *man power*, von Arbeitskraft. Er trägt damit entscheidend zum Unternehmenserfolg (oder Mißerfolg) bei. Als Bewerber sollte man von dieser, von allen Sentimentalitäten freien Aufgabenstellung des Personalchefs ausgehen. Die Bewerbung ist die Abgabe eines Angebots auf eine Ausschreibung hin. In dieser Ausschreibung wird nicht der Herr Meier gesucht, der so ein gutaussehender Mensch ist, so nett zu plaudern versteht, der Schachspieler, Golfspieler, Fußball-, Was-weiß-ich-nicht-alles-Spieler ist und bevorzugt rote Krawatten trägt und außerdem beruflich Leiter des Finanz- und Rechnungswesens ist. Es wird vielmehr die Fähigkeit gesucht, ein modernes Kostenwesen aufzubauen und in Gang zu halten, ein aktuelles, aussagefähiges Zahlenwerk aufzustellen, Budgets zu kontrollieren und so weiter. Diese Fähigkeiten sind mit bestimmten Ausbildungen und bestimmten Persönlichkeitsmerkmalen verbunden. Dabei sind die Persönlichkeitsmerkmale ebenfalls als Fähigkeiten zu verstehen, die an bestimmten Stellen des Unternehmens erforderlich sind. Zum Beispiel die Fähigkeit, Mitarbeiter zu führen, oder die Fähigkeit, in einem vorgegebenen Rahmen Ideen zu produzieren.

Der Personalchef kauft Kombinationen dieser Fähigkeiten für das Unternehmen ein. Im besten Fall sagt seine Ausschreibung ganz detailliert, welche Fähigkeiten in welcher Kombination und Ausprägung er haben möchte. Er erwartet eine Sachantwort, die präzise die gewünschten Fähigkeiten anbietet und durch Zeugnisse und derzeitige Position als vorhanden belegt. Persönlich-Privates, wenn man will, -Menschliches, ist an dieser Stelle nicht gefragt.

In diesem Ausschreibungs-Schema ist es für den Bewerber sinnvoll, sich als Verkäufer einer teueren Dienstleistung zu verstehen, die von vielen angeboten wird. Er muß sozusagen ein Konkurrenzangebot abgeben. Er hat keine Chance, wenn sein Angebot inhaltlich und formal nicht dem Sinn der Ausschreibung entspricht.

Muster-Bewerbung/Bewerbungs-Muster

Die Muster-Bewerbung gibt den Rahmen für alle Bewerbungen von Fach- und Führungskräften vom Bewerbungsanschreiben bis hin zu den Zeugniskopien. Die Bewerbungs-Muster bringen Besonderheiten für bestimmte Bewerbergruppen, zum Beispiel Schüler und Studenten, Techniker und Kaufleute oder ältere Bewerber. Es sind auf den besonderen Fall angewandte Varianten der Muster-Bewerbung.

Bewerbungsfähig

Voraussetzungen, die gegeben sein müssen

Wechselbereit

Der Bewerber muß zum Wechsel bereit sein. Es ist eine leidige Erfahrung von Personalchefs, daß oft der aussichtsreichste Bewerber in letzter Minute ‚abspringt'. Er führt dann irgendwelche vorgeschobenen Gründe für seinen Sinneswandel an. In Wirklichkeit ist er vor der eigenen Courage erschrocken. Er hat die Anzeige gelesen, hat seine Unterlagen zusammengestellt und abgeschickt, ist auch zur Vorstellung erschienen, aber als der Vertrag vorlag, hat er es mit der Angst bekommen. So ernst hatte er es doch nicht gemeint. Und seinen sicheren Arbeitsplatz aufgeben und kündigen – das wollte er denn doch nicht. So aber kann man sich auch als Bewerber den Ruf bei einer Reihe von Firmen verderben.

Wer sich bewirbt, der muß ‚seinen Koffer schon gepackt' haben. Eine wesentliche Voraussetzung vor der Bewerbung ist die Klärung der privaten Veränderungsmöglichkeiten. Haus- und Grundbesitz können stark hinderlich sein. Ist man bereit, das gerade finanzierte Eigenheim aufzugeben oder den in mehreren Jahren Kleinarbeit renovierten Altbau, den Kleingarten oder das Wochenendgrundstück?

Gewiß ist die Bewerbung um eine neue Position auch bei Firmen in der näheren Umgebung denkbar, aber oft werden die interessantesten Positionen in der Ferne angeboten. Zum privaten Bereich der Veränderungsabsicht gehören auch die Auswirkung auf die Kinder und deren Schulverhältnisse, auf die möglicherweise neben- oder hauptberuflichen Ambitionen der Ehefrau sowie die Aufgabe von Bindungen im Verwandten- und Bekanntenkreis. Ist man wirklich bereit, seine Zelte mit allen diesen privaten Konsequenzen abzubrechen?

Bereit sein zum Wechsel setzt auch Klarheit über das Ziel voraus, über den Wechsel wohin, warum, wozu. Aus einer momentanen Unzufriedenheit mit dem derzeitigen Arbeitsplatz, vorübergehendem Krach mit Vorgesetzten oder Kollegen, aus der vagen Vorstellung heraus, mal was ganz anderes machen zu wollen, sollte man sich nicht gleich bewerben. Auch die Bewerbung zur Befriedigung der eigenen Eitelkeit (... mein Gott, bin ich gesucht, man reißt sich ja direkt um mich ...) ist nicht empfehlenswert.

Die Bereitschaft zum Wechsel sollte das Ergebnis eines systematischen Nachdenkens sein. Eines Nachdenkens, das gezeigt hat, der Wechsel zu einer anderen Firma und in eine andere Position ist nach den gegebenen Voraussetzungen die einzig sinnvolle Lösung. Dabei muß berücksichtigt werden:

Die Kontinuität: Die angestrebte neue Position muß sich logisch aus der letzten Position und dem bisherigen Werdegang ergeben. Ein Mann, der fünfzehn Jahre als Konstrukteur gearbeitet hat, kann sich natürlich als Produktionsleiter bewerben. Er wird aber keine Chance haben. Das gilt auch für die Hierarchiestufen. Wer sich aus einer Position als Handlungsbevollmächtigter heraus auf eine Anzeige ‚Vorstand' bewirbt, vergeudet seine Zeit. Von der Branche her sind oft ähnliche Grenzen gesetzt. Einem erfolgreichen Verkäufer des Konsumgüter-Markenartikelbereichs traut man von vornherein nicht die Fähigkeit zu, im Stahlhandel ebenfalls erfolgreich zu sein.

Der Zeitfaktor: Eine Laufbahn ist nicht umkehrbar. Man kann nicht beliebig neu ansetzen. Das schließt die mehr theoretische Möglichkeit aus, daß sich zum Beispiel ein Verkaufsdirektor nicht mehr in seiner Verantwortungsfülle wohlfühlt und wieder als Außendienst-Verkäufer arbeiten möchte. Dergleichen ‚läuft nicht'. So ernst ihm sein Wunsch auch sein mag, so ein Risiko wird keiner eingehen wollen. (... Nach vier Wochen krempelt der mir den ganzen Laden hier um ...) Der Zeitfaktor grenzt auch die Bewerbungsfähigkeit vom Alter her für bestimmte Berufe und Aufgaben ein. So liegt die allgemein gewünschte Altersbandbreite für Außendienstverkäufer zwischen zwanzig und fünfunddreiß Jahren, für Verkaufsleiter zwischen fünfunddreißig und fünfundvierzig Jahren. Ein Industriemeister in der Fertigung kann auch zwischen 45 und 55 Jahre alt sein.

Das Konzeptionelle: Im Idealfall muß beim Empfänger der Eindruck entstehen, als habe er den Bewerber mit seiner Anzeige gerade im richtigen Moment erwischt, just als dessen erkennbare Gesamtkonzeption diesen Wechsel zwingend erforderlich machte. Der Bewerber muß den Eindruck vermeiden, als bemühe er sich gezwungenermaßen und unter Termindruck um eine neue Position. Zum Beispiel, weil er gekündigt wurde oder wegrationalisiert, wegfusioniert wurde. Es gibt das böse Wort: Die kräftigsten, gesündesten Ratten verlassen als erste das sinkende Schiff. Auf den Bewerber angewandt bedeutet es, je näher zum Beispiel das Ende einer Firma kommt, je allgemeiner bekannt der kurz bevorstehende Konkurs/die Fusionierung/die Massenentlassung ist, um so stärker wird die Bewerbungsfähigkeit eingeschränkt.

Rechtsfragen: Um bewerbungsfähig zu sein, müssen auch eine Reihe rechtlicher Fragen geklärt sein. An erster Stelle seien die Kündigungsfristen genannt. In zunehmendem Maß wünschen und erhalten Fach- und Führungskräfte lange und sehr lange Kündigungsfristen. Zum Beispiel ‚halbjährlich zum Halbjahresende'. Das bedeutet, es gibt im ganzen Jahr nur zwei Kündigungsmöglichkeiten. So beruhigend das für manchen Arbeitnehmer sein mag, so beruhigend ist es in jedem Fall für den Arbeitgeber. Er wird in aller Regel solche Fristen nur seinen guten Leuten einräumen, insbesondere denen, die vom Markt her ständig gute Angebote erhalten. Er weiß, daß die ausgeschriebenen Positionen meist innerhalb eines Quartals besetzt werden müssen und damit die Kräfte, die er halten will, praktisch keine Chance haben. Angenommen, eine interessante Position wird im Februar ausgeschrieben, dann könnte der Mann mit ‚halbjährlich zum Halbjahresende' erst im Januar des folgenden Jahres regulär zur Verfügung stehen. Solch lange Wartezeiten werden nicht gewährt. Der überwiegende Teil der Stellenausschreibungen ist für Kündigungsfristen konzipiert, die den gesetzlichen Bestimmungen (§ 622 BGB) entsprechen. Lange Kündigungsfristen stellen meist keine substantiellen Verbesserungen des Arbeitsverhältnisses für den Arbeitnehmer dar. Sie vermindern seine Mobilität und seine Bewerbungsfähigkeit.

Ein denkbarer Ausweg aus den langen Kündigungsfristen ist der sogenannte Verhandlungsweg. Das Verfahren: Man verhandelt mit einem neuen Arbeitgeber unter der Voraussetzung, daß der derzeitige Arbeitgeber einer vorzeitigen Entlassung aus dem Vertragsverhältnis zustimmen wird, wenn man ihm den unterschriftsreifen Vertrag vorlegt. Hat man den Vertrag in der Tasche, verhandelt man mit dem derzeitigen Arbeitgeber. Natürlich könne er eine Einhaltung der Kündigungsfrist erzwingen; man würde dann auch jeden Morgen am Arbeitsplatz erscheinen. Aber man habe ja hier kein Engagement mehr, man sei innerlich schon bei der anderen Firma, Motiv: seelische Grausamkeit. Das kann gutgehen. Es kann auch zu einer fristlosen Kündigung wegen Vertrauensbruches führen.

Die Bewerbungsfähigkeit kann juristisch auch eingeschränkt sein durch ein Wettbewerbsverbot (auch Konkurrenzklausel genannt). Es bestimmt, daß sich der Arbeitgeber bei seinem Ausscheiden in einem genau bestimmten Umfang örtlich und zeitlich einer Tätigkeit in demselben Wirtschaftszweig enthalten muß. Eine weitere Einschränkung der Bewerbungsfähigkeit kann von Rückzahlungsklauseln ausgehen. Auch ein hoher Arbeitgeberkredit, verführerisch durch niedrigen Zinssatz und Amortisation, aber komplett und sofort fällig bei Kündigung, kann die Bewerbungsfähigkeit auf Null bringen.

Risikobereitschaft: Zur Bewerbungsfähigkeit gehört auch Risikobereitschaft und Stehvermögen. Wer nach der ersten Absage in tiefster Seele verletzt seinen Depressionen nachhängt, sollte lieber von der Bewerbung ablassen. Ebenso der, den eine Absage so in Zorn bringt, daß er daran denkt, seinen Rechtsanwalt zu beauftragen, diese infame Firma mit Prozessen zu überziehen, etwa wegen Beleidigung, wegen Laufbahnschädigung und auf Schadensersatz wegen entgangener Lebensfreude. Doch im Ernst: Auch die beste Bewerbung kann zu einer Absage führen aus Gründen, die mit dem Bewerber und seinen Fähigkeiten keinen Zusammenhang haben. Zum Beispiel, daß sich die Konzeption, die Grundlage der Stellenausschreibung war, geändert hat. Zum Beispiel, daß man zwar in die Spitzengruppe kam, der Mitbewerber aber als gebürtiger Schwabe für das Unternehmen in Stuttgart einen zusätzlichen Pluspunkt bekam, den man als Hanseat einfach nicht bieten kann.

Kontaktaufnahme erbeten über ...

Wie finden sie nun zueinander, der Bewerber und die suchende Firma? Das Verfahren ist denkbar einfach, doch hat es seine Tücken. Wenn der Bewerber schon gekündigt oder seine Veränderungsabsicht bekanntgegeben hat, dann sind Indiskretionen für ihn nicht mehr sonderlich gefährlich. Sein Hauptproblem liegt darin, innerhalb einer durch die Kündigungsfrist gegebenen Zeitspanne eine neue Position zu finden. Hat der Bewerber seinen Arbeitsplatz noch nicht aufgekündigt – und das ist wesentlich empfehlenswerter, weil er so nicht unter Zeitdruck gerät –, dann muß er sich mit dem Thema Indiskretion auseinandersetzen. Bei den verschiedenen Formen der Kontaktaufnahme mit dem möglichen neuen Arbeitgeber ist das Risiko von Indiskretionen unterschiedlich zu bewerten. Weshalb ist Indiskretion überhaupt solch ein gewichtiges Thema? Weil in der Regel der Arbeitgeber davon ausgeht, daß der Arbeitnehmer auf die Dauer bei ihm tätig sein wird, daß er langfristig mit ihm planen und rechnen kann. Er betraut ihn mit Funktionen, die kontinuierlich erfüllt werden müssen. Wenn er erfährt, daß sich dieser Arbeitnehmer verändern will, dann muß er möglichst auf der Stelle nach Ersatz suchen. Selbst wenn die Bewerbung nicht erfolgreich sein sollte, wird er damit rechnen müssen, daß sich der Arbeitnehmer weiter bemühen wird. Er ist nun für ihn kein Faktor mehr, mit dem er fest rechnen kann. Dem Arbeitsverhältnis ist eine wesentliche Grundlage entzogen. Insbesondere bei Führungskräften oder Fachleuten in Forschung und Entwicklung bedeutet eine Indiskretion, das Bekanntwerden von Veränderungsabsichten, eine empfindliche Störung des Vertrauensverhältnisses zur Unternehmensleitung. Sie kann dazu führen, daß das Unternehmen von sich aus fristlos – oder fristgerecht – kündigt.

Für den Bewerber kommt es aber gerade darauf an, daß sein noch bestehendes Arbeitsverhältnis nicht gestört wird. Er muß sich die Möglichkeit offenhalten, dieses Arbeitsverhältnis so lange ungestört fortzusetzen, bis seine Bewerbung Erfolg hat. Es könnte sich für ihn auch im Laufe von mehreren Bewerbungen und Vorstellungsgesprächen herausstellen, daß sein derzeitiger Arbeitsplatz immer noch besser ist als alles, was der Markt so anbietet.

Diese Überlegungen müssen im Vordergrund stehen, wenn der Weg der Kontaktaufnahme gewählt wird. Für einen zum Zeitpunkt der Bewerbung Arbeitslosen sind alle Wege begehbar. Für einen Arbeitnehmer, der schon gekündigt hat, fast alle. Für den in ungekündigtem Arbeitsverhältnis Stehenden hingegen sind nicht alle Wege empfehlenswert.

Schriftliche Verfahren der Kontaktaufnahme

Bewerbung auf eine ‚offene' Stellenanzeige: Die Anzeige erscheint mit der Anschrift der suchenden Firma. Im Idealfall enthält die Anschrift nicht nur Ort, Straße und Postfach, sondern auch den Namen des Empfängers in der Firma, also etwa den des Personalchefs oder des Geschäftsführers. Wenn man seine Bewerbung dann an den Herrn XYZ, ‚Persönlich', in Firma ... per Einschreiben schickt, ist das kein Mißtrauensvotum gegenüber dem Herrn XYZ, sondern gegenüber den Tücken des Postweges. Wird die Bewerbung mit normaler Post geschickt und der gewünschte Empfänger erklärt später, er habe die Unterlagen nie erhalten, gibt es kaum eine Möglichkeit, ihm nachzuweisen, daß er sie doch erhalten hat und daß sie nicht ‚auf dem Postweg verlorengegangen' sind. Natürlich kann man einen Nachforschungsauftrag an die Post geben. Die Erfolgsaussichten sind allerdings recht gering.

Dieser Fall zeigt, was passieren kann. Auch in den folgenden Möglichkeiten der Kontaktaufnahme versteht sich das normale Funktionieren von selbst. Das normale Funktionieren der Kontaktaufnahme ist auch der Regelfall, aber es gibt immer wieder Ausnahmen. Der Bewerber ist gut beraten, wenn er diese Ausnahmen kennt und sich davor, soweit es geht, schützt.

Bewerbung auf eine ‚offene' Stellenanzeige: Die Anzeige erscheint mit der Anschrift eines Personal- oder Unternehmensberaters. Er ist von der Firma mit der Suche beauftragt und wird von ihr für seine Dienstleistungen bezahlt. Es ist unstatthaft, auch vom Bewerber zu kassieren, etwa für das Versprechen, ihn in die Spitzengruppe zu bugsieren. Der Berater sichert in der Regel in seiner Anzeige zu, daß er Sperrvermerke einhält und daß er strengste Diskretion wahren wird. Der Fall kann nur dann kritisch werden, wenn der Berater abwägen muß zwischen den Interessen seines Auftraggebers, der ihm sein Honorar zahlt, und den Interessen eines Bewerbers, der nicht weiß, daß der Berater für seinen derzeitigen Arbeitgeber die Anzeige aufgegeben hat. Der Bewerber wird dem Berater kaum nachweisen können, daß er den Sperrvermerk nicht eingehalten und ein entsprechendes Telefonat mit seinem Arbeitgeber geführt hat. Es soll Firmen geben, die eine solche ‚Dienstleistung' ausdrücklich vom Berater verlangen. Sie möchten zum Beispiel wissen, welche ihrer leitenden Angestellten Veränderungsabsichten haben. Hier handelt es sich natürlich um Ausnahmen. Seriöse Beratungen lehnen eher einen großen Auftrag ab, als ihn mit solchen Zusatzbedingungen zu akzeptieren.

Bewerbung auf eine ‚offene' Anzeige: Sie kann auch unter der Anschrift einer Werbeagentur, einer Annoncen-Expedition, die auf Stellenanzeigen spezialisiert ist, oder der Anschrift eines Rechtsanwaltes/Steuerberaters erscheinen. Diese ‚Briefkasten-Anzeigen' sind der Versuch, die Nachteile der Chiffreanzeige zu umgehen, ohne allerdings für den Bewerber Vorteile zu erbringen. Auch hier kann das Thema Sperrvermerk akut werden. Es kann auch zu mehreren Umwegen bis zum eigentlichen Stellenanbieter kommen: Erste Adresse: die Anschrift in der Briefkasten-Anzeige; zweite Adresse: ein nicht genannter Personalberater; dritte Adresse: der Stellenanbieter.

Bewerbung auf eine Chiffreanzeige ohne Weiterleitungsvermerk: Hier hat der Bewerber keine Adresse außer der des Verlages. Dabei wird es auch in den meisten Fällen bleiben. Falls der Bewerber nicht in die Spitzengruppen gelangt, wird er in der Regel seine Unterlagen mit einem kurzen anonymen Vermerk zurückerhalten; manchmal auch ohne jeden Vermerk. Diese anonymen Absagen sind auch postalisch so behandelt, daß aus dem Poststempel keine Anhaltspunkte zu entnehmen sind. Es bleibt die beunruhigende Tatsache, daß irgend jemand die Unterlagen sorgfältig angesehen und den ganzen Werdegang zur Kenntnis genommen hat, ohne daß ihn der Bewerber kennt. Dieser Anonymus kann sogar der Personalchef des derzeitigen Arbeitgebers gewesen sein, ohne daß man zunächst irgendeine Reaktion zu spüren bekommt. Es könnte auch der Personalchef eines anderen Unternehmens der Branche gewesen sein. Das ist von Bedeutung in Branchen, die sogenannte informelle Personalleitersitzungen untereinander vereinbart haben. Nachteilig für den Bewerber ist die Chiffreanzeige auch dann, wenn sich der Auftraggeber und Stellenanbieter nicht korrekt verhält, wenn er nicht antwortet oder es in kränkender Form tut, wenn Unterlagen ganz oder teilweise verschwinden, wenn Arbeitsproben beschädigt werden oder Diplomarbeiten sich in Luft auflösen. Dann muß der Bewerber über den Umweg Chiffre/Verlag mit dem Empfänger seiner Bewerbung streiten. Den Namen des Inserenten wird der Verlag in der Regel nicht bekanntgeben. Durch den Abschluß eines Chiffreanzeigenvertrages hat er sich vertraglich verpflichtet, Dritten den Namen und die Adresse des Anzeigenkunden nicht ohne rechtfertigenden Grund mitzuteilen. Oft hat der Verlag auch nur die Anschrift der auftraggebenden Agentur, den eigentlichen Stellenanbieter kennt er nicht. Der Agentur fällt es nicht schwer, zu behaupten, sie habe die Zuschrift nie erhalten, insbesondere, wenn kein Eingangs- oder Zwischenbescheid gegeben wurde. Der Verlag kann nicht einmal nachweisen, daß er selbst die Zuschrift erhielt und weiterleitete. Er notiert die Eingänge auf Chiffreanzeigen lediglich nach Datum und Anzahl je Anzeige, nicht nach (oft auch nicht ersichtlichen) Absendern.

Man kann sich trotzdem auf Chiffreanzeigen bewerben. Hier werden lediglich die möglichen negativen Begleitumstände genannt. Sie kommen zwar gelegentlich vor, sind aber mitnichten die Regel. Der Bewerber kann sich teilweise schützen, indem er seinen derzeitigen Arbeitgeber lediglich umschreibt und statt einer kompletten Bewerbung mit allen Unterlagen lediglich eine ‚Erste Bewerbung' mit den wichtigsten Stichworten seiner Ausbildung und Praxis verschickt. Falls man dann interessiert ist, wird man deutlicher schreiben müssen. Dabei kommt manchmal eine Anschrift zutage, nicht immer.

Bewerbung auf eine Chiffreanzeige mit Weiterleitungsvermerk: Bei dieser Form findet sich in der Anzeige neben der Anschrift des Verlages noch der Vermerk: Sie können angeben, wer Ihre Zuschrift nicht erhalten soll. Oder: Sperrvermerke werden berücksichtigt. Der Verlag verfügt dann über die Anschrift des eigentlichen Stellenanbieters. Wenn der Bewerber außen auf seiner Zuschrift deutlich erkennbar den Vermerk anbringt: Nicht weiterleiten an Firma XYZ, dann erhält er diese Zuschrift vom Verlag zurück – sofern es sich wirklich um die genannte Firma handelt. Ein besonders fataler Fehler ist hier denkbar: Der Bewerber bringt seinen Vermerk nicht so deutlich an, daß der Verlag ihn auch sehen kann. Er schreibt lediglich die Chiffre außen auf seinen Brief und legt den Zettel mit dem Sperrvermerk innen in den Umschlag. Wie es der Zufall so will, ist der Auftraggeber der Anzeige sein derzeitiger Arbeitgeber, den er auch schriftlich vom Empfang ausgeschlossen hat. Der erhält natürlich nun seine Zuschrift mit dem eingeschlossenen Sperrvermerk, denn der Verlag hatte keinen Hinweis, daß die Zuschrift einen Sperrvermerk enthielt.

Kontaktaufnahme über eine Stellengesuchsanzeige: Der Weg ist grundsätzlich gehbar, ist aber oft nur ein teurer Umweg. Die Stellengesuchsanzeige führt im besten Fall dazu, daß sich ein Unternehmen interessiert zeigt und um Einsendung der kompletten Bewerbungsunterlagen bittet. Es ist irrig anzunehmen, das Unternehmen würde sich beim Auftraggeber der Stellengesuchsanzeige bewerben. Häufig wird auch hier ein Personalberater oder eine Agentur eingeschaltet. Der Arbeitssuchende erhält dann eine Zuschrift: ‚Unser Klient hat Ihre Stellengesuchsanzeige in der XY-Zeitung gelesen. Er ist an Ihrer Mitarbeit interessiert und bittet Sie, uns Ihre komplette Bewerbung zu überlassen.' Hier ist Vorsicht geboten: Der Klient könnte der derzeitige Arbeitgeber sein. Er hatte die Stellengesuchsanzeige gelesen und gemeint, das könnte doch unser Herr YZ sein!

Unaufgefordert anschreiben: Hier gibt es zwei Möglichkeiten: Man kann seine kompletten Bewerbungsunterlagen einem Personalberater zusenden mit dem Vermerk: ‚Falls Sie in Ihrem Klientenkreis eine interessante Position für mich finden, bitte ich um Nachricht; ich möchte mich langfristig verändern.' Das ist insbesondere dann empfehlenswert, wenn der derzeitige Arbeitgeber von den Veränderungsabsichten weiß oder die Kündigung schon ausgesprochen ist. Große Personalberatungsfirmen erhalten ständig Anfragen aus ihrem Klientenkreis nach qualifizierten Fach- und Führungskräften.

Weniger empfehlenswert ist es, eine Reihe von Firmen unaufgefordert anzuschreiben. Die Wahrscheinlichkeit ist zu groß, daß zum Zeitpunkt des Eintreffens der Bewerbung dieser bestimmte Mann nicht gesucht wird. Man weiß mit der Bewerbung nichts Rechtes anzufangen. Die Gefahr ist groß, daß die Unterlagen in den Papierkorb wandern. Je nach Streuung und Anzahl der unaufgefordert verschickten Bewerbungen kann auch der Ruf darunter leiden: Euer Herr YZ bombardiert uns hier mit Bewerbungen. Muß der bei euch gehen?

Mündliche / telefonische Kontaktaufnahme: In der Regel ist die Aufforderung zur telefonischen Kontaktaufnahme mit der Anschrift des Inserenten – Firma oder Berater – verbunden. Das heißt, man weiß, mit wem man es zu tun haben wird. Der Telefonkontakt wird angeboten, weil man annimmt, daß damit die Schwelle zum Bewerbungsentschluß herabgesetzt werden kann. Es ist also in erster Linie ein

Lockmittel für den scheuen Bewerber. Man glaubt, daß er eher bereit ist, mal zum Telefon zu greifen, um ein rein informatives Gespräch zu führen, als gleich eine komplette Bewerbung fertigzumachen und abzuschicken. Dabei soll das Gespräch auch dazu führen, Leuten von der Bewerbung abzuraten, die ohnehin nicht in Frage kämen, etwa weil sie in den Einkommensforderungen schon zu hoch liegen oder bestimmte fachliche Voraussetzungen nicht erfüllen. Und es soll den interessanten Gesprächspartnern so viel Zusatzinformationen anbieten, daß sie sich zu einer schriftlichen Bewerbung entschließen. Man glaubt, damit auch schneller an geeignete Leute heranzukommen. Die Tatsache bleibt, daß man am Ende doch seine Unterlagen einschicken und vorlegen muß. Ebenso der Umstand, daß man den eigentlichen Auftraggeber nie kennenlernen wird. Auch der Berater wird am Telefon nicht bereit sein, seinen Auftraggeber zu nennen. Bedenklich: Die Gespräche werden oft mitgeschnitten. Wer erhält das Band? Wie wird garantiert, daß es wieder gelöscht wird? Wie ist sicherzustellen, daß der derzeitige Arbeitgeber oder sein Beauftragter (Personalchef) nicht mithört. Arbeitstechnisch ist es sicherlich sinnvoll, wenn bei solchen Telefonkontakten der Personalchef neben dem Berater sitzt, mithört und gleich mitbeurteilt, in besonders gravierenden Fällen das Gespräch gar übernimmt. Wie sollen da Sperrvermerke eingehalten werden?

Neben dem allgemeinen Angebot der telefonischen Kontaktaufnahme gibt es ein spezielles Angebot: Der Berater erhält den Auftrag, an bestimmte Fachkräfte ‚heranzutreten'. Entweder er ruft abends direkt an und gibt sein Angebot ab, oder er schreibt zunächst, um einen Telefontermin – falls Interesse besteht – zu vereinbaren. Es ist sinnvoll, sich dabei am Telefon auf keine langen Diskussionen einzulassen, sondern ein Treffen zu vereinbaren.

Nicht empfehlenswert ist die unaufgeforderte telefonische Kontaktaufnahme.

Kontaktaufnahme nach Empfehlung: Hier können Wirtschaftsprüfer, Steuerberater, Banken nach dem Muster des Personalberaters eine Rolle spielen. Sie übernehmen Mittlerrollen, wenn sie den Bewerber und die Firma als Klienten für ihre Dienstleistung haben. Zum Beispiel der Steuerberater, der für ein mittleres Unternehmen tätig ist und gleichzeitig einem Leiter der Konstruktion die Einkommensteuererklärung macht. Hier ist es denkbar, daß beim Gespräch mit dem Firmeninhaber die Bemerkung fällt: Unser Konstruktionsleiter hat auch gekündigt, und so weiter.

Andere Arten der Kontaktaufnahme: Hier sind Kongresse, Fachtagungen, Verbände und Messen zu nennen. Die Hannover-Messe zum Beispiel ist auch ein beachtlicher Stellenmarkt. Besonders interessant sind solche Veranstaltungen, die sich nicht nur auf die Hierarchiestufe des Veränderungswilligen beschränken, sondern bei denen auch das Management oder Teile davon präsent sind.

Kontaktaufnahme über das Arbeitsamt: Dieser Weg der Kontaktaufnahme setzt an sich Arbeitslosigkeit oder drohende Arbeitslosigkeit voraus. Denn es ist nicht Aufgabe des Amtes, Stellenvermittler in dem Sinn zu sein, daß es Kräfte aus einer Stelle herauslöst, um sie in eine andere Stelle zu bringen. Daran knüpft sich eine Assoziation, ein heute übliches Vorurteil: Wer arbeitslos ist, kann nicht qualifiziert sein. Dieses weitverbreitete Vorurteil gegenüber Bewerbern vom Arbeitsamt – sei es von einem einfachen Arbeitsamt oder dem besseren Büro Führungskräfte der Wirtschaft – muß der Bewerber berücksichtigen, wenn er das Arbeitsamt für sich ‚arbeiten lassen' möchte.

Zusammenfassend: Je direkter und ‚offener' der Weg zum eigentlichen Beurteiler der Bewerbung ist, um so besser. Die komplizierteren und anonymen Formen der Kontaktaufnahme müssen nicht weniger erfolgreich sein. Sie bergen aber mehr Risiken für den Bewerber.

Vorarbeiten

Kleine Materialkunde für Bewerber

Man schreibt eine Bewerbung. Auch nach einer ersten telefonischen Kontaktaufnahme muß das ‚Angebot' schriftlich abgegeben werden. Dabei haben sich bestimmte Formen und Konventionen bezüglich des zu verwendenden Materials herausgebildet. Die nachfolgende Liste macht klar, über welches Material man verfügen muß, wenn man zum Beispiel über das Wochenende eine Bewerbung herstellen und abschicken will.

Briefbogen/Papier

Man sollte stets eigene Briefbogen benutzen. Sie sind in jeder Schnelldruckerei für einen geringen Betrag rasch zu haben. Dazu sollte gutes, weißes Papier, DIN-A4-Format, verwendet werden. Der Briefkopf sollte neben dem genauen Namen die Anschrift und möglichst die Telefonnummer enthalten. Abzuraten ist von ausgefallenen Formaten, von farbigem Papier und von allzu verspielten Gestaltungen des Briefkopfes. Als Alternativlösung ist es auch möglich, auf einem neutralen weißen Bogen den Briefkopf mit der Anschrift mit der Maschine zu schreiben. Da die Bewerbung in der Regel aus mehreren Seiten besteht, sollte man sich außer dem eigenen Briefbogen für die erste Seite auch zweite Seiten drucken lassen.

Verpackung

Als Verpackung für eine komplette Bewerbung eignet sich am besten ein großer Umschlag mit verstärktem Rücken. Man kann dann die Bewerbung ungeknickt verschicken. Dabei sollte der Umschlag aus kräftigem Papier bestehen, um ein Aufplatzen oder andere Beschädigungen während des Postweges soweit wie möglich auszuschließen. Gar nicht empfehlenswert ist die Verwendung schon einmal gebrauchter Umschläge, zum Beispiel Jiffi-Taschen, bei denen das erste Anschriftenfeld überklebt ist. Empfehlenswert sind sogenannte Klotzbeutel, die aus kräftigem Papier bestehen und eine Fußfalte haben.

Innenverpackung

Als Innenverpackung eignet sich ein Kunststoff-Schnellhefter. Ein Kartonschnellhefter macht einen etwas billigen Eindruck, besonders, wenn er nach mehrmaligen Gebrauch an den Ecken geknickt ist. Die komplette Bewerbung sollte außer dem Bewerbungsschreiben in den Kunststoffschnellhefter eingeheftet werden. Das wird lose in den Hefter gelegt. Nicht empfehlenswert ist die Verpackung in eine Klarsichthülle, die nur an der Schmalseite oben offen ist. Der Empfänger muß dann die gesamte Bewerbung ohne Beschädigung aus dieser Hülle herausholen. Dabei kommt oft die Reihenfolge der einzelnen Blätter durcheinander. Oberster Grundsatz bei der Innenverpackung muß es sein, das Durchblättern und Lesen dem Empfänger so leicht wie möglich zu machen, ohne daß er die vom Bewerber gewünschte Reihenfolge der Blätter verändern kann oder muß. Man kann nach diesem Grundsatz natürlich auch jedes einzelne Blatt der Bewerbung noch einmal in eine eigene Klarsichtfolie stecken und dann alle so verpackten Stücke in einen Kunststoffschnellhefter heften. Dagegen sprechen die beachtliche Gewichtszunahme (erhöhtes Porto für den Rücksender) und der rein optisch unangenehme Eindruck, als wolle der Bewerber den Empfänger nicht so recht an die einzelnen ‚Dokumente' heranlassen; ja, als befürchte er, der Empfänger würde sie beschmutzen.

Schreibgerät

Oft erwartet der Empfänger der Bewerbung ein Handschreiben als Schriftprobe. Das kann das Anschreiben sein oder eine eigens angefertigte Handschriftprobe. Obwohl man heute vorwiegend mit Kugelschreiber oder einem Filzstift schreibt, wenn man überhaupt mit der Hand schreibt, ist es empfehlenswert, einen Füllfederhalter zu benutzen. Das Schriftbild ist nicht nur für den Graphologen besser zu beurteilen, sondern der Gesamteindruck wird wesentlich besser sein.

Schreibmaschine

Der überwiegende Teil der Bewerbungsunterlagen wird mit der Maschine geschrieben. Man darf es dem Empfänger der Bewerbung nicht zumuten, sich durch einen in echter Charakterschrift kaum lesbaren Lebenslauf, eine Tätigkeitsbeschreibung etc. durchzubuchstabieren. Dabei kann das Problem entstehen, daß man privat über keine Schreibmaschine verfügt und im Büro nicht unbemerkt eine Bewerbung tippen kann, daß man vielleicht überhaupt nicht mit einer Schreibmaschine umgehen kann und auch keine Frau oder Freundin mit diesen Fähigkeiten an seiner Seite hat. Dann empfiehlt es sich, ein Schreibbüro aufzusuchen und sich die Bewerbung dort formgerecht nach einem eigenen Entwurf tippen zu lassen. Es ist verständlich, daß ein Geschäftsführer, ein Leiter der Konstruktion, eine Modelldirektrice oder ein Graphiker nicht unbedingt maschineschreiben kann. Es macht aber trotzdem einen schlechten Eindruck, wenn solche Fach- und Führungskräfte auf einer Maschine im Zwei-

Finger-Such-System eine Bewerbung herunterhacken. Es wird sowohl von der Form als auch von den Tippfehlern her den Gesamteindruck beeinträchtigen. Auch eine Entschuldigung am Ende der Bewerbung: Bitte entschuldigen Sie die Form und die Tippfehler, ich verfüge über keine Schreibkraft und habe selbst getippt, ändert an dem schlechten Eindruck nichts.

Bewerbungsformulare

Es ist nicht empfehlenswert, für die Bewerbung vorgedruckte Formulare zu verwenden. Damit sind auch Bewerbungen gemeint, die, einmal angefertigt, im Original dann gedruckt werden. Es entsteht immer der Eindruck der Massendrucksache und des Unvermögens des Bewerbers, eine sinnvolle Form zu finden.

Fotokopien

Der komplette Satz Zeugnisse – Arbeitszeugnisse und Ausbildungszeugnisse – muß fotokopiert der Bewerbung beigelegt werden. (Auf keinen Fall Originale!) Doch sollten diese Fotokopien von den Originalen gemacht werden. Fotokopien von Fotokopien werden oft so schlecht, daß man sie nicht mehr gut lesen kann. Falls kein *gutes* (!) Fotokopiergerät vorhanden ist oder im Büro das Kopieren zu privaten Zwecken nicht gestattet ist, sollte man sich besser die Fotokopien in einem Kaufhaus oder Fotogeschäft anfertigen lassen. Immerhin ist es auch eine Frage des guten Geschmacks, den gegenwärtigen Arbeitsplatz nicht für die neue Bewerbung zu mißbrauchen. Es ist darauf zu achten, daß in jedem Fall gut lesbare, saubere Kopien benutzt werden.

Porto

Es soll Bewerber geben, die ihre Zuschrift überhaupt nicht frankieren und mit dem Vermerk: ‚Porto zahlt Empfänger' versenden. Davon ist entschieden abzuraten. Wenn die Bewerbung nicht ausreichend frankiert ist, kann es geschehen, daß der Empfänger die Sendung nicht annimmt. Diese Gefahr ist besonders bei Zuschriften auf eine Anzeige unter Chiffre gegeben. Hier ist der Verlag der Empfänger. Bei einer Reihe von Verlagen ist es üblich, nicht ausreichend frankierte Bewerbungen zurückgehen zu lassen. Das durchschnittliche Gewicht einer kompletten Bewerbung liegt zwischen 100 und 500 Gramm. Wenn die Bewerbung Arbeitsproben enthält, kann sie auch schwerer ausfallen. Will man die Bewerbung als Eilbrief versenden, ist zusätzlich eine Eilbotengebühr erforderlich. Es ist absolut nicht empfehlenswert, die Bewerbung durch den Firmenfreistempler laufen zu lassen. Je nach Empfindlichkeit des Empfängers entsteht der Eindruck, der Bewerber habe seinen derzeitigen Arbeitgeber um das Porto geschädigt. Dem Empfänger wird zudem sofort der derzeitige Arbeitgeber bekannt, den man in der Bewerbung gar so sorgfältig umschrieben hat.

Visitenkarte

Wenn der derzeitige Arbeitgeber indes nicht umschrieben werden muß, kann es sinnvoll sein, der Bewerbung eine Visitenkarte beizulegen, aus der die Funktion und Hierarchiestufe im Unternehmen hervorgeht.

Lichtbild

Von Automatenfotos ist abzuraten. Die Ergebnisse bleiben zu weit hinter den Ansprüchen zurück. Man sollte sich die Zeit nehmen und einige ordentliche Porträtfotos anfertigen lassen, etwa im Format 60 mal 30 mm. Keine Ganzfotos, keine Amateurfotos, nicht im Freizeitlook, nicht in der Badehose, nicht vor Meereshintergrund! (Man glaubt es kaum, was alles als ‚Foto' einer Bewerbung beigelegt wird.)

Zusammenfassung. Wer seine Bewerbung am Wochenende fertigmachen will, der braucht: Briefbogen (eigene mit Zweitseite), einen großen Umschlag mit verstärktem Rükken, einen Kunststoffschnellhefter, eine Schreibmaschine (und jemand, der sie bedienen kann), 2,50 bis 4,– DM Porto, einen Satz guter Zeugnis-Fotokopien, ein Lichtbild und einen funktionierenden Füllfederhalter.

. . . und glaube, die Voraussetzungen mitzubringen

Das Bewerbungsanschreiben

Von hundert Bewerbungsanschreiben sind neunzig viel zu lang. Der Bewerber ist der Meinung, im Anschreiben schon eine Zusammenfassung des Bewerbungsinhaltes geben zu müssen. Schlimmer wird es, wenn er versucht, seine philosophische oder wirtschaftspolitische Grundhaltung deutlich zu machen: ‚Weiterhin sei zu meiner Person erwähnt, daß Sie in mir einen zuverlässigen, loyalen und aufgeschlossenen Mitarbeiter finden werden, von dem Sie volles Engagement, Schwung, Ideen und Selbständigkeit, zähes Verfolgen von Zielen und Durchsetzungskraft erwarten können.‘

Das Mißverständnis liegt in der Annahme des Bewerbers, der Empfänger würde seinem Anschreiben derartig hohe Aufmerksamkeit widmen. Das trifft meist nicht zu. Das Kernstück der Bewerbung ist der tabellarische Lebenslauf. Außerdem glauben viele Bewerber, sie müßten die kritischen Blicke des Empfängers auf bestimmte Teile ihrer Bewerbung lenken. Sie setzen voraus, der Personalchef sei nicht in der Lage, sich selbst ein Urteil zu bilden. Darum nehmen sie in ihrem Bewerbungsanschreiben das (nach ihrer Meinung) einzig zutreffende Urteil schon vorweg.

Die langen Bewerbungsanschreiben haben manchmal auch ihren Grund in der Hilflosigkeit des Bewerbers vor der Aufgabe, einen Brief zu schreiben, der aus dem Schema der geschäftlich üblichen Briefe herausfällt. Er weiß, daß zu seiner

Bewerbung ein Brief, ein Anschreiben gehört. Aber was soll er ihm für einen Inhalt geben? Es muß ja irgend etwas drinstehen, meint er, und gibt dann Inhalte der Bewerbung wieder. Möglichst in drei Absätzen, weil doch jeder ordentliche Brief mindestens drei Absätze hat.

Richtig und in der Praxis üblich ist, daß das Bewerbungsanschreiben kurz sein soll. Es sollte keine Inhalte der eigentlichen Bewerbung vorwegnehmen. Es sollte keine allgemeinen Meinungen und Auffassungen des Bewerbers zur Wirtschaftspolitik, zu seiner Persönlichkeit oder seiner Grundhaltung enthalten. Es sollte auch nicht versuchen, das Urteil des Lesers zu präjudizieren oder zu beeinflussen. Die Vorwegnahme von Bewerbungsinhalten ist dann besonders kritisch, wenn Erfahrungen und Können in einigen Sätzen zusammengefaßt werden und diese Zusammenfassungen einen Akzent erhalten, der sich aus den Zeugnissen nicht ergibt. Wenn der Personalchef das Anschreiben wirklich einmal sorgfältig lesen sollte, könnte er schon an dieser Manipulation eine Absage aufhängen.

Wie sieht das Muster-Bewerbungsanschreiben aus?

Es ist kurz und enthält außer der genauen Anschrift des Bewerbers und der des Empfängers lediglich die Mitteilung, daß man sich um die ausgeschriebene Position bewirbt. Einzelheiten sind den beigefügten Unterlagen zu entnehmen. Dieses Muster geht von der Praxis aus, daß der Personalchef zunächst einmal einen Überblick haben will, über die einzelne Bewerbung und über alle anderen Bewerbungen. Er wird bei der einzelnen Bewerbung dabei als Orientierung den tabellarischen Lebenslauf heranziehen und bei allen Bewerbungen einen Vergleich aller tabellarischen Lebensläufe anstellen. Auf diese Weise entsteht zunächst eine Vorsortierung nach meist drei Gruppen: geeignet, weniger geeignet, nicht geeignet. Um diese erste Aufgabe zu lösen, wird das Bewerbungsanschreiben allenfalls kurz überflogen. Die gewünschten Kriterien und Daten sucht man an anderer Stelle. Ein langes Anschreiben mit kompliziertem Inhalt irritiert den Personalchef, es hält ihn auf. Es behindert sein Interesse am Lebenslauf.

Neben diesen Hinweisen aus der Bewerbungspraxis gibt es noch einen eher juristischen Grund für ein kurzes Anschreiben: Bei einer Absage muß der Bewerbungsempfänger alle Teile der Bewerbung zurückschicken, außer dem Anschreiben. Je mehr Persönliches, Sachliches oder sonst Informatives das Anschreiben enhält, um so mehr bleibt somit in unbekanntem Besitz. Natürlich kann der Empfänger die ganze Bewerbung fotokopieren, bevor er sie zurückschickt. Das ist aber dann ein illegaler Eingriff in die Persönlichkeitsrechte des Bewerbers. Der Besitz des Anschreibens dagegen ist durchaus legal.

Die Anschrift des Empfängers

Bei einer ‚offenen' Anzeige unter dem Namen einer Firma muß die Anschrift komplett und voll ausgeschrieben wiedergegeben werden. Wenn keine Anlaufstelle genannt ist, empfiehlt sich der Zusatz ‚Personalleitung'. Ist ein Name oder eine Abteilung oder auch eine Kennziffer oder ein Stichwort genannt worden, muß es in der Anschrift des Bewerbungsanschreibens wiederholt werden.

Bei einer offenen Anzeige unter der Anschrift eines Personalberaters ist es nicht sinnvoll, zwei Anschreiben zu verfassen, etwa ein kurzes (... bitte leiten Sie unverzüglich weiter ...) an den Personalberater und ein ausführliches an den eigentlichen Stellenanbieter. Es reicht ein höfliches, kurzes Anschreiben an den Personalberater.

Bei einer Zuschrift auf eine Chiffre-Anzeige ist die Empfängeranschrift im Bewerbungsanschreiben die des Verlages mit der richtigen Chiffre. Sie lautet zum Beispiel: An die XY-Zeitung, Postfach xxx, 6xxxx Frankfurt/Main. Chiffre ZR YYY 123. Bei der Ciffre müssen die Buchstaben und die Zahlen exakt wiedergegeben werden. Ein häufiger Fehler ergibt sich aus der verdrehten Wiedergabe der Zahlen. Dabei werden zum Beispiel die letzten Ziffern verdreht. Die Zuschrift geht dann an einen falschen Empfänger. Manche Bewerber suchen sich die für sie interessanten Anzeigen aus verschiedenen Zeitungen zusammen. Sie verwechseln dann in der Anschrift die Zeitungsverlage, senden also eine Offerte mit der Chiffre der AB-Zeitung an den Chiffredienst der XY-Zeitung. Solche Kleinigkeiten in der Anschrift des Bewerbungsanschreibens führen zu beachtlichen Zeitverzögerungen oder gar zum Scheitern der Bewerbung. Denn in der Regel wird die Anschrift des Bewerbungsanschreibens als Vorlage für die Beschriftung des Umschlages herangezogen.

Muster:

Anschrift des Bewerbers
(möglichst mit Telefon-Nummer) Datum

Genaue Anschrift des
Bewerbungs-Empfängers
(bei Chiffre Verlagsanschrift und Chiffre)

Ihre Stellenanzeige ‚Leiter des Rechnungswesens' in der Frankfurter Allgemeinen Zeitung vom . . .
(zusätzlich genaue Chiffre bei Chiffreanzeigen)

Verschiedene Muster für den Text des Bewerbungsschreibens:

Sehr geehrte Damen und Herren,
die ausgeschriebene Position interessiert mich. Zur Zeit bin ich Leiter des Rechnungswesens in einem namhaften Unternehmen des Maschinenbaus.
Meinen bisherigen Werdegang entnehmen Sie bitte den beigefügten Unterlagen.
Mit freundlichen Grüßen

Sehr geehrte Damen und Herren,
die ausgeschriebene Position entspricht, soweit ersichtlich, meinen Fähigkeiten und Kenntnissen. Ich möchte mich deshalb um die Stelle bewerben. Die beiliegenden Unterlagen geben weitgehend Auskunft über meinen Werdegang bis hin zu meiner jetzigen Tätigkeit. Es würde mich sehr freuen, wenn meine Ausführungen Ihnen Veranlassung zu einer persönlichen Aussprache geben würden. Ich bitte, die Bewerbung vertraulich zu behandeln.
Mit freundlichen Grüßen

Sehr geehrte Damen und Herren,
aufgrund Ihrer Anzeige möchte ich mich Ihnen vorstellen. Zur Zeit bin ich Leiter des Rechnungswesens in einem bekannten Unternehmen des Maschinenbaus.
Ich bitte Sie, von den beigefügten Unterlagen Kenntnis zu nehmen und erwarte gegebenenfalls Ihren Terminvorschlag für ein persönliches Gespräch.
Mit freundlichen Grüßen

Sehr geehrte Damen und Herren,
für die ausgeschriebene Position bewerbe ich mich. Bitte prüfen Sie meine Eignung anhand der beigefügten Unterlagen.
Für ein persönliches Gespräch stehe ich zur Verfügung.
Mit freundlichen Grüßen

Sehr geehrte Damen und Herren,
Ihre Anzeige hat mein besonderes Interesse gefunden. An einer Kontaktaufnahme mit Ihrem Hause bin ich sehr interessiert.
Mit freundlichen Grüßen
Anlage: Bewerbung

Sehr geehrte Damen und Herren,
unter Bezugnahme auf die von Ihnen ausgeschriebene vakante Position übersende ich Ihnen meine Bewerbungsunterlagen, aus denen mein beruflicher Werdegang ersichtlich ist. Weitere Einzelheiten sollten, wenn Interesse besteht, an Ort und Stelle besprochen werden.
Mit freundlichen Grüßen

Sehr geehrte Damen und Herren,
hiermit bewerbe ich mich um die Position des Leiters des Rechnungswesens, ausgeschrieben in der Frankfurter Allgemeinen Zeitung vom ... Ich würde mich freuen, wenn Sie mir nach Durchsicht meiner Unterlagen einen Gesprächstermin anbieten.
Mit freundlichen Grüßen

Sehr geehrte Damen und Herren,
ich bewerbe mich um die angebotene Position. Anbei die in Ihrer Anzeige gewünschten Bewerbungsunterlagen. Zu einem weiterführenden Gespräch stehe ich Ihnen gerne zur Verfügung.
Mit freundlichen Grüßen

Frühester Eintrittstermin und Gehaltsvorstellung

Es ist nicht empfehlenswert, den Eintrittstermin und Einkommenswunsch schon in das Anschreiben aufzunehmen. Beides steht besser am Ende des tabellarischen Lebenslaufes. Dort hat der Empfänger die Ausbildung und Praxis des Bewerbers bereits zur Kenntnis genommen. Wenn dann zum Beispiel die Gehaltsvorstellung etwas höher liegt als zunächst angesetzt war, dann ist es leichter für den Personalchef zu einem Urteil (... etwas teuer, aber gut ...) zu kommen. Wird er gleich im Anschreiben damit konfrontiert, könnte er leicht urteilen: zu teuer, und die Bewerbung ohne genaue Prüfung zur Seite legen.

Das gleiche gilt für den frühesten Eintrittstermin. Wenn schon im Anschreiben deutlich wird, daß der Bewerber erst in einem halben oder dreiviertel Jahr zur Verfügung stehen könnte, ist die Gefahr groß, daß sich der Personalchef mit dieser Zuschrift erst gar nicht weiter befaßt. Hat er dagegen aus dem Lebenslauf einen erstklassigen Eindruck erhalten, könnte er eher urteilen: der Mann ist so gut, daß sich ein Warten lohnt.

Einen negativen Effekt ergeben auch forsch gemeinte Formulierungen wie: Bin sofort verfügbar. Das bedeutet heute, daß der Mann zur Zeit arbeitslos ist. Sonst könnte er nicht sofort verfügbar sein. Der Zustand der Arbeitslosigkeit – verschuldet oder unverschuldet – ist meist ein negatives Kennzeichen. Etwa nach dem Motto, wer gut ist, hat einen Arbeitsplatz, wer schlecht ist, hat keinen.

Zusammenfassend: Das Bewerbungsanschreiben muß kurz sein. Auch ein Dreizeiler genügt. Es muß in den Anschriften von Absender und Empfänger präzise sein. Es soll keine Bewerbungsinhalte vorwegnehmen, und es soll nicht versuchen, die Beurteilung des Empfängers vorwegzunehmen.

Das Kernstück der Bewerbung

Der tabellarische Lebenslauf

Seine Funktion: Beurteilungsgrundlage

Die Bewerbung ohne den tabellarischen Lebenslauf besteht aus einer größeren Anzahl von fotokopierten Dokumenten. Ihr sachlicher und zeitlicher Zusammenhang wird nur schwer ersichtlich. Zur Person des Bewerbers und zu Teilen der Ausbildung, eventuell auch zu Teilen der Praxis, gibt es keine Dokumente. Ein Personalchef müßte, um einen Überblick zu bekommen, sich selbst so eine Art stichwortartiger Übersicht notieren. Zum Beispiel auch, um zu sehen, ob Lücken vorhanden sind, um die Wechselhäufigkeit zu überschauen, um eine Entwicklung deutlich zu machen, um die eine Bewerbung mit der anderen vergleichen zu können. Er braucht eine zusammengefaßte Beurteilungsgrundlage, einen Leitfaden, eben einen tabellarischen Lebenslauf.

In der Praxis hat sich diese Funktion des tabellarischen Lebenslaufes immer stärker in Richtung auf die wesentliche Grundlage der Beurteilung hin entwickelt. Das bedeutet für den Bewerber, daß er schon mit diesem Lebenslauf überzeugen muß. Erst wenn der Empfänger nach dem Studium des Lebenslaufes der Meinung ist, der Bewerber könnte in Frage kommen, wird er sich mit den Zeugnissen und den übrigen beigefügten Unterlagen befassen.

Wie geht das in der Praxis vor sich? Eine Anzeige ist

erschienen. Der erfahrene Personalchef rechnet mit sechs Wochen Eingangsfrist. Er erhält innerhalb der ersten vierzehn Tage fünfzig Zuschriften. Er gibt jedem Bewerber einen kurzen Zwischenbescheid und schaut sich die Bewerbungen an. Dazu hat er einen Rahmen an Muß-Voraussetzungen und von Kann-Voraussetzungen bezüglich Ausbildung, Alter, Berufspraxis und Fähigkeiten, der bisherigen Position und den Einkommensvorstellungen. Er zieht den tabellarischen Lebenslauf zu Rate und vergleicht. Was nicht im Lebenslauf steht, existiert für den Personalchef nicht. Er wird auch nicht die Bewerbungsunterlagen durchsehen, um herauszufinden, ob der Bewerber vielleicht eine wichtige Tatsache vergessen hat. Bei diesem ersten Vergleich entscheidet es sich schon, ob der Bewerber ‚Erste Wahl' ist oder ‚Zweite bzw. Dritte Wahl'. Oft werden die Bewerbungen ‚Dritte Wahl' ohne weitere eingehende Prüfung mit einer Absage zurückgeschickt. Die ‚Zweite Wahl' hält man solange in Reserve, bis die ‚Erste Wahl' ausreichend besetzt erscheint. Auch hier findet über die Prüfung des Lebenslaufes hinaus zunächst keine weitere Beurteilung statt. Nur wenn die ‚Erste Wahl' nicht ausreichend ist, nimmt man sich die ‚Zweite Wahl' noch einmal vor. Diese Grundzüge der Beurteilungspraxis machen die Bedeutung des tabellarischen Lebenslaufes deutlich.

In den meisten Fällen liegt die Entscheidung über die Eignung des Bewerbers für eine bestimmte Position nicht bei einer Person allein. Der Personalchef beurteilt, der mögliche Fachvorgesetzte, der Geschäftsführer, ein externer Berater, manchmal gibt sogar die Sekretärin ihre Meinung ab. In allen Fällen ist die gemeinsame Grundlage der Urteile der tabellarische Lebenslauf. Er ist die gemeinsame Diskussionsgrundlage.

Seine Form: kurz und übersichtlich

Aus der Funktion des tabellarischen Lebenslaufes ergibt sich seine Form. Eine DIN-A4-Seite ist ideal, zwei DIN-A4-Seiten sind noch möglich, umfangreicher sollte er nicht werden. Es gibt Bewerber, die ihren Lebenslauf über sechs, acht Seiten hinziehen. Sie nutzen dabei jede Möglichkeit einer Ausdehnung. Die Seiten werden nur in der Mitte, also in einer schmalen Spalte beschrieben mit mehrfachem Zeilenabstand, jeder Komplex von Daten wird auf einer neuen Seite angefangen und so weiter. Dem liegt ein Mißverständnis zugrunde: je länger die Tabelle, um so bedeutungsvoller wirkt sie.

Das Streben nach Kürze sollte allerdings nicht zu Lasten wichtiger Stichworte oder Positionen gehen. Um Übersichtlichkeit zu erreichen, bietet sich die chronologische Reihenfolge an. Meist ist heute bei uns eine Reihenfolge üblich, bei der die derzeitige Position am Ende steht, also umgekehrt wie in den angelsächsischen Ländern, die den Lebenslauf mit der letzten Position beginnen.

Eine gute Übersicht entsteht durch eine Einteilung der Seite in drei Spalten. In die erste Spalte kommt die Gruppenüberschrift, in die zweite die Daten und in die dritte der Text. Zum Beispiel für den ersten Datenkomplex, die persönlichen Daten und Ausbildungsdaten:

Erste Spalte	Zweite Spalte	Dritte Spalte
Persönliche Daten		
geboren am	10.12.1965	in Frankfurt/Main
Eltern		Fritz Meier, Beamter Paula Meier, geb. Müller, Krankenschwester
Familienstand		ledig
Staatsangehörigkeit		deutsch
Konfession		evangelisch

Ausbildungsdaten

Schulausbildung	1971–1974	Grundschule in Frankfurt
	1975–1980	Realschule in Frankfurt Abschluß: mittlere Reife
	1980–1983	Abendgymnasium Abschluß: Abitur
Studium	1984–1989	Universität Frankfurt Fachrichtung Betriebswirtschaft Abschluß: Diplom-Kaufmann Diplom-Note: Gut
Sprachkenntnisse		Englisch, perfekt

Eine gute Übersicht ist auch noch zu erreichen, indem man die Seite in nur zwei Spalten einteilt und dabei die Spalte zwei und drei des ersten Musters verschmilzt.

Persönliche Daten

geboren am	10. Dezember 1965
in	Frankfurt/Main
Eltern	Fritz Meier, Beamter Paula Meier, geborene Müller, Krankenschwester
Familienstand	ledig
Staatsangehörigkeit	deutsch
Konfession	evangelisch

Ausbildungsdaten

Schulausbildung	1971–1974	Grundschule in Frankfurt
	1975–1980	Realschule in Frankfurt, Abschluß: mittlere Reife
	1980–1983	Abendgymnasium Abschluß: Abitur

Studium	1984–1989	Universität Frankfurt, Fachrichtung: Betriebswirtschaft, Abschluß: Diplom-Kaufmann Diplom-Note: Gut
Sprachkenntnisse	Englisch, perfekt	

Die Chronologie allein als Ordnungsfaktor ist nicht sinnvoll. Auch dazu ein – nicht nachahmenswertes – Beispiel: (Ausschnitt)

1984	Beginn des Studiums
1986	Aufenthalt in England zu Sprachstudien
1988	Heirat mit Frau Inge Meier
1989	Abschluß des Studiums als Dipl.-Kaufmann Diplom-Note: Gut
1990	Geburt unseres Sohnes Fritz
1990–1993	Firma Meiermüller, Assistent im Rechnungswesen
1992	Kurs in Elektronischer Datenverarbeitung
1993	Geburt unserer Tochter Susanne
1993	Firma Müllermann, Stellvertretender Leiter des Rechnungswesens
1993	Kurs in Netzplantechnik

und so weiter.

Die Übersichtlichkeit gewinnt durch Gruppierung der Daten. Dazu bietet sich ein Schema an:

Persönliche Daten
Ausbildungsdaten
Berufspraxis

Dadurch ist eine Chronologie weitgehend gegeben. Sie sollte unterbrochen werden zugunsten der sachlichen Gruppierung. Zum formalen gehört auch, daß der Lebenslauf ein Datum trägt und unterschrieben ist.

Sein Inhalt: wahr und vollständig

Nichts eignet sich so gut wie Stichworte, um die Wahrheit im Lebenslauf zu manipulieren oder zu frisieren. Zum Beispiel:

1989–1993 Leiter des Finanz- und Rechnungswesens, Firma Meiermüller.

Wenn der Sinn mit den Worten übereinstimmen soll, dann muß der Bewerber

– während der ganzen Zeitspanne diese Funktion innegehabt haben und nicht etwa nur von 1992–1993 Leiter des Finanz- und Rechnungswesens gewesen sein, während er vorher vielleicht nur Stellvertreter war;

– er muß diese Funktion in der Zentrale ausgeübt haben und nicht etwa nur in einem kleinen Zweigbetrieb;

– er muß genau genommen von Januar 1989 bis Dezember 1993 dort gearbeitet haben, nicht etwa nur bis März 1993. Er könnte eine zeitweise Arbeitslosigkeit überspielen, indem er als nächstes Datum setzt: ab 1994 ...

Ein anderes Beispiel:

1985–1987 Niederlassungsleiter für die Firma Müllermeier in Frankfurt

seit 1988 Geschäftsführer einer Ingenieurgesellschaft

Diese Formulierung ist dann irreführend, wenn der Mann gehen mußte und in Ermangelung eines Besseren sich selbständig macht, die Ingenieurgesellschaft aus ihm allein besteht und er lediglich sein eigener Geschäftsführer ist.

Ein anderes Beispiel:

1984–1989 Verkaufsleiter, Firma Müllermeier.

Tatsächlich heißen die Außendienstmitarbeiter bei der Firma Müllermeier ‚Verkaufsleiter im Außendienst'. Davon gibt es zwanzig verschiedene, für jedes kleinere Gebiet einen. Die Formulierung erweckt durch ihre Kürze den Eindruck, als sei der Bewerber der Gesamtverkaufsleiter von Müllermeier.

Die gewünschte Vollständigkeit des tabellarischen Lebenslaufes wird manchmal mit der Formulierung gefordert:

lückenloser, tabellarischer Lebenslauf erwünscht. Auch wenn diese zusätzliche Vorschrift nicht ausdrücklich auftaucht, erwartet der Bewerbungsempfänger einen lückenlosen Lebenslauf. Dabei entsteht die Frage, ob man im Lebenslauf die Datumsfolge lediglich auf Jahre beschränkt oder zu den Jahren die jeweiligen Monate und Tage schreibt. Es ist üblich, nur die Jahre zu nennen. Also:

1979–1983	Firma Müllermeier, Detailkonstrukteur
1984–1986	Firma Meiermüller, Konstrukteur
	Firma Müller, Konstruktions-Gruppenleiter

1/1979–12/1983	Firma Müllermeier, Detailkonstrukteur
1/1984–4/1986	Firma Meiermüller, Konstrukteur
5/1986–	Firma Müller, Konstruktions-Gruppenleiter

Diese Form ist nicht ganz so übersichtlich, kommt aber dem Wunsch nach Lückenlosigkeit näher. Eine Manipulation ist mit den Jahreszahlen ohne Monate zunächst möglich (siehe oben). Allerdings ist von ihr mit allem Nachdruck abzuraten. Denn angenommen, der Personalchef ist aufgrund des tabellarischen Lebenslaufes der Meinung, der Bewerber sei erste Wahl, dann wird er sich mit den beigefügten Unterlagen, den Zeugnissen näher befassen. Stellt sich zu diesem Zeitpunkt die Manipulation heraus, ist die Absage fällig. Stellt sich die Manipulation erst nach Vertragsabschluß heraus, ist eine fristlose Kündigung wegen arglistiger Täuschung denkbar.

Die drei Hauptteile des tabellarischen Lebenslaufes

Die drei Hauptteile des tabellarischen Lebenslaufes mit den zur Beurteilung wichtigsten Daten sind:

Persönliche Daten
Ausbildungsdaten
Berufspraxis

Die persönlichen Daten:

Zu den ‚persönlichen Daten' gehören:

Genaues Geburtsdatum und Geburtsort
Eltern mit Beruf des Vaters
Familienstand
Kinder
Staatsangehörigkeit
Konfession.

Das Geburtsdatum sollte genau sein, auch wenn die Versuchung groß ist, hier zu verschönen, zum Beispiel beim Übergang von einem Jahrzehnt ins andere. Beispiel: Zeitpunkt der Bewerbung 15.5.1993, der Bewerber ist geboren am 10.1.1944. Wenn er nun lediglich schreibt: Geboren 1944, könnte der Eindruck entstehen, er sei noch 49 Jahre alt, obwohl er schon die 50 erreicht hat. Diese Überlegungen haben einen realen Hintergrund. Es kann schon etwas ausmachen, ob man von dem Bewerber sagt, er sei 49, oder er sei schon 50. Umgekehrt ist diese Manipulation auch möglich, etwa, wenn ein Mindestalter von 30 Jahren vorgeschrieben ist. In jedem Fall sollte man auf solche Tricks verzichten.

Die Angabe des Geburtsorts ist stets erwünscht, zumal öfters bei der endgültigen Entscheidung auch landsmannschaftliche Gesichtspunkte berücksichtigt werden sollen. In manchen Anzeigentexten findet sich darauf ein Hinweis: ‚Er sollte mit der bayerischen Mentalität vertraut sein.'

Eltern und Beruf des Vaters geben ein zusätzliches Beurteilungskriterium ab über den persönlichen Hintergrund des Bewerbers. Beispielsweise aus welcher sozialen Schicht er stammt, und ob er vielleicht eine begabungsmäßige Berufstradition fortsetzt ... (Großvater ist schon Konstrukteur gewesen, der Vater auch, er selbst auch ...)

Familienstand: Meist gewünschter Familienstand ist verheiratet, mehrere Kinder. – Warum? Positive Antwort: weil man von einem Mann mit geordneten Familienverhältnissen eine gleichmäßigere, kontinuierlichere Leistung erwarten kann. – Negative Antwort: weil eine ehrgeizige Ehefrau der beste Leistungsstimulator ist und eine große Kinderschar aus wirtschaftlichen Gründen den Mann seßhaft machen und zu jedem Kompromiß zwingen. Eine Ausnahme gilt hier nur bei Fachkräften, die überwiegend im Inland und im Ausland auf Reisen sein müssen. Eine weitere Besonderheit gibt es bei längeren Engagements im Ausland, hauptsächlich bei Einsatz in Entwicklungsländern. Hier ist es erforderlich, die Ehefrau mitzubringen. Besonders rigoros sind hierin die führenden Schichten in den Ländern des Nahen Ostens.

Die Bezeichnungen ‚geschieden' oder mit „Lebensgefährt(in) zusammenlebend" als Familienstand werden im Zweifelsfalle negativ interpretiert. Dabei gibt es natürlich Unterschiede je nach Position und Einsatzgebiet. Bei einem Leiter der Personalabteilung hat diese Bezeichnung sicherlich mehr Gewicht als bei einem Konstrukteur.

Die Staatsangehörigkeit ist sinnvoll im Zusammenhang mit einem fremdländisch klingenden Namen (Wu-Chen-Lo, geboren in Hongkong, Staatsangehörigkeit: deutsch). Bei deutschsprachigen Bewerbern aus Österreich oder der Schweiz ist sie als Ergänzung sinnvoll.

Kinder: Hier will man nicht nur die Anzahl, sondern möglichst auch das Alter wissen, um abschätzen zu können, ob Schulprobleme entstehen könnten; etwa, wenn nicht alle weiterführenden Schulen am Ort sind, oder wenn die Kinder schon kurz vor dem Abitur stehen und keine Universität in erreichbarer Nähe ist.

Konfession. Diese Angabe wird nie ausdrücklich gefordert. Trotzdem ist sie als Ergänzung für den Empfänger sinnvoll. Zumal sich daraus je nach landschaftlicher Lage des Unternehmens und der Art seines Mitarbeiterstammes ein Kriterium ergeben kann.

Das folgende Beispiel zeigt als Muster, wie ein solcher Datenkomplex ‚Persönliche Daten' aussehen kann:

Persönliche Daten

geboren am	12. 10. 1955
in	Frankfurt/Main
Eltern	Karl Meier, ehemals Konstruktionsleiter bei Müllermann, jetzt Pensionär, Ehefrau Maria, geborene Müller
Familienstand	verheiratet, drei Kinder (9, 11, 14)
Staatsangehörigkeit	deutsch
Konfession	evangelisch

Die Ausbildungsdaten

Zu den Ausbildungsdaten gehört die
Schulausbildung
Fachschul-/Hochschulausbildung
Berufsausbildung
Sprachen sowie eine
Zusammenfassung von Kursen und Weiterbildungen.

Die Schulausbildung: dazu gehört, je nach Bildungsgang, die Hauptschulzeit, Realschul- oder Gymnasiumbesuch (auch Abendgymnasium) sowie die Abschlüsse. Zum Beispiel:

1971–1974	Gruneliusschule (Hauptschule) in Frankfurt
1975–1983	Goethegymnasium, Frankfurt Abschluß: Abitur

Bei häufigem Wohnungs- und damit Schulwechsel ist es nicht erforderlich, alle besuchten Hauptschulen aufzuführen, oder alle Gymnasien. Das würde den Lebenslauf unnötig ausweiten. Es reicht aus, wenn die Hauptschulzeit und die Zeit des Besuchs weiterführender Schulen in Jahren angegeben werden:

1971–1974	Volksschulbesuch (verschiedene Schulen wegen häufigem Ortswechsel der Eltern)
1975–1983	Gymnasium, zuletzt Frankfurt, Goethegymnasium, dort Abitur 1983

Nicht empfehlenswert ist, an dieser Stelle irgendwelche Erklärungen einzustreuen, daß man zwar das Gymnasium besucht, aber wegen Krankheit oder wegen wirtschaftlicher Schwierigkeiten schon vorzeitig mit der mittleren Reife/Sekundareife verlassen habe. Solche Kommentare werden meist negativ interpretiert. Es ist besser, sich ganz auf die Sachaussage zu beschränken: entweder Abitur oder mittlere Reife.

Fachschule/Hochschule: Zwischen Schulausbildung und Fachschule/Hochschule gehören gegebenenfalls der Erwerb der Fachschul-/Fachhochschul-Reife. Bei der Fachschulreife mit dem Ziel der Graduierung wird meist der Fall auftreten, daß sie mitten im Berufsleben liegt, also etwa nach einigen Jahren Berufspraxis als Buchhalter oder als Detailkonstrukteur. Auch dann gehört dieser Ausbildungsabschnitt nicht mitten in die Berufspraxis-Daten. Er gehört zu den Ausbildungsdaten.

Wird die Hochschule/Universität besucht, dann gehört in den Lebenslauf die Studienfachrichtung, die Studiendauer, der Studienabschluß, die Examensnote und die Studienorte. Bei der Studienfachrichtung sollte nicht nur die dominierende genannt werden, oder diejenige, in der der Bewerber sein Examen gemacht hat. Es kann durchaus maßgeblich für bestimmte Positionen sein, wenn z. B. der Diplom-Kaufmann auch einige Semester Jura studiert hat, oder wenn der Diplom-Ingenieur-Maschinenbau sein Studium zunächst als Betriebswirt begonnen hat und später die Fachrichtung wechselte. Ein bis zwei solcher Fachrichtungswechsel können ein positives Bild ergeben, insbesondere dann, wenn sie zu keiner übermäßigen Verlängerung des Studiums geführt haben. Zentrale Bedeutung kommt der Examensnot in der Bewerbung von Jungakademikern zu. Sie ist in diesen Fällen die wesentlichste Grundlage der Beurteilung (ausführliche Einzelheiten siehe S. 153 f. auch über Thema der Examensarbeit, Bewertung der Studienorte und Bedeutung der Professorennamen sowie der Bedeutung der zweiten Hälfte des Studiums).

Berufsausbildung: Zur Berufsausbildung gehört die eigentliche Lehre (Ausbildung). Hier sollte die Dauer, der Ausbildungsbetrieb und die Berufsbezeichnung genannt werden:

1986–1988	Lehre als Maschinenschlosser in Firma Müllermann; Abschluß vor der IHK

Bei handwerklichen Berufen gehört hierher auch der Gesellenbrief und die Meisterprüfung.

Sprachen: Die Aussagen über die Sprachkenntnisse sind besonders anfällig für Manipulationen, da es hier keine allgemein verständlichen und gebräuchlichen Normen gibt. Wie soll der Bewerbungsempfänger zum Beispiel die Aussage bewerten: Sprachkenntnisse Englisch und Französisch? Beherrscht der Bewerber die Sprachen perfekt? Perfekt in Rede und Schrift? Perfekt in der Umgangssprache oder auch bei schwierigen technischen Verhandlungen? Die Abstufungen vom wirklichen perfekten Beherrschen bis zum Schulenglisch sind vielfältig. Für den Bewerber zahlt sich eine präzise Formulierung aus. Am besten ist natürlich ein entsprechendes Diplom oder Prüfungszeugnis, zum Beispiel als Übersetzer oder Korrespondent oder Dolmetscher. Ist das nicht vorhanden, empfiehlt es sich, lieber zu untertreiben als übertriebene Hoffnungen zu wecken. Es könnte geschehen, daß man bei der Vorstellung einem Amerikaner gegenübersitzt, der die Verhandlung in seiner Sprache führen möchte.

Schlechtes Beispiel: Sprachkenntnisse: Englisch (Read and write quite will, but I am working on my conversational ability which needs practics).

Zusammenfassung von Kursen und Weiterbildungsmaßnahmen: In manchen Berufen, zum Beispiel im EDV-Bereich, gehört es dazu, pro Jahr mehrere Kurse zu absolvieren. Für den Bewerbungsempfänger ist die Kenntnis der Kurse oder anderer Weiterbildungsmaßnahmen wichtig. Sie sprengen aber in ihrer vollständigen Aufzählung den Rahmen des tabellarischen Lebenslaufes. Darum ist es empfehlenswert, wenn der Bewerber mehr als drei Kurse oder Weiterbildungsmaßnahmen aufzuweisen hat, nach den Sprachkenntnissen diese Daten nicht aufzuführen, sondern lediglich einen Hinweis anzubringen: ‚Kurse und Weiterbildungsmaßnahmen siehe Blatt 3'. Als Bewerber sollte man sich Klarheit darüber verschaffen, ob für die angestrebte Position, ob für den eigenen Beruf Kurse und Weiterbildungsmaßnahmen wichtig sind und welchen Stellenwert sie haben. Bei EDV-Fachkräften gehört es einfach dazu, daß sie sich ständig auf dem neuesten Stand der Entwicklung halten. Hier ist eine Liste der besuchten Kurse und Weiterbildungsveranstaltungen als Beilage der Bewerbung sinnvoll. Das gleiche gilt zum Beispiel für Fachkräfte im Arbeitsvorbereitungs- oder Fertigungssteuerungsbereich. Bei einem Buchhalter können die Bilanzbuchhalterprüfung und Fachkurse im Steuerrecht sinnvoll erscheinen.

Man sollte jedoch als Bewerber den Eindruck vermeiden: ‚Wann hat der überhaupt gearbeitet bei so vielen Kursen?' Dieser Eindruck entsteht besonders dann, wenn die Kurse nicht direkt berufsbezogen sind und auch nicht unbedingt mit dem Einsatzgebiet zu begründen sind. Zum Beispiel, wenn ein Buchhalter mehrere Kurse in Rhetorik besucht und dann noch einige über zwischenmenschliche Beziehungen im

Jahr 2000. Es ist nichts dagegen einzuwenden, daß er diese Kurse besucht. Nur in der Bewerbung sollte er sie lieber nicht nennen. Es ist nicht als Versuch der arglistigen Täuschung zu werten, wenn der Bewerber gewisse Kurse nicht nennt, die er aus einer privaten Interessenlage heraus besucht hat. (Über die Rolle von Kursen und Weiterbildungsmaßnahmen zur Überbrückung einer kurzfristigen Arbeitslosigkeit siehe Seite 200ff.)

Beispiele für die Gestaltung des Bewerbungsteils ‚Ausbildungsdaten‘:

bei Hauptschulabschluß:

Ausbildungsdaten

Schulausbildung	1955–1962	Grundschule in XYZ
Berufsausbildung	1962–1965	Ausbildung zum Industrie-Kaufmann Firma Meiermüller, Abschluß vor der IHK
Kurse	1969	Einkäuferkurs, vier Wochen
	1980	Seminar für Einkaufsleiter
	1989	Lehrgang für Einkaufsleiter
Sprachen		Englisch, verhandlungssicher

bei mittlerer Reife:

Ausbildungsdaten

Schulausbildung	1970–1974	Grundschule in Frankfurt
	1975–1980	Realschule in Frankfurt, Abschluß: mittlere Reife
Berufsausbildung	1980–1983	Ausbildung als Werkzeugmacher bei Firma Meiermüller, Ulm, Abschluß: Facharbeiterbrief

Fachschulstudium	1984–1987	Rheinische Ingenieur schule, Köln, Fachrichtung Wirtschaftsingenieur-wesen, Abschluß 1987 als: Wirtschafts-Ingenieur (grad.) Examensnote: 2
Sprachkenntnisse		etwas Englisch und Französisch (Sprechen und Verstehen gut)
Kurse		siehe Aufstellung Blatt 3

bei Abitur mit Hochschulstudium:

Ausbildungsdaten

Schulausbildung	1967–1970	Grundschule in Darmstadt
	1970–1979	Fritz-Meier-Gymnasium, Darmstadt, Abschluß: Abitur
Praktikum	1979	halbjähriges Praktikum bei Meiermüller, Darmstadt
Studium	1980–1987	Studium des Maschinen-baus an der Technischen Hochschule Darmstadt, Diplomprüfung Mai 1983, Note: 2
Promotion	1992	durch den Fachbereich Maschinenbau der TH Darmstadt
Sprachkenntnisse		Englisch/Französisch, verhandlungssicher
Kurse		verschiedene Seminare über Führungstechnik

Berufspraxis

Die Daten zur Berufspraxis nehmen in der Regel den größten Teil des tabellarischen Lebenslaufes ein. Für den Personalchef sollen diese Daten inhaltlich die fachliche und hierarchische Entwicklung des Bewerbers zeigen sowie sein Wechselverhalten. Für den Bewerbungsschreiber ergeben sich formal die Aufgaben, Zeugnisinhalte optimal in wenigen Stichworten wiederzugeben (ohne zu manipulieren oder zu frisieren) sowie die Darstellung seiner Arbeitgeber.

Die fachliche Entwicklung

Dazu zwei Beispiele:

I. Berufspraxis

1965–1968	Reisender, Firma Müllermann, Köln, Schokoladenfabrik
1969–1973	Außendienstmitarbeiter, Firma Meier, Nahrungsmittel
1974–1980	Gebietsverkäufer, Oldenburg Nord für die Firma Müller, Keksfabriken
1981–1984	Repräsentant, Firma Meiermüller, alkoholfreie Getränke
1985–1990	Verkäufer im Außendienst, Firma Müller, Nahrungsmittel
seit 1991	Mitarbeiter im Außendienst, Firma Müllermeier, Getränkegroßhandel

II. Berufspraxis

1965–1968	Reisender, Firma Müllermann, Köln, Schokoladenfabrik
1969–1973	Firma Meier, Nahrungsmittel, zunächst als Außendienstmitarbeiter, dann als Gebietsverkaufsleiter, Nielsen I

1974–1985	Verkaufsleiter Innen- und Außendienst, Firma Müllermüller, Nahrungsmittelkonzern, verantwortlich für die Produktgruppe Kindernahrungsmittel
seit 1986	Firma Meiermüller, Konsumgüter-Markenartikel, zunächst Produktgruppenleiter, zur Zeit Gesamtverkaufsleiter Nahrungsmittel, mit Prokura

Beispiel I zeigt über fünfundzwanzig Jahre hinweg einen absoluten Stillstand der fachlichen und hierarchischen Entwicklung. Je nach Aufgabenstellung muß das nicht unbedingt negativ zu werten sein. Es wäre denkbar, daß ein Unternehmen einen geborenen Außendienstmann sucht, der nie etwas anderes getan hat, als Lebensmittel zu verkaufen, der auch nichts anderes erstrebt, dabei aber seine Arbeit immer zur ‚vollsten Zufriedenheit' seiner Arbeitgeber gemacht hat. Häufig finden sich jedoch solche Bewerbungen bei den Zuschriften auf eine Anzeige ‚Verkaufsleiter'. Meist hat dann ein solcher Mann an diesem Punkt seiner Laufbahn die Überzeugung gewonnen, jetzt müsse er endlich den großen Sprung nach vorn machen und die endgültige Lebensstellung erlangen.

Beispiel II zeigt dagegen eine kontinuierliche fachliche Weiterentwicklung des Bewerbers. Seine bisherigen Aufgaben und Verantwortungen lassen den Schluß zu, daß er in der Lage sein wird, auch in größere Verantwortungen hineinzuwachsen. Der Lebenslauf zeigt, daß er ehrgeizig im besten Sinn des Wortes ist und weiter vorankommen will.

In beiden Fällen liegt eine Kontinuität für den Inhalt der Aufgabe und für die Branche vor. Diese Beständigkeit nach Aufgabenstellung und Branche ist das Ideal des Bewerbungsempfängers. Sie zeigt ihm in den beiden Beispielen, daß eine verkäuferische Begabung vorhanden ist, die sich über Jahre bewährt hat, und daß eine umfassende Branchenkenntnis sowie eine Hinneigung zu dieser Branche vorhanden ist. Gerade die umfassende Branchenkenntnis erspart viel Einarbeitungszeit.

Nicht so positiv wird man eine fachliche Entwicklung beurteilen, die auf einen ‚Hans-Dampf-in-allen-Gassen' schließen läßt:

III. Beispiel.

Berufspraxis

1969–1971	Detailkonstrukteur, Firma Müllermann
1972–1975	Verkäufer im Außendienst, Firma Müller, Maschinenfabrik
1976–1978	EDV-Organisator, Firma Meier, Maschinenbau
1979–1980	freiberuflich tätig
1981–1984	Mitarbeiter in der Projektion, Firma Müllermann, Werkzeugmaschinen
1984–1988	Verkaufsleiter, Drehmaschinen, Firma Müller
seit 1989	in der Fertigungsplanung, Firma Müllermann

Liegt ein solcher Fall vor, muß der Bewerber versuchen, ohne zu manipulieren oder zu frisieren, für den Personalchef, der seine Bewerbung erhält, eine Kontinuität sichtbar zu machen. Er kann das unter dreierlei Gesichtspunkten versuchen: vom Schwerpunkt der Aufgabe her, von den Branchen oder vom weiteren Einsatzgebiet. So könnte man versuchen, beim Beispiel III eine Kontinuität der Branche in den Vordergrund zu stellen sowie einen gewissen Schwerpunkt über das Einsatzgebiet Verkauf/Vertrieb/Projektion. Besonders hilfreich sind dabei die Zeugnisse. Hat man einmal ein oder zwei kontinuierliche Linien der beruflichen Entwicklung herausgefunden, dann kann man im Lebenslauf mit stichwortartigen Zitaten aus den Zeugnissen den Akzent auf diese Entwicklung setzen und die sinnvolle fachliche Entwicklung verdeutlichen.

Die hierarchische Entwicklung läßt Schlüsse zu auf das ‚Format' des Bewerbers. Je nach der Aufgabenstellung wird der Personalchef einen Aufsteiger wählen, der noch mitten im Steigflug ist oder einen Mann, der den Zenith seiner hierarchischen Entwicklung schon erreicht hat. Im ersten Fall könnte es darum gehen, eine Position ‚Abteilungsleiter mit Geschäftsführerformat' zu besetzen, im zweiten um einen Abteilungsleiter, den man bis zu seiner Pensionierung auf diesem Posten behalten möchte. Die Wünsche des ausschreibenden Unternehmens lassen sich meist schon aus dem Anzeigentext erkennen. Der Bewerber muß in seinem Lebenslauf, Abteilung Berufspraxis, versuchen, auf die Vorstellungen des suchenden Unternehmens einzugehen. Dabei wird es keinen Sinn haben, etwa als 35jähriger stellvertretender Geschäftsführer eines mittleren Unternehmens zu versuchen, glaubhaft zu machen, man strebe eine endgültige Lebensstellung als kaufmännischer Verwaltungsleiter an. Hier sind von der hierarchischen Entwicklung her Granzen gesetzt beziehungsweise bestimmte Entwicklungen als logisch vorgegeben.

Das Wechselverhalten verläuft in mehreren Ebenen: man kann das Unternehmen wechseln, die Branche, das Einsatzgebiet und natürlich das räumliche Wohngebiet. Aus dem Wechselverhalten ist für den Bewerbungsempfänger inhaltlich ersichtlich, ob die Wechsel für den Bewerber sinn- und planvoll waren. Die Wechselhäufigkeit ist ein deutlicher Indikator für die Fähigkeit des Bewerbers, sich zu engagieren. Ideal ist ein Wechselverhalten, das inhaltlich als eine planvolle Weiterbildung und Fortentwicklung auf einem bestimmten Gebiet verstanden werden kann. Zum Beispiel, wenn einer zunächst als Außendienstmitarbeiter für ein bestimmtes Waschmittel tätig war, dann zu einer Werbeagentur ging, die für ein entsprechendes Produkt den Werbeetat verplante, später in einem Großunternehmen des Handels als Ein- und Verkäufer für Waschmittel gearbeitet hat, um endlich wieder beim Waschmittelhersteller als Verkaufsleiter zu landen.

Meist ist der Bewerber in der Lage, sein Idealprofil von der Berufspraxis her aufzustellen, ein Profil, das auch der Bewerbungsempfänger als ideal verstehen würde. Die Stichworte des Lebenslaufes sollten in dieser Richtung aus den Zeugnissen zusammengestellt werden.

Die Wechselhäufigkeit hat für den Bewerbungsempfänger große Bedeutung. Er möchte natürlich einen Mann einstellen, der langfristig bei dem Unternehmen bleibt. Er wird einen Bewerber mit wenigen Wechseln besser beurteilen als einen mit vielen Absprüngen. Viele Wechsel sind für ihn ein Hinweis auf die fehlende Fähigkeit des Bewerbers, sich für ein Unternehmen oder eine Aufgabe zu engagieren. Häufige Arbeitsplatzwechsel können als Mangel an Anpassungsvermögen auch negativ interpretiert werden, als mangelnde fachliche Qualifikation in bezug auf die angestrebte Position gelten. In den Jahren des wirtschaftlichen Booms hatte sich bei einer Reihe von Fach- und Führungskräften die Unsitte herausgebildet, durch häufigen Wechsel zu einer kontinuierlichen Einkommensverbesserung zu kommen. Dieses Mißverständnis, daß mit jedem Wechsel zu einem neuen Arbeitgeber auch automatisch eine Verbesserung der Bezüge verbunden sein muß, führt auch heute noch zu Lebensläufen mit vielen, sachlich nicht begründbaren Wechseln. Es ergibt sich das typische Bild des Jobhoppers oder des Vielfachwechslers: ein Arbeitnehmer, der jede nicht erfüllte Einkommensverbesserung, jede Schwierigkeit am Arbeitsplatz als Grund für eine Kündigung nimmt. Bei der heutigen Einstellung der Personalchefs und der Arbeitsmarktlage muß man dagegen sagen: Allzu häufiger Wechsel schadet der Laufbahn und zahlt sich nicht aus.

Vielfachwechsler oder Jobhopper sind Leute, die etwa alle zwei bis drei Jahre über einen längeren Zeitraum hin das Unternehmen gewechselt haben. Oft verbinden sie damit auch noch einen Branchenwechsel und/oder einen Einsatzgebietswechsel. Geht man davon aus, daß schon in mittleren Positionen, etwa der eines Gruppen- oder Ressortleiters mit einer Einarbeitungszeit von ein bis zwei Jahren gerechnet wird, dann stehen solche Vielfachwechsler immer wieder am Anfang. Daß dieses ständige Wechseln nicht aufwärts führt, ergab eine Untersuchung des Wechselverhaltens aus über 10 000 Lebensläufen von mittleren Angestellten bis Vorständen. Im Durchschnitt hatten alle untersuchten Lebenslaufschreiber zwischen zehn und fünfzehn Jahre Berufspraxis. Sie wurden gruppiert nach der Anzahl ihrer Unternehmenswechsel von ‚Null-Wechslern', also Leuten, die in ihrer Laufbahn noch nie das Unternehmen gewechselt hatten, bis zu ‚Acht-und-mehrmals-Wechslern'. Dabei ergab sich:

Rechnet man alle Null-, Einmal- und Zweimal-Wechsler zusammen und schaut sich an, welche Hierarchiestufe sie erreicht hatten, so findet man etwa die Hälfte dieser Leute in den drei oberen Hierarchiestufen Vorstand/Geschäftsführer, Hauptabteilungsleiter, Prokurist.

Die höchsten Einkommen finden sich bei den Null-,- Einmal- und Zweimal-Wechslern.

Mit steigender Wechselhäufigkeit sinkt die Qualität der Ausbildung, das erreichte Hierarchieniveau und das durchschnittliche Einkommen.

Diese Untersuchungsergebnisse bestätigen die allgemeine Meinung unter den Personalfachleuten: Zwei, drei Unternehmenswechsel, um eine Branche kennenzulernen, zwei, drei organische Einsatzgebietswechsel, um einen bestimmten Markt kennenzulernen sind gut. Häufiger Wechsel schadet der Laufbahn.

Mehrere Wechsel kurz hintereinander sind noch kein Anzeichen für einen Jobhopper oder Vielfachwechsler. Sie werden auch in der Regel nicht negativ beurteilt. Meist liegt vor den kurz hintereinander erfolgten Wechseln ein längeres Engagement. Der typische Lebenslauf sieht dann etwa so aus:

Berufspraxis

1966–1974	Konstrukteur, Firma Müllermann, Maschinenfabrik
1975–1987	Leiter der Konstruktion, Firma Meiermüller, Werkzeugmaschinenfabrik
1988–1989	Leiter der Konstruktion, Firma Meier, Maschinenbau
1990	Leiter Entwicklung und Konstruktion, Maschinenfabrik Müller
zur Zeit	Leiter der Konstruktion und Entwicklung, Firma Meier, Maschinen- und Werkzeugbau

Hier wird für den Personalfachmann deutlich, daß der Wechsel 1988 nach über zwölfjähriger Tätigkeit bei Meiermüller nicht geklappt hat. Auch die beiden folgenden Engagements entsprachen offensichtlich nicht den Vorstellungen des Bewerbers. Die Wahrscheinlichkeit ist groß, daß er bei dem nun bevorstehenden neuen Wechsel zu einem längeren Engagement kommen wird. Die kurzen Gastspiele haben seine Vorstellungen korrigiert und seine Erfahrungen über die beruflichen Möglichkeiten bereichert. Im Vorstellungsgespräch wird der Personalchef auf diesen Punkt zu sprechen kommen.

Die Wechselgründe/Wechselbegründung: In der Mehrzahl aller Fälle ist in der ersten Bewerbung keine Angabe von Wechselgründen erforderlich und wird auch in den Anzeigentexten nicht gefordert. Trotzdem fühlen sich viele Bewerber verpflichtet, zu den Wechselgründen etwas zu sagen. Üblicherweise kommen sie dann auf Formulierungen wie: ‚Über die Gründe meiner Veränderungsabsicht möchte ich erst bei einem persönlichen Gespräch Auskunft geben', oder: ‚zu den Gründen meines bevorstehenden Wechsels kann ich gerne bei der Vorstellung ausführlich berichten', oder, schon tendenziös: ‚die Gründe, die mich zum Ausscheiden aus der Firma Müllermeier veranlassen, möchte ich aus Diskretion hier noch nicht nennen. In einem persönlichen Gespräch bin ich dazu bereit'.

Alle diese und ähnliche Sätze sind völlig überflüssig. Sie signalisieren höchstens, daß der Bewerber Schwierigkeiten hat und gehen muß. Sie sind auch meist so formuliert, daß der Bewerbungsempfänger den Eindruck erhält, der derzeitige Arbeitgeber des Bewerbers sei so ‚schlimm', daß man das gar nicht zu Papier bringen möchte. Dabei bleibt außer acht, daß man ja auch aus positiven Gründen wechseln kann, zum Beispiel, um in größere Verantwortung hineinzuwachsen, oder um sein Fachgebiet auch einmal von einer anderen Seite aus kennenzulernen. Nicht empfehlenswert ist es auch, bei der Berufspraxis nach jeder Station die Wechselgründe – möglichst negative – zu nennen. Zum Beispiel (Auszug)

Berufspraxis

1986	wechselte ich zur Firma Müllermeier, Frankfurt, als Verkaufsleiter, die ich 1987 wieder verließ aus Liquidations- und Seriositätsgründen
1987	Firma Meiermüller, Frankfurt, als Niederlassungsleiter, aus konjunkturellen und familiären Gründen verließ ich die Firma
1988	Verkaufsleiter, Firma Müller, Frankfurt, die ich aufgrund mangelnder Organisation und keinem passenden Einsatz für mein Wissen und Können wieder verlassen mußte
zur Zeit	Verkaufsleiter bei Firma Meier, diese Firma muß ich verlassen wegen unmöglichem Führungsstil des Vorgesetzten und völligem Fehlen von Teamgeist

Der Bewerber muß sich immer klar darüber sein, daß sein möglicher neuer Arbeitgeber sein Verhalten und seine Urteile über ehemalige Arbeitgeber auch auf sich projiziert. Er muß auch davon ausgehen, daß sich seine Ausführungen bei einer Rückfrage nicht oder nicht in dieser Form bestätigen. Dieses Risiko sollte man nicht eingehen.

Die stichwortartige Zusammenfassung von Zeugnis-Inhalten

Das Verfahren ist denkbar einfach. Es geht darum, den Lebenslaufteil ‚Berufspraxis' so informativ wie möglich zu gestalten, ohne ihn übermäßig lang werden zu lassen und ohne inhaltlich zu manipulieren. Grundlage sollten die jeweiligen Zeugnisse sein, und zwar nicht der Teil über die Leistung und Führung – das ist Meinung und gehört nicht in den Lebenslauf –, sondern die Beschreibung der Aufgabe und der Tätigkeit. Der Hauptteil jedes qualifizierten Zeugnisses besteht aus solchen Sachbeschreibungen. Schema: Nach den Angaben über die Dauer des Engagements (1984–1991) nennt man die Position, dann den Namen der Firma und bringt anschließend den Kern der Aufgabenbeschreibung in einigen Stichworten. Im einzelnen:

Die Positionsbezeichnung: Es reicht nicht aus, lediglich zu schreiben ‚bei der Firma Müller' oder ‚im Einkauf' oder ‚kaufmännischer Angestellter'. Auch reine Hierarchiebegriffe wie ‚Prokurist', ‚Abteilungsleiter', ‚Führungskraft' reichen nicht aus. Man sollte die im jeweiligen Zeugnis benutzte Bezeichnung auch in den Lebenslauf übernehmen. In der Regel findet sich diese Bezeichnung am Anfang des Zeugnisses. Zum Beispiel: ‚Herr Meier, geboren am soundsovielten, war vom 1. Juli 1976 bis zum 31. März 1980 als Verkaufs-Ingenieur in unserem Verkaufsbüro Normbauteile in Frankfurt tätig' – dann gehört als Positionsbezeichnung in den Lebenslauf:

1976–1980	Verkaufs-Ingenieur, im Verkaufsbüro Normteilbau, Frankfurt/Main, Firma Meiermüller.

Finden sich im Zeugnis mehrere Positionsbezeichnungen aufgrund von Veränderungen des Arbeitnehmers innerhalb der

Firma – etwa, wenn er als Detailkonstrukteur begonnen hat und zum Zeitpunkt der Zeugniserteilung Leiter der Konstruktion war, dann muß natürlich die zuletzt gültige Positionsbezeichnung in den Lebenslauf. Hierfür gibt es zwei Möglichkeiten: einmal kann man sich darauf beschränken und schreiben:

1979–1989	Firma Meiermüller, Maschinenfabrik, Leiter der Konstruktion

und dabei alle Zwischenstationen weglassen. Besser ist es dagegen, eine positive Entwicklung sichtbar zu machen, zum Beispiel:

1979–1989	Firma Meiermüller, Maschinenfabrik zunächst als Detailkonstrukteur
1982	Konstrukteur für Sondermaschinen
1985	Konstruktionsgruppenleiter
1987	Leiter der Konstruktion

Alle diese Daten müssen exakt im Zeugnis enthalten sein und damit nachprüfbar. Nicht empfehlenswert sind ‚Schönungen' der Positionsbezeichnung im Lebenslauf, die sich dann beim Vergleich mit den entsprechenden Zeugnissen als solche herausstellen.

Die Positionsbezeichnung sollte möglichst das Einsatzgebiet und die Hierarchiestufe enthalten.

Es gibt gelegentlich Zeugnisse, die in der Positionsbezeichnung recht verschwommen sind. Zum Beispiel: Herr Meier, geboren am soundsovielten, trat am 2. 1. 1979 als Technischer Angestellter in unser Unternehmen ein. Er wurde in der Abteilung Arbeitsvorbereitung eingesetzt. Hier empfiehlt sich als Positionsbezeichnung ‚Arbeitsvorbereiter/Technischer Angestellter'. Ist die Zeugnisformulierung noch vager, dann sollte man die übliche Positionsbezeichnung, so wie sie in der betrieblichen Umgangssprache gegeben ist, nehmen.

Der Name der Firma: Es gibt sicher eine ganze Reihe von großen Unternehmen, deren Name so bekannt ist, daß der Bewerber keine Zusätze über das Produktionsprogramm und die Größe zu machen braucht. Das gilt in verstärktem Maß, wenn er sich innerhalb der Branche verändert. Es ist immer darauf zu achten, daß bei allen Firmennamen (abgesehen vom derzeitigen Arbeitgeber) der Name genau und vollständig gebracht wird. Von Abkürzungen ist abzuraten. Bei Großunternehmen ist das Werk oder der Bereich mit anzugeben, also nicht einfach ‚Deutsche Bank', sondern ‚Deutsche Bank AG, Filiale Detmold'. Bei mittleren und kleineren Unternehmen sollte der Bewerber mit einem Stichwort auf das Prodoktionsprogramm hinweisen. Das gilt grundsätzlich auch für ausländische Unternehmen. Als weiteres Kennzeichen ist die Angabe der Beschäftigtenzahl in vielen Fällen sinnvoll. Etwa, wenn man als Leiter des Rechnungswesens gewechselt hat und in der neuen Firma ebenfalls diese Positionsbezeichnung hat. Dann kann die Angabe von Beschäftigtenzahlen den Aufstieg verdeutlichen:

1977–1983	Leiter des Rechnungswesens, Firma Müllermann, Textilfabrik, ca. 200 Mitarbeiter
1984–1989	Leiter des Rechnungswesens, Firma Meiermüller, Tuchfabrik, ca. 700 Mitarbeiter

Aufgabenbeschreibung in Stichworten

Hier kommt es darauf an, aus den jeweiligen Zeugnissen die Kernaussage über die ausgeübte Tätigkeit herauszufinden. Bei umfangreicheren Aufgabengebieten wird sich immer eine Hauptaufgabe und mehrere Nebenaufgaben finden. Dann sollte die Hauptaufgabe stichwortartig erwähnt werden und die Nebenaufgabe(n) nur, soweit sie für die angestrebte Position wesentlich ist. So ist es denkbar, daß sich ein Leiter der Fertigung auch mit der Ausbildung der Lehrlinge befaßt hat. Die Erwähnung dieser Nebentätigkeit ist im tabellarischen Lebenslauf nicht unbedingt erforderlich, sie ist ohnehin im Zeugnis festgehalten. Es ist weiter denkbar, daß ein Leiter der Fertigung schon seit Jahren nebenamtlich die Lehrlinge betreut und das auch schon in seiner früheren Position getan hat. Es wäre dann eine grobe Manipulation, wenn er im Lebenslauf diese Nebenaufgabe als Haupttätigkeit durch Stichworte aus den Zeugnissen darstellte, etwa, um sich für die Position eines Ausbildungsleiters zu bewerben. Oberster Grundsatz muß es sein, daß die zitierten Stichworte verbal und inhaltlich mit dem jeweiligen Zeugnis übereinstimmen.

Die folgenden Beispiele zeigen im Kontrast, wie durch Stichworte aus den Zeugnissen der tabellarische Lebenslauf im Teil ‚Berufspraxis' informativ und wirksam gestaltet werden kann.

Beispiel Ia (Techniker)

Berufspraxis

1978–1981	Fernmeldemonteur, Firma Meiermüller, Fernmeldetechnik
1981–1983	Technischer Angestellter, Firma Müllermann, Meß- und Regeltechnik
1984–1986	Technischer Angestellter, Firma Müller, Elektronische Bauelemente
1986–1989	Arbeitsvorbereiter, Firma Meier, Elektronische Geräte
seit 1990	Produktionsleiter, Firma Schulz, Elektronische Bauteile

Dieser etwas magere Lebenslauf Ia läßt sich durch einige Stichworte aus den Zeugnissen wesentlich informativer gestalten, so daß der Personalchef, der ihn liest, gleich ein genaueres Bild bekommt:

Beispiel Ib (Techniker)

Berufspraxis

1978–1981	Fernmeldemonteur, Firma Meiermüller, Fernmeldetechnik / vorwiegend in der Montage, Installation von Fernmeldeanlagen

1981–1983	Assistent in der Fertigung/Technischer Angestellter, Firma Müllermann, Meß- und Regeltechnik / Schwerpunkt der Aufgabe in der Fertigung von Datenträgern und gedruckten Schaltungen
1984–1986	Stellv. Leiter der Entwicklung, Firma Müller, Elektronische Bauelemente / selbständiges Entwickeln von Baugruppen und Geräten, Digital- und Analogtechnik
1986–1989	Leiter der Arbeitsvorbereitung, Firma Meier, Elektronische Geräte / verantwortlich für Kosten und Termine der gesamten Anlagen- und Geräteentwicklung von digitalen und analogen Anlagen
seit 1990	Produktionsleiter, Firma Schulz, Elektronische Bauteile / verantwortlich für den Personaleinsatz, die Arbeitssicherung, die Termin- und Kapazitätsplanung, das Kontroll- und Bestellwesen sowie die Einstellung und Einarbeitung von gewerblichen Mitarbeitern

Das Beispiel Ib ist lediglich eine stichwortartige Erweiterung auf der Basis der Zeugnisse. Es nimmt keinen wesentlich größeren Raum ein, aber es zeigt, daß sich der Bewerber dieses konstruierten Falles vorwiegend mit Digital- und Analogtechnik befaßt und daß sein Weg konsequent von der Fertigung über die Entwicklung und Arbeitsvorbereitung in die Produktion geführt hat. Durch die präzisere Bezeichnung der jeweiligen Position auf der Basis des dazugehörigen Zeugnisses wird auch eine hierarchische Entwicklung verständlicher, die im Beispiel Ia nicht herauskommt. Dort geht der Sprung direkt vom Arbeitsvorbereiter zum Produktionsleiter, ohne daß vorher größere Verantwortung aus den Kurzbezeichnungen deutlich geworden wäre.

Beispiel IIa (Kaufmann)

Berufspraxis

1967–1970	Kaufmännischer Angestellter, Firma Müllermann
1971–1973	Kassierer, Firma Meiermüller
1974–1977	Rechnungswesen, Firma Meier
1977–1980	Leitend im Rechnungswesen der Firma Müller
seit 1981	Kaufmännischer Leiter, Firma Schulz

Dieses Beispiel ist kein bewußt verschlechtertes Muster, solche sogenannten Lebensläufe kommen gar nicht so selten vor, der Personalpraktiker wird es bestätigen können. Der ungeübte Bewerbungsschreiber, der ‚sowas' zum ersten Mal macht, hätte vielleicht eben diesen Lebenslauf nach längeren Überlegungen zustande gebracht und fände ihn gut. Grundsätzlich ist er auch nicht negativ, aber er wird in der Konkurrenz mit anderen, besseren Lebensläufen zurückfallen. Er bietet nicht die gewünschte umfassende Information und vertraut darauf, daß sich der Bewerbungsempfänger die Zeugnisse genau durchliest. Das wird der aber nicht immer tun. Aus der Praxis kann man sagen, daß er es sogar in der Regel nicht tut, wenn ihn der tabellarische Lebenslauf nicht überzeugt und dazu motiviert.

Wie der Lebenslauf des Beispiels IIa im Teil Berufspraxis besser zu gestalten ist, zeigt Beispiel IIb

Beispiel IIb (Kaufmann)

Berufspraxis

1977–1980	Expedient und Lagerbuchhalter, Firma Müllermann, Handelunternehmen
1981–1983	Firma Meiermüller, Bankgeschäft, zunächst als Kassierer, dann seit Ende 1971 Hauptkassierer

1984–1987	Leiter des Rechnungswesens, Firma Meier, Ingenieurgesellschaft, verantwortlich für das gesamte Finanz- und Rechnungswesen sowie das Personalwesen und die Organisation
1987–1990	Leiter des Rechnungswesens und Mitglied der Geschäftsleitung, Firma Müller, Maschinenfabrik, ca. 200 Mitarbeiter, verantwortlich für die Finanzbuchhaltung, Finanzplanung, Betriebskostenrechnung, Erstellung von Monats- und Jahresbilanzen sowie die Organisation und EDV
seit 1991	Kaufmännischer Leiter, Firma Schulz, Werkzeugmaschinenbau, ca. 300 Mitarbeiter, verantwortlich für alle kaufmännisch-betriebswirtschaftlichen Bereiche: Finanz- und Rechungswesen, Personal, kaufmännische Verwaltung, Organisation und EDV

Mit diesen zusätzlichen Stichworten wird deutlich, daß der Bewerber dieses konstruierten Lebenslaufs Zug um Zug sein Einsatzgebiet ausweitete und sukzessiv in größere Verantwortung hineinwuchs. Als Beispiel für eine in bezug auf die Aufgabe wesentliche Nebentätigkeit ist die Aufgabe in der Organisation und EDV mitgenannt. Auch daß er schon 1984 bis 1987 mit Personalfragen zu tun hatte, erscheint für die damalige Position als Nebensache, aber im Hinblick auf die Position zur Zeit und die angestrebte Aufgabe ist es von Bedeutung.

Besonders traurig ist das Kapitel: ‚Lebensläufe von Sekretärinnen'. Auch hierzu für den Lebenslaufteil Berufspraxis ein mageres und ein opulenteres Beispiel:

Beispiel IIIa (Sekretärin)

Berufspraxis

1978–1980	Stenotypistin, Firma Müllermann
1980–1984	Sekretärin, Firma Meiermüller
1984–1987	Sekretärin, Firma Müller
1987–1989	Chefsekretärin, Firma Meier
seit 1990	Chefsekretärin, Firma Schulz

Sicherlich sind hier die Variationsmöglichkeiten von der Positionsbezeichnung her nur sehr gering. Die zusätzliche Information für den Empfänger der Bewerbung muß von den zeugnisbezogenen Stichworten über die jeweiligen Schwerpunkte der Tätigkeit ausgehen. Etwa so:

Beispiel IIIb (Sekretärin)

Berufspraxis

1978–1980	Stenotypistin, Firma Müllermann, Bankgeschäft / Führung von Korrespondenz mit den Niederlassungen, Informationszusammenstellung aus Tageszeitungen
1980–1984	Sekretärin, Firma Meiermüller, Metallwarenfabrik (500 Mitarbeiter), eingesetzt in der Technischen Abteilung / alle Sekretariatsaufgaben, Terminplanung, Vorbereitung und Protokollierung von Konferenzen und Meisterbesprechungen, Führung von verschiedenen Karteien
1984–1987	Sekretärin, Firma Müller, Textilunternehmen (ca. 250 Mitarbeiter), eingesetzt in der Verkaufsabteilung, Erledigung der Korrespondenz nach Diktat und selbständiges Führen von Verkaufs- und Versandstatistiken, Terminüberwachung
1987–1989	Chefsekretärin, Firma Meier, Elektrotechnik, ca. 2000 Mitarbeiter, eingesetzt im Geschäftsbereich Verwaltung, neben den

üblichen Sekretariatsarbeiten Terminplanung und Konferenzplanung für den Kaufmännischen Geschäftsführer, Entscheidungsvorbereitung auch für den Organisations- und EDV-Bereich

seit 1990 Chefsekretärin, Firma Schulz, Maschinenbau, ca. 2500 Mitarbeiter, tätig für den ersten Geschäftsführer, alle Sekretariatsaufgaben eines großen Chefsekretariats, Mitarbeit bei der Erstellung umfangreicher Zahlenwerke für Aufsichtsräte, Banken, Behörden und interne Zwecke

Das Beispiel IIIb zeigt, daß es bei Sekretärinnen darauf ankommt, neben den üblichen Sekretariatsaufgaben alle die sonstigen Aufgaben und Tätigkeiten zu schildern, die über das Briefeschreiben und Telefonieren hinausgehen, aber noch in einem Zusammenhang mit der Position gesehen werden können.

Die Position zur Zeit

Die ‚Position zur Zeit' gehört inhaltlich zum Lebenslaufteil ‚Berufspraxis' und ist die für den Bewerbungsempfänger, den Personalchef, wichtigste Information. Während alle Stationen des Berufsweges bis zur Position zur Zeit die fachliche und hierarchische Entwicklung aufzeigen, beweist die Position zur Zeit, ob der Bewerber wirklich für die vakante Stelle interessant ist. Dabei kommt es darauf an, ob seine derzeitige Aufgabe und seine Verantwortung mit der vakanten Stelle gleich ist oder eine Vorstufe dazu. Oft wird das in den Anzeigentexten auch deutlich gesagt: ‚Er sollte über einen empfehlenden Werdegang verfügen und sich in einer gleichartigen Position oder der Vorstufe dazu bereits bewährt haben.' Während die verschiedenen Positionen, die vor der augenblicklichen Position lagen, mit der angestrebten Aufgabe nur indirekt eine Verbindung haben müssen, ist eine weitgehende Gleichheit zwischen der angestrebten

Aufgabe und der zur Zeit ausgeübten in der Regel zwingend erforderlich. Ausnahmen davon sind selten. Sie sind bei den Startpositionen möglich, bei denen lediglich die Examensnote entscheidend und das Einsatzgebiet noch offen ist oder im Verkauf, wenn ein Bankkaufmann, der bisher Leiter der Kreditabteilung war, von einem EDV-Hersteller für den Verkauf seiner Anlagen an Kreditabteilungen in Banken gesucht wird.

In der Voraussetzung, daß man jemanden haben möchte, der eine bestimmte Aufgabe in einer bestimmten Branche schon mehrere Jahre ausgeübt hat, liegt der banale Grund für das Scheitern vieler Bewerbungen. Typisches Beispiel: Eine Sekretärin hat ihre Aufgabe seit Jahren erstklassig erfüllt. Sie ist von der einfachen Stenotypistin bis zur Chefsekretärin aufgestiegen. Damit war eine ständige Erweiterung des Verantwortungsbereichs und eine kontinuierliche Verbesserung des Einkommens verbunden. Nach zwölf Jahren ist sie der Meinung, daß sie aus dieser Laufbahn heraus muß, um einmal etwas ganz anderes, etwas Anspruchsvolleres, zu machen. Sie gibt ihre gute und sichere Position auf und belegt ein Studium zur Betriebswirtin (grad.), Fachrichtung Personal. Nach drei Jahren hat sie einen guten Abschluß und sucht nun eine neue Position als Leiterin oder stellvertretende Leiterin der Personalabteilung. In ihrer Bewerbung ist die letzte Position ‚Chefsekretärin'. Die letzte ausführliche Aufgabenbeschreibung entspricht genau dieser Position. Welcher Personalchef würde das Risiko eingehen, einer erfahrenen Sekretärin, die über theoretisches Wissen im Bereich Personal verfügt, die Position einer Personalchefin – etwa für ein Zweigwerk – anzubieten? Aber auch als Sekretärin hat sie nur noch wenige Chancen. Der erfahrene Personalmann wird sich sagen, daß sie eine solche Position nur als Scheitern, als Rückschritt in die Bahn, die sie verlassen wollte, verstehen wird. Sie wird immer versuchen, vielleicht doch in den Personalbereich aufzusteigen. Von der Motivation her ist sie für ihren ehemaligen Beruf verdorben.

Dieses kleine Beispiel muß man in Verbindung mit der eigentlichen Funktion des Bewerbungsempfängers, des Personalchefs, sehen. Er ist Einkäufer von *man power*. Seine Aufgabe ist nur dann erfüllt, wenn er für eine bestimmte Aufgabe den besten Mann/die beste Frau bezüglich Ausbildung und Kenntnissen, als auch Praxis und Bewährung in der Position findet. Natürlich ist es denkbar, für die Position eines Projektleiters – Anlagenbau, Naher Osten, einen Maschinenbau-Ingenieur ohne englische Sprachkenntnisse und ohne Erfahrung als Projektleiter, ohne Praxis aus dem Anlagenbau und ohne einen einzigen Auslandseinsatz, einzustellen: lediglich deshalb, weil er die eine Voraussetzung erfüllt und Maschinenbau-Ingenieur ist. Man kann ja einmal zusehen (ihm eine Chance geben), ob er mit den Arabern klarkommt. Englisch kann er ja in einem Schnellkurs dazulernen; Anlagenbau hat sowieso irgend etwas mit Maschinen zu tun und Auslandspraxis ist ja heute kein Argument mehr bei so vielen Gastarbeitern in der Bundesrepublik. Diese und ähnliche Gedankengänge sind tägliche Erfahrung des Empfängers von Bewerbungen. Anders ist es nicht zu erklären, welche Leute mit welchen Erfahrungen und Ausbildungen ihre Bewerbung abschicken. Nur wenn man voraussetzt, der Bewerber sei der Meinung, er erhalte die ausgeschriebene Position allein deshalb, weil er eine einzige der geforderten Eigenschaften oder Kenntnisse besitzt, kann man eine Erklärung dafür finden, weshalb er seine Zuschrift überhaupt abgeschickt hat.

Der Bewerber muß genau und selbstkritisch prüfen, ob er alle geforderten Kenntnisse besitzt und ob seine Position zur Zeit mit der ausgeschriebenen Position von der Aufgabenstellung und Verantwortung, von der Branche und vom Einsatzgebiet her weitgehend oder ganz übereinstimmt. Diese Übereinstimmung muß für den Bewerbungsempfänger aus der Beschreibung der derzeitigen Position/Aufgabe ersichtlich sein. Eine der üblichen Beschreibungen der Position zur Zeit ist das Zwischenzeugnis. Es setzt voraus, daß man dem möglichen neuen Arbeitgeber den Namen des derzeitigen Arbeitgebers nennen kann. In der Regel trifft das nur dann zu, wenn man bereits gekündigt hat. Erst ab diesem Zeitpunkt hat man einen Anspruch auf Ausstellung eines Zeugnisses. Ohne Kündigung besteht ein Anspruch auf ein vorläufiges, sogenanntes Zwischenzeugnis, wenn es der Suche eines neuen Arbeitsplatzes dienen soll. Steht eine Beendigung des Arbeitsverhältnisses durch Kündigung oder Zeitablauf in naher Zukunft nicht bevor, so steht dem Arbeitnehmer der Anspruch auf Erteilung eines Zwischenzeugnisses nur in Ausnahmefällen zu. Es ist üblich, wenn er es zur Zulassung für einen Schul- oder Kursbesuch braucht, bei Versetzungen, bei Änderungen des Gefüges der Gesellschaft des Arbeitgebers. Es ist denkbar, wenn der langjährige Vorgesetzte in Pension geht.

Wer über ein Zwischenzeugnis verfügt, aber den derzeitigen Arbeitgeber bei der Bewerbung noch nicht nennen möchte, kann die Aufgabenbeschreibung aus diesem Dokument zur Grundlage seiner Beschreibung der Position zur Zeit machen. Eine andere gute Grundlage ist die in vielen Unternehmen übliche Arbeitsplatzbeschreibung. Dabei ist darauf zu achten, daß man – wenn der derzeitige Arbeitgeber noch nicht bekannt werden soll – bestimmte, für die Firma typische Bezeichnungen und Begriffe, durch andere, neutrale ersetzt. Gewisse Schwierigkeiten entstehen, wenn weder ein Zwischenzeugnis, noch eine Arbeitsplatzbeschreibung, noch eine offizielle Stellenbeschreibung existieren. Dann muß der Bewerber seine Position selbst beschreiben. Dazu einige Formulierungshilfen.

Formulierungshilfen für die Beschreibung der ‚Position zur Zeit'

Die Firmenbeschreibung

Sinn der Firmenbeschreibung kann es nur sein, dem Bewerbungsempfänger einen allgemeinen Rahmen zu geben, damit er beurteilen kann, ob der Bewerber seine Aufgabe und seine Verantwortung in einem Unternehmen vergleichbarer Größenordnung zur Zeit wahrnimmt. Wesentlich ist also die Größe (nach der Mitarbeiterzahl) und die Branche des Unternehmens. Dabei kann man die Mitarbeiterzahl als Summe verallgemeinern:

357 Mitarbeiter – mehrere hundert Mitarbeiter
893 Mitarbeiter – annähernd tausend Mitarbeiter
3750 Mitarbeiter – mehrere tausend Mitarbeiter

oder verbal umschreiben:

13 Mitarbeiter – ein kleines, bekanntes Unternehmen
158 Mitarbeiter – ein mittleres Unternehmen des ...
4781 Mitarbeiter – ein Großunternehmen des ...

Die Beispiele zeigen, daß sich die Umschreibung in einer verallgemeinerten Summe immer dann empfiehlt, wenn die effektive Mitarbeiterzahl über dreihundert liegt. Von hier an läßt sich begründet von mehreren hundert Mitarbeitern sprechen. Bei Mitarbeiterzahlen unter dreihundert ist die verbale Umschreibung zu empfehlen. Dabei kann man als Richtlinie nehmen, daß die Bezeichnung ‚kleines' Unternehmen bis fünfzig Mitarbeiter geht und ein ‚mittleres' Unternehmen von fünfzig Mitarbeitern an gerechtfertigt ist.

Ausnahmen ergeben sich nach Branchen und besonderen Gegebenheiten. So kann eine Rechtsanwalts-Sozietät oder eine Ingenieursgesellschaft ‚groß' sein und dabei nur fünfzehn Mitarbeiter zählen. In solchen Fällen sollte man nicht von der Mitarbeiterzahl, sondern von der Position im Markt ausgehen. Grundsatz sollte es dabei sein, beim Bewerbungsempfänger vorauszusetzen, daß er in der Lage ist, die Umschreibung später objektiv zu beurteilen und daß er das auch wirklich tun wird. Hier bieten sich als Attribute an:

führendes Unternehmen der Branche
branchendominierendes Unternehmen
angesehenes, bekanntes Unternehmen der ...

Die Attribute dürfen nicht nur werbenden Charakter haben, weil der Empfänger der Bewerbung sonst fragen könnte, warum dann überhaupt ein Wechsel geplant ist (ein zukunftsorientiertes Unternehmen, mit überdurchschnittlichen Zuwachsraten und beispielgebender Dotierung und Sozialleistung).

Die Branchenbezeichnung

Hier sollten nur die Oberbegriffe wie Maschinenbau, Chemische Industrie, Bau-Industrie benutzt werden. Sonst ergeben sich zusammen mit der Ortsbezeichnung Umschreibungen, die einer Namensnennung gleichkommen. In manchen Fällen wird man auf die Ortsbezeichnung ganz verzichten müssen, weil sonst Umschreibungen wie ‚Großkonzern der Automobilindustrie in Wolfsburg', oder ‚Chemiekonzern in Ludwigshafen', oder ‚führender deutscher Sekthersteller in Wiesbaden' entständen. In solchen Fällen empfiehlt sich die sehr allgemeine Umschreibung: ‚bei einem bekannten Großunternehmen der Branche'.

Die Tätigkeitsbeschreibung

Sie kann ganz konkret sein, solange sie keine spezifischen Begriffe oder Bezeichnungen enthält, die für den Brancheninsider auf ein bestimmtes Unternehmen hinweisen. Sie soll die Positionsbezeichnung einschließlich Hierarchiestufe enthalten, etwa:, Leiter des Personal- und Sozialwesens/Prokura' oder: ‚Gruppenleiter Arbeitsvorbereitung/Handlungsvollmacht'. Weiterhin das Unterstellungs/Überstellungsverhältnis – etwa: ‚unterstellte Mitarbeiter ca. fünfzig, dem kaufmännischen Geschäftsführer direkt verantwortlich'. Ebenso die Aufgabenstellung: Sie sollte stichwortartig die Haupttätigkeiten und die Nebentätigkeiten bringen, soweit sie für die angestrebte Position von Interesse sind.

Beispiel einer Positionsbeschreibung zur Zeit, ohne Nennung des derzeitigen Arbeitgebers (Techniker)

Beschreibung meiner Position ,zur Zeit'

Arbeitgeber:	Ein international operierender europäischer Großkonzern der Elektroindustrie
Position:	Ressortchef ,Berechnungen' innerhalb der Produktionslinie Elektromotoren
Unterstellung/ Überstellung:	Als Resortchef verantwortlich für den Einsatz und die Führung von ca. 12 qualifizierten Mitarbeitern / dem Technischen Leiter der Produktlinie direkt verantwortlich
Haupttätigkeiten:	Bestimmung der Kenngrößen und Kennlinien vorhandener Konstruktionen, Verfolgung internationaler Entwicklungstendenzen und Normen, Dimensionierung und Optimierung neu zu konstruierender Maschinen, Erstellung von Entwicklungs- und Versuchsprogrammen, Überwachung und Auswertung von Versuchen und speziellen theoretischen Untersuchungen, Beratung der Verkaufsabteilungen und einzelner Kunden
Nebentätigkeiten:	Auslandreisen

Beispiel einer Positionsbeschreibung zur Zeit, ohne Nennung des derzeitigen Arbeitgebers (Kaufmann)

Beschreibung meiner Position ,zur Zeit'

Personalleiter mit Prokura in einem bekannten Unternehmen des Maschinenbaus mit ca. 600 Mitarbeitern in zwei Werken. Verantwortlich für alle ,klassischen' Aufgaben, von der Personalwerbung und -planung, über die Organisation bis zur Fort- und Weiterbildung.

Erfolgreich durchgeführte Projekte der letzten Zeit: Umstellung in einem wesentlichen Bereich von Gruppenakkord auf Prämienlohn entsprechend den veränderten tariflichen Bestimmungen;

Einführung von Zeitlohn mit individuellen Leistungszulagen für alle gewerblichen Bereiche;

Durchführung der tarifvertraglich vereinbarten individuellen Leistungsbewertung der Angestellten.

Besondere Aufgaben: Betreuung des Sozialbereichs, bestehend aus zwei Sanitätsstationen, zwei Kantinen, den Unterstützungskassen, die Verwaltung von Belegschaftswohnungen.

Besondere Fachaufgaben: Lohn- und Gehaltsabrechnung mit EDV auf bargeldloser Basis.

Mir unterstehen zur Zeit 21 Mitarbeiter und Mitarbeiterinnen direkt. Ich bin dem kaufmännischen Vorstand unterstellt und gehöre zur erweiterten Geschäftsführung.

Die Form des ersten Beispiels eignet sich für Positionsbeschreibungen, die mit signifikanten Stichworten möglich sind; die Form des zweiten Beispiels mehr für solche Positionsbeschreibungen, die ganze Sätze erfordern.

Sonderfall: Position zur Zeit: arbeitslos (oder vornehmer:) zur Zeit auf Stellensuche. Das ist auf keinen Fall empfehlenswert. Man sollte alles versuchen, sich aus einer Position, einer Tätigkeit, einem Kurs, einer längeren Schulung heraus zu bewerben. (Einzelheiten dazu siehe Seite 200ff.)

Nebendaten des tabellarischen Lebenslaufes

Zu den Nebendaten des tabellarischen Lebenslaufes gehören Daten zum Wehrdienst und Hobbys.

Die Daten zum Wehrdienst lassen sich am besten nach den Ausbildungsdaten plazieren. Sie sollten die Dauer der Bundeswehrzeit, die Bezeichnung der Einheit und den letzten Dienstgrad enthalten. Also zum Beispiel: ...

Ableistung des Wehrdienstes:

1981–1982 Lufttransportgeschwader XYZ,
Entlassen als Gefreiter

Falls der Bewerber eine gewisse Zeit als Soldat auf Zeit gedient hat und dabei eine Tätigkeit ausgeübt hat, die in irgendeiner Form berufsbezogen war, dann sollte nach den Ausbildungsdaten eine Zeile kommen:

Bundeswehr:

1981–1985 Soldat auf Zeit (siehe Berufspraxis).

Innerhalb der Berufspraxis sollte dann die Bundeswehrzeit wie die Tätigkeit bei einem Unternehmen behandelt werden, also zum Beispiel:

Berufspraxis

1981–1985 Bundeswehr, Lufttransportgeschwader XYZ, zunächst als Nachschub- und Transportbearbeiter, seit 1983 Rechnungsführer bei der Nachschubstaffel ABC, in CBA
letzter Dienstgrad: Stabsunteroffizier

Gerade bei Bewerbern, die lange Jahre bei der Bundeswehr tätig waren und dann eine Position in der Wirtschaft suchen, kommt es darauf an, daß diese Zeit detailliert als Berufspraxis beschrieben wird, so, als seien sie innerhalb eines Großunternehmens vorangekommen. Es gelten hier die gleichen Grundsätze wie oben beim Abschnitt ‚Berufspraxis' beschrieben.

Hobbys haben nur dann für den Bewerbungsleser und -beurteiler wirklich einen Sinn, wenn es sich nicht um Selbstverständlichkeiten wie etwa: Lesen und Musikhören handelt. Die Angabe von Prestigehobbys, die der Bewerber in Wirklichkeit nur im Fernsehen miterlebt, ist bedenklich. Angenommen, er schreibt Hobbys: Reiten, Golfspielen und der Interviewer beim späteren Vorstellungsgespräch ist wirklich ein passionierter Reiter und Golfer, dann kann es zu einem peinlichen Frage- und Antwortspiel kommen, das den ganzen vorangegangenen guten Eindruck zunichte macht.

Wenn man als Bewerber schon ein oder mehrere Hobby(s) angeben will, dann sollten sie möglichst einen Bezug zur angestrebten Position haben oder die Persönlichkeit im weiteren Sinne kennzeichnen. Ideal für die erste Möglichkeit wäre etwa folgender konstruierter Fall: Der mögliche neue Arbeitgeber ist ein bekannter Hersteller von Skibindungen und der Bewerber ist ein passionierter Skiläufer, der auch schon einige Preise gewonnen hat. Extreme dieser Art sind der bekannte Nationalspieler der Fußballnationalmannschaft, der für einen bekannten Sportschuhhersteller als Verkaufsleiter arbeitet oder der berühmte Formel-I-Rennfahrer, der für einen bekannten Sportwagenhersteller in einer entsprechenden Position arbeitet. Aber auch für den normalen Bewerber können sich sinnvolle Zusammenhänge ergeben, wenn etwa die Hobbys Sprachen, Segelfliegen, Radio- und Funktechnik oder Graphologie sind.

Zur Gruppe der Hobbys, die die Persönlichkeit im weiteren Sinne kennzeichnen können, gehören Kombinationen wie: Schachspiel, Klassische Musik, Pop-Art oder Wandern, Hobbykochen, Garten. Natürlich handelt es sich dabei um Merkmale eines gängigen Klischees. Das hat aber keine negative Bedeutung. Der Bewerbungsleser sucht nicht den extravaganten, den ausgefallenen Typ, sondern in erster Linie einen ganz bestimmten Fachmann, der (in zweiter Linie) auch noch ein ganz normaler Mensch mit ganz normalen, aber für ihn kennzeichnenden Hobbys ist.

Daten, die nicht in den tabellarischen Lebenslauf gehören

Es überrascht immer wieder, welche Daten aus dem Privat- oder Intimbereich in den Lebenslauf kommen. Im harmlosen Fall wird das positiv umschrieben: Ich bin schuldenfrei, körperlich und geistig gesund, lebe in geordneten familiären Verhältnissen, ich habe keine Vorstrafen und es läuft auch kein Strafverfahren gegen mich.

Solche Auskünfte werden in der Regel vom Bewerber in

der ersten Bewerbung nicht gefordert. Sie sind auch nicht üblich. Es gibt Firmen, die Bewerbungsbogen mit entsprechenden Fragen verschicken. Der Bewerber hat dann die Möglichkeit, eine komplette Bewerbung abzugeben und den Bewerbungsbogen nicht auszufüllen. Dabei kann er diese Fragen ignorieren. Er muß aber damit rechnen, daß er spätestens beim Vorstellungsgespräch dann zu den Fragen antworten muß. Zu diesem Zeitpunkt erscheint dergleichen berechtigt, doch nicht vorher, zumal wenn der Bewerber den Bewerbungsempfänger noch nicht kennt.

Fragen des Bewerbungsempfängers und Stellenanbieters, die juristisch möglich sind, aber nicht vom Bewerber selbst gleich in die erste Bewerbung – positiv oder negativ – aufgenommen werden sollten, sind:

Haben Sie Ihr derzeitiges oder künftiges Arbeitsentgelt abgetreten oder verpfändet? Nein/Ja/in Höhe von DM ...

Haben Sie eine Vorstrafe, die für die angestrebte Tätigkeit von Bedeutung ist? – Bereits getilgte oder der beschränkten Auskunftspflicht unterworfene Vorstrafen sind nicht zu nennen.

Sind Sie schwerbehindert bzw. gleichgestellt? – Nein/Ja/ zu wieviel Prozent?

Leiden Sie an einer Krankheit, die für die in Aussicht genommene Position nachteilige Auswirkungen hat? – Nein/ Ja/Art der Krankheit?

Nicht in den Lebenslauf/in die Bewerbung gehören auch Erklärungen zu den persönlichen Daten, etwa, warum man sich scheiden ließ.

Verhandlungssache: der Einkommenswunsch

Für den Einkommenswunsch bietet sich der Schluß des tabellarischen Lebenslaufes an. Er sollte sich darauf beschränken, das gegenwärtige Einkommen zu nennen. Es ist empfehlenswert, dabei das Jahreseinkommen zu nennen. Dazu gehören alle regulären Bezüge, also zwölf Monatsgehälter, Urlaubsgeld, Weihnachtsgeld, Tantieme, umsatzabhängige Boni etc. Wenn man den Firmenwagen ‚zur privaten Nutzung' mit einrechnet, ebenso die Lebensversicherung, die der derzeitige Arbeitgeber bezahlt, und außerdem noch den Wert der kostenlos genutzten Firmenwohnung, dann steckt man bereits mitten im Manipulieren und Hochschaukeln des ‚Preises'. Das ist nicht empfehlenswert. Sinnvoll ist die Zusammenfassung aller festen, gleichbleibenden Bezüge. Die Extras vom Firmenwagen bis zur Firmenwohnung sind auch extra zu nennen, ebenso die umsatzabhängigen Bezüge. Beispiel:

Jahreseinkommen zur Zeit: DM 80000,– zuzüglich Firmenwagen zur privaten Nutzung oder:

Jahreseinkommen zur Zeit: DM 80000,–, davon 60000,– fest, Rest umsatzabhängige Provision. Denkbar ist auch, wenn es unbedingt ein Monatseinkommen sein muß:

Einkommen zur Zeit: monatlich DM 5500,– (13½mal) zuzüglich Firmenwagen mit privater Nutzung.

Von allen Versuchen, mit dem möglichen neuen Arbeitgeber das Einkommen in der Art eines orientalischen Teppichhandels zu klären, ist unbedingt abzuraten.

Sofort verfügbar: frühester Eintrittstermin

An den Schluß des tabellarischen Lebenslaufes paßt neben dem Einkommen zur Zeit auch eine Angabe zum frühesten Eintrittstermin. Auf den Nachteil langer Kündigungsfristen wurde schon hingewiesen (siehe Seite 26). Die Bedeutung des frühesten Eintrittstermins hängt stark von der Dringlichkeit ab, mit der die ausgeschriebene Position besetzt werden soll. Dieser Aspekt ist für den Bewerber oft nicht zu überschauen. Es empfiehlt sich darum, ohne Kommentar den aus dem Arbeitsvertrag resultierenden nächsten Termin genau zu nennen. Muß die Stelle sehr schnell besetzt werden, muß der Personalchef auf Bewerber zurückgreifen, die bereits gekündigt oder sehr kurze Kündigungsfristen haben. Er wird nur in den seltensten Fällen einen ‚sofort verfügbaren' Bewerber in Betracht ziehen. Dazu ist das Vorurteil gegenüber einem Arbeitslosen heute zu groß. Der Bewerber mit der längeren Kündigungsfrist hat dann immer noch die Chance, daß man ihn für eine andere längerfristig zu besetzende Stelle in Aussicht nimmt. Den frühesten Eintrittstermin nicht zu nennen, um zunächst einmal das Interesse des Bewerbungsempfängers zu wecken und damit seine Bereitschaft, über längere Fristen zu verhandeln, ist keine Alternative. Selbst wenn in der Anzeige nicht gefordert wird, daß der Bewerber den frühesten Eintrittstermin nennt, geht der Stellenanbieter als selbstverständlich davon aus, daß er genannt wird. Ist der Termin nicht in der Bewerbung enthalten, wird er, sofern der Bewerber interessant erscheint, nachgefordert.

Datum/Unterschrift

Der tabellarische Lebenslauf sollte ein Datum und die eigenhändige Unterschrift des Schreibers tragen. Durch das Datum wird deutlich gemacht, daß der Lebenslauf den letzten aktuellen Stand hat und eigens auf die Anzeige bezogen hergestellt wurde, also eine individuelle einmalige Sache ist und keine abgezogene Mengenproduktion. Den gleichen Sinn hat die eigenhändige Unterschrift.

Verschiedene Rahmenmuster des Muster-Lebenslaufes

Die folgenden Beispiele sind formale Rahmen, in die jeder Bewerber seine speziellen Daten eintragen muß. Sie gehen nicht auf Besonderheiten bestimmter Bewerbergruppen oder Bewerbersituationen ein. Das geschieht im Teil ‚Bewerbungsmuster' ab Seite 131.

Es ergeben sich formal zwei empfehlenswerte Grundmuster, einmal die dreispaltige und dann die zweispaltige Aufteilung der Seite(n).

I. Dreispaltiges Rahmenmuster eines tabellarischen Lebenslaufes

Lebenslauf

Fritz Meier
Mühlengasse 17
Tel.: 069 / 17 18 19 (privat)

6xxxx Frankfurt / Main (Lichtbild)

Persönliche Daten

geboren am		12. 10. 1955
in		Frankfurt / Main
Eltern		Karl Meier, ehemals Konstruktionsleiter bei Müllermann, jetzt Pensionär, Ehefrau Maria, geb. Müller
Familienstand		verheiratet ein Kind (9)
Staatsangehörigkeit		deutsch
Konfession		evangelisch

Ausbildungsdaten

Schulausbildung	1960–1964	Grundschule in Frankfurt / M.

	1965–1970	Realschule in Frankfurt/M., Abschluß: mittlere Reife
Berufsausbildung	1970–1973	Lehre als Werkzeugmacher bei Firma Miermüller, Frankfurt/M., Abschluß: Facharbeiterbrief
Fachschulstudium	1974–1977	Rheinische Ingenieurschule, Köln, Fachrichtung Wirtschaftsingenieurwesen; Abschluß 1977 als: Wirtschafts-Ingenieur (grad.) Examensnote: 2
Sprachkenntnisse		etwas Englisch und Französisch (Sprechen und Verstehen gut)
Kurse		siehe Aufstellung Blatt 3

Berufspraxis

	1978–1981	Fernmeldemonteur, Firma Meiermüller, Ulm, Fernmeldetechnik / vorwiegend in der Montage, Installation von Fernmeldeanlagen
	1981–1983	Assistent in der Fertigung / Technischer Angestellter, Firma Müllermann, Mainz, Meß- und Regeltechnik / Schwerpunkt der Aufgabe in der Fertigung von Datenträ-

gern und gedruckten Schaltungen

1984–1986 Stellvertretender Leiter der Entwicklung, Firma Müller, Frankfurt, Elektronische Bauelemente / selbständiges Entwickeln von Baugruppen und Geräten, Digital- und Analogtechnik

1986–1989 Leiter der Arbeitsvorbereitung, Firma Meier, Ulm, Elektronische Geräte / verantwortlich für Kosten und Termine der gesamten Anlagen- und Geräteentwicklung von digitalen und analogen Anlagen

seit 1990 Produktionsleiter, Firma Schulz, Köln, Elektronische Bauteile / verantwortlich für den Personaleinsatz, die Arbeitssicherung, die Termin- und Kapazitätsplanung, das Bestell- und Kontrollwesen sowie die Einstellung und Einarbeitung von gewerblichen Mitarbeitern

Einkommen zur Zeit	DM 72 000,– plus Firmenwagen zur privaten Nutzung
Frühester Eintrittstermin	1. 10. 1992 Kündigungsfrist sechs Wochen zum Quartal)
(Datum)	(Unterschrift)

Dieses Muster setzt einen Bewerber voraus, der sich mit seiner Zuschrift an einen Personalchef innerhalb seiner Branche wendet, also lediglich die Namen seiner Arbeitgeber und den Ort zu nennen braucht. Es fehlen die Nebendaten, weil der Bewerber keine signifikanten Hobbys hat und weil er nicht bei der Bundeswehr gedient hat und aus dem Einzugsalter heraus ist. Das Muster ist weiterhin ein Beispiel für einen Bewerber, der bereits gekündigt hat oder seine Veränderungsabsicht seinem Arbeitgeber mitgeteilt hat. Er kann den derzeitigen Arbeitgeber darum auch nennen.

II. Zweispaltiges Rahmenmuster eines tabellarischen Lebenslaufes

Lebenslauf

Karl Müller
Bachgasse 7
Tel.: 069 / 17 18 19 (privat) (Lichtbild)

6xxxx Frankfurt/Main

Persönliche Daten

geboren am	12. 10. 1955 in Frankfurt/Main
Eltern	Karl Müller, Kaufmann, Ehefrau Klara, geborene Schulz
Familienstand	alleinstehend

Staatsangehörigkeit	deutsch
Konfession	evangelisch
Hobbys	Schach, klassische Musik

Ausbildungsdaten

1962–1965	Grundschule in Darmstadt
1965–1974	Fritz-Meir-Gymnasium, Darmstadt, Abschluß: Abitur
1975–1977	Ausbildung als Industriekaufmann, Firma Müllermann, Darmstadt, Textilunternehmen (ca. 200 Mitarbeiter)
1977–1981	*Studium*, Betriebswirtschaften, Universität Frankfurt/Main, Abschluß: Diplom-Kaufmann, Diplom-Note: 2,3

Sprachkenntnisse	Englisch, perfekt

Berufspraxis

1981–1983	Assistent des Kaufmännischen Leiters, Firma Müller, Maschinenfabrik, Ulm, ca. 500 Mitarbeiter, vorwiegend mit betriebswirtschaftlichen Sonderaufgaben betraut
1984–1986	Stellvertretender Leiter des Rechnungswesens, Firma Müllermann, Mainz, Elektroindustrie, ca. 150 Mitarbeiter, verantwortlich für die Finanzbuchhaltung, Finanzplanung, Betriebskostenrechnung, Erstellung der Monats- und Jahresbilanzen
1986–1989	Leiter des Finanz- und Rechnungswesens, Firma Meiermann, Handelsunternehmen, Frankfurt/M., ca. 250 Mitarbeiter, verantwortlich

	für das gesamte Finanz- und Rechnungswesen sowie die EDV
seit 1990	bei einem bekannten Unternehmen des Handels im Rhein-Main-Neckar-Raum, mit mehreren hundert Mitarbeitern, Leiter der Kaufmännischen Verwaltung / Prokura (Einzelheiten meiner Position zur Zeit siehe beiliegende Tätigkeitsbeschreibung)
Einkommen zur Zeit	DM 94000,–, Firmenwagen zur privaten Nutzung, plus erfolgsabhängige Prämie
Fühester Eintrittstermin	2. 1. 1994, Kündigungsfrist drei Monate zum Quartalsende
(Datum)	(Unterschrift)

Dieser zweispaltige Lebenslauf ist für den Bewerber rein schreibtechnisch und von der Einteilung her leichter abzufassen. Im Teil ‚Berufspraxis' entspricht er dem dreispaltigen Muster. Er ist allerdings in den beiden ersten Datengruppen ‚Persönliche Daten' und ‚Ausbildungsdaten' nicht ganz so übersichtlich wie das dreispaltige Muster. Bei dem Beispiel II wurde ein Bewerber vorausgesetzt, der seinen derzeitigen Arbeitgeber noch nicht nennen möchte. In beiden Mustern besteht der Kopf des Bewerbungsschreibens aus der genauen Anschrift mit Telefonangabe – in der Regel sollte man nur die Privatnummer angeben –, der Überschrift ‚Lebenslauf' und dem Lichtbild. Es ist empfehlenswert, das Lichtbild oben rechts im Lebenslauf zu plazieren und es dort festzukleben oder in Foto-Ecken zu stecken, sonst könnte es bei der Bearbeitung vieler Bewerbungen verlorengehen. Auch eine Anschrift auf der Rückseite hilft da nicht immer. Durch das Lichtbild hat der Empfänger neben den

Sachdaten auch einen persönlichen Eindruck vom Bewerbungsschreiber. Wenn der Lebenslauf auf einen eigenen Briefbogen geschrieben wird, sollte die Überschrift ‚Lebenslauf' in der Mitte unter der gedruckten Anschrift stehen, der Raum links neben dem Bild freibleiben und der Text mit den persönlichen Daten unterhalb der Bildunterkante beginnen.

. . . mit den üblichen Unterlagen

Die ‚üblichen' Unterlagen bestehen in der Regel aus den Zeugniskopien und einer Handschriftprobe. Gelegentlich kommen Referenzen und Arbeitsproben dazu.

Die Zeugniskopien – gut leserlich und lückenlos

Formal kommt es bei den Zeugniskopien darauf an, daß sie gut leserlich sind. Der Bewerbungsempfänger muß natürlich zunächst durch den tabellarischen Lebenslauf davon überzeugt werden, daß der Bewerber geeignet ist. Nach diesem Urteil kommt dann den Zeugniskopien eine entscheidende Rolle zu. Einmal müssen sie mit den Stichworten des tabellarischen Lebenslaufes übereinstimmen, so daß nicht etwa nur ein bestimmter Ausschnitt gewählt wurde, zum anderen enthalten sie die Meinung der früheren Arbeitgeber über den Arbeitnehmer bezüglich seiner Leistung und seiner Führung. Aus dem genauen Lesen der Zeugnisse entsteht für den Personalchef ein zweites Urteil. Er wird erkennen, ob sich der positive Eindruck des Lebenslaufes durch die Zeugniskopien verstärkt oder nicht. Das setzt formal voraus, daß die Kopien gut sind. Es ist falsch, anzunehmen, diese Kopien würden nur flüchtig angesehen. Sie werden sehr sorgfältig gelesen.

Die Zeugniskopien müssen lückenlos sein. Das heißt, es

müssen auf alle Fälle sämtliche Arbeitszeugnisse vorhanden sein. Es genügt nicht, nur das letzte Zeugnis beizufügen (der Rest ist sowieso schon lange her und uninteressant geworden). Der Bewerber würde sich damit dem Verdacht aussetzen, als seien seine anderen Zeugnisse nicht vorzeigbar oder er habe seine Gründe, diese Zeugnisse nicht beizufügen. Die Lückenlosigkeit gilt auch für die entscheidenden Ausbildungszeugnisse. Es gehören dazu: die Prüfungszeugnisse der Industrie- und Handelskammer, Gesellenbriefe, Meisterbriefe, bei Akademikern das komplette Diplom (nicht nur die Vorderseite, aus der die Note oft nicht ersichtlich ist); die Zeugnisse und Bescheinigungen über Kurse und Weiterbildungsmaßnahmen sollten von den Arbeitszeugnissen und Hauptausbildungszeugnissen getrennt und zusammengefaßt werden. Besonders bei vielen Kursen würden sie in der chronologischen Reihenfolge die wesentlichen Punkte verwischen. Das gilt auch für die Ausbildungszeugnisse, wenn sie sehr umfangreich sind.

Für den Bewerbungsempfänger sind die Arbeitszeugnisse am wichtigsten, dann die Ausbildungszeugnisse und dann die Kurse und Weiterbildungsmaßnahmen. In dieser Reihenfolge sollten sie auch vom Bewerber angeboten werden. An oberster Stelle liegt das letzte, neueste Zeugnis mit dem jüngsten Datum. Es folgen dann alle Arbeitszeugnisse bis zum ersten, also nach Datum ältesten Zeugnis. Dann kommen die Ausbildungszeugnisse in der gleichen Folge: das jüngste obenauf, zuletzt das älteste. Zeugnisse aus der Schulzeit sind dabei nicht erforderlich, sofern die Berufspraxis schon länger als zehn Jahre gedauert hat. In allen anderen Fällen sollte das Schulabgangszeugnis als Kopie beigefügt werden. (Also Abiturzeugnis oder Abschlußzeugnis einer Realschule oder Hauptschule.)

In der Lückenlosigkeit liegt für den Bewerbungsempfänger der Schwerpunkt auf der Berufspraxis. Hier möchte er sehen, ob der Bewerber zum Beispiel zeitweise beschäftigungslos war, oder ob es zwischen den einzelnen Stationen andere Pausen gab. Auch hier muß eine Übereinstimmung mit den Datenangaben des Lebenslaufes vorhanden sein. Wenn, wie üblich, im Lebenslauf mit ganzen Jahren ohne Monatsangaben gearbeitet wird, müssen unter Umständen die Jahreszahlen wiederholt werden.

Zum Beispiel: Der Arbeitnehmer hatte eine Arbeitsstelle vom 1. 4. 1981 – 1. 10. 1984. Bis zum 1. 11. war er vier Wochen beschäftigungslos. Sein neuer Vertrag beginnt am 1. 11. 1984. Im Lebenslauf muß dann stehen

1981–1984

1984–

Der Bewerber muß davon ausgehen, daß der interessierte Personalchef in jedem Fall die Daten genau prüft.

Die Lückenlosigkeit bei den Ausbildungsdaten und den Kursen bzw. Weiterbildungen beschränkt sich dagegen auf die für die Position wesentlichen Daten, also den Lehrabschluß, die Graduierungs- oder Diplomierungsurkunde und ähnliches.

Bedeutung des Zeugnisses für die Bewerbung

Zur Bedeutung des Zeugnisses bei der Bewerbung hat das Bundesarbeitsgericht in seinem Urteil vom 24. 3. 1977 – 3 AZR 232/76 – Stellung genommen.

Der Fall

Ein Physiker hatte sechs Jahre in der Forschungsabteilung eines Großunternehmens gearbeitet. Im Verlauf seiner Tätigkeit machte er eine Erfindung, von der der Arbeitgeber jedoch keinen Gebrauch machte. Seine Forschungen führten zu keinen wirtschaftlich verwertbaren Ergebnissen. Das Arbeitsverhältnis wurde durch einen Vergleich beendet. Der Physiker erhielt ein Zeugnis und die Möglichkeit, sich bei allen Betrieben des Konzerns zu bewerben. Er begann sich zu bewerben, erhielt aber nur Absagen.

Der Physiker machte das Zeugnis für diesen Mißerfolg verantwortlich, insbesondere aber bestimmte Zeugnisformulierungen. Er verlangte vor dem Arbeitsgericht von seinem früheren Arbeitgeber ein abgeändertes Zeugnis sowie Schadensersatz. Er beanstandete insbesondere im Zeugnis die Wendung: ‚Herr B. führte die ihm übertragenen Aufgaben mit großem Fleiß und Interesse durch.' Diese Formulierung bedeute, daß er sich zwar angestrengt, im Grunde aber nichts geleistet habe. Eine Leistungsbeurteilung im Zeugnis ohne eine der bekannten Formulierungen, der Arbeitnehmer habe die ihm übertragenen Aufgaben zur vollsten, zur vollen – oder wenigstens – zur Zufriedenheit des Arbeitgebers erledigt, sei unzulänglich. Mit dieser Ansicht kam er beim Arbeitsgericht und beim Landesarbeitsgericht nicht durch, wohl aber beim Bundesarbeitsgericht (BAG).

Das BAG führte zu seiner Entscheidung aus, der Arbeitgeber sei nach § 630 BGB verpflichtet, das dem Arbeitnehmer zu erteilende Zeugnis auf dessen Verlangen auch auf die Leistungen und die Führung im Dienst zu erstrecken. Der beklagte Arbeitgeber habe sich zwar in dem Zeugnis zur Führung des Physikers im Dienst geäußert, das aber in unzulänglicher Weise. Er habe damit seine Pflicht zur Erteilung eines Zeugnisses nicht ordnungsgemäß erfüllt. Die im Zeugnis enthaltene Wendung, der Physiker habe die ihm übertragenen Aufgaben mit großem Fleiß und Interesse durchgeführt, stelle keine zureichende Beurteilung seiner Leistungen dar. Mit ihr bringt der Arbeitgeber mittelbar zum Ausdruck, der Physiker habe sich zwar um die erfolgreiche Erledigung seiner, im ersten Teil des Zeugnisses sehr ausführlich geschilderten, Aufgaben bemüht, im Ergebnis aber nichts geleistet oder nur schlechte Leistungen erbracht.

‚Der Arbeitgeber muß sich an seinem Verhalten festhalten lassen'

Zur sechsjährigen Beschäftigung und der Vergleichsklausel, daß sich der Physiker bei allen Betrieben des Konzerns bewerben könne, führte das BAG aus: Mit dem für den erfahrenen Leser eines Zeugnisses erkennbaren vernichtenden Urteil über die Leistungen des Physikers setze sich der Arbeitgeber zusätzlich in Widerspruch zu der Tatsache, daß er den Physiker sechs Jahre lang beschäftigt hat. Mit der Beurteilung sei auch nicht die während des Prozesses gezeigte Bereitschaft vereinbar, den Wünschen des Physikers hinsichtlich der Formulierung des Zeugnistextes soweit wie möglich entgegenzukommen. Das gelte auch für das im Vergleich über die Beendigung des Arbeitsverhältnisses gegenüber dem Physiker erklärte Einverständnis, er sei berechtigt, sich bei allen Betrieben des Konzerns zu bewerben. Besonders durch diese letzte Erklärung im Vergleich hat der Arbeitgeber zu erkennen gegeben, daß die Leistungen des Physikers eben nicht unzureichend gewesen sind. Denn wenn dem Physiker ausdrücklich die Berechtigung zu einer Bewerbung bei allen anderen Konzernbetrieben bescheinigt wird, kann dies nicht lediglich eine nichtssagende, den Arbeitnehmer letztlich täuschende Floskel sein. Vielmehr kommt dadurch zum Ausdruck, daß der Arbeitgeber den Physiker für eine Tätigkeit im Konzernbereich für durchaus befähigt und geeignet hält. Unter diesen Umständen kann er sich später nicht darauf berufen, die Leistungen des Physikers seien durchweg unbefriedigend ausgefallen.

Die Beurteilung der Forschungsleistung

Das Landesarbeitsgericht hatte in der von ihm durchgeführten Beweisaufnahme angenommen, der Physiker könne keine bessere Beurteilung verlangen, weil er bei keiner der ihm übertragenen Aufgaben zu wirtschaftlich vertretbaren

Ergebnissen gelangt sei. Dem stimmte das BAG nicht zu, sondern führte aus: Forschungsarbeiten müssen nicht immer zu wirtschaftlich vertretbaren Ergebnissen führen. Jedenfalls ist die wirtschaftliche Verwertbarkeit der Arbeitsergebnisse nicht ohne weiteres das für die Leistungsbeurteilung eines mit Forschungs- und Entwicklungsaufgaben betrauten Arbeitnehmers maßgebliche Kriterium. Oftmals liege der besondere Wert derartiger Arbeiten gerade darin, daß sie einen bestimmten vorgestellten Weg zur Lösung technisch-wissenschaftlicher Probleme als nicht gangbar nachweisen und dadurch möglicherweise erhebliche Fehlaufwendungen für größere und kostspielige Entwicklungsprogramme vermeiden.

Dieser wesentliche Gesichtspunkt müsse bei einem neu zu formulierenden Zeugnis berücksichtigt werden. Ebenso die Tatsache, daß der Physiker im Verlauf seiner Arbeiten eine Erfindung gemacht hat. Das sei für die Beurteilung seiner rein theoretischen Leistungen von Bedeutung. Auch hier könne nicht ausschließlich auf die wirtschaftliche Verwertbarkeit abgestellt werden und darauf, ob der Arbeitgeber von der Erfindung Gebrauch macht oder nicht.

Vom Arbeitgeber kann verlangt werden, daß er bei der Beurteilung der Leistungen eines mit qualifizierten technischen Aufgaben betrauten Arbeitnehmers auch Kenntnisse erwähnt, insoweit ihm das möglich ist und insoweit es für einen künftigen Arbeitgeber von Bedeutung sein kann.

Der Schadenersatz-Anspruch

Der Physiker hatte einen Schadenersatz verlangt für die Zeit, in der er keine neue Stelle erhielt und für den Schaden, der ihm in Zukunft durch das schlechte Zeugnis entsteht.

Zum Schadenersatzanspruch führte das BAG aus, der Arbeitnehmer trage die Beweislast für seine Behauptung, die Nichterteilung oder die Erteilung eines unrichtigen Zeugnisses sei ursächlich für seinen Bewerbungsmißerfolg. Das Landesarbeitsgericht müsse jedoch noch einmal prüfen und dabei unterstellen, welche Situation sich ergeben hätte, wenn der Physiker in der Lage gewesen wäre, bei seinen Bewerbungen ein anderes Zeugnis vorzulegen. In diesem Fall wären seine Aussichten auf einen neuen Arbeitsplatz sicherlich größer gewesen. Eventuell müsse die Höhe des entstandenen Schadens nach § 252 BGB geschätzt werden.

Bezüglich eines künftigen Schadens hatte das LAG das Feststellungsbegehren des Physikers zurückgewiesen. Begründung: das Fehlen eines Zeugnisses sei nach der Lebenserfahrung nicht geeignet, sich auf die künftige Einkommensentwicklung auszuwirken. Dem folgte das BAG nicht. Denn: das Zeugnis soll dem Arbeitnehmer als Bewerbungsunterlage dienen und den möglichen neuen Arbeitgeber unterrichten. Dabei wird von Arbeitnehmern für qualifizierte und gehobene Positionen der durch Zeugnisse zu erbringende lückenlose Nachweis ihrer bisherigen Tätigkeit verlangt. Fehlt für eine bestimmte Zeit ein solcher Nachweis, so muß der Arbeitnehmer mit Nachteilen bei der Bewerbung rechnen.

Die Leitsätze des Urteils

1. War ein Physiker sechs Jahre in der Forschungsabteilung eines großen Unternehmens tätig und enthält bei seinem Ausscheiden das ihm erteilte Zeugnis neben einer sehr ausführlichen Tätigkeitsbeschreibung über seine Leistungen im wesentlichen nur die Wendung: ‚Er führte die ihm übertragenen Aufgaben mit großem Fleiß und Interesse durch', dann ist das die Erklärung, der Arbeitnehmer habe sich zwar bemüht, aber im Ergebnis nichts geleistet. Für die Richtigkeit einer solchen nachteiligen Leistungsbeurteilung ist der Arbeitgeber beweispflichtig.

2. Dafür, daß eine unrichtige Leistungsbeurteilung den davon betroffenen Arbeitnehmer geschädigt hat, ist der Ar-

beitnehmer darlegungs- und beweispflichtig. Dabei können ihm die Darlegungs- und Beweiserleichterungen des § 252 Satz 2 BGB zugute kommen, wobei die Gerichte nach den Maßstäben des § 287 Abs. 1 Satz 1 ZPO schätzen und würdigen können.

Arbeitsscheu und trinkfest: der Inhalt des Zeugnisses

Das Bundesarbeitsgericht geht in seinem ausführlich behandelten Urteil vom 24. 3. 1977 – 3 AZR 232/76 – davon aus, daß es ein bei allen Personalpraktikern bekanntes Zeugnisdeutsch gibt. Unter Zeugnisdeutsch ist dabei die positive Umschreibung negativer Aussagen zu verstehen. Das ist in dieser Ausschließlichkeit sicherlich nicht ganz richtig. Man kann nicht davon ausgehen, alle Zeugnisverfasser wüßten über die Tragweite der von ihnen benutzten Formulierungen Bescheid. Auch heute noch gibt es die Situation, daß ein Arbeitnehmer ausscheidet, ein Zeugnis verlangt und dann die Möglichkeit erhält, dieses Zeugnis selbst zu formulieren. Nicht selten gibt es in Firmen Zeugnismuster, die immer wieder – mit kleinen Variationen – abgeschrieben werden. Für viele Personalleute, gerade in mittleren und kleineren Firmen, ist das Zeugnisschreiben lästig, weil es selten vorkommt und man darin keine Übung hat. Gerade dieser hier beschriebene Kreis von Zeugnisverfassern wird darum auch bei der Beurteilung einer Bewerbung und der beigefügten Zeugnisse bei bestimmten Formulierungen nicht stutzig werden.

Daneben gibt es aber eine große Zahl von Firmen mit erfahrenen Personalchefs, welche genau die Rechtsgrundlage des Zeugnisschreibens kennen und auch über die Standardformulierungen informiert sind. Sie werden überaus sorgfältig bei der Wortwahl sein und Zeugnisse, die sie selbst zur Beurteilung erhalten, entsprechend daraufhin prüfen. Die Wahrscheinlichkeit ist groß, daß Bewerber auf einen derartig informierten Zeugnisleser stoßen. So dürfte es angebracht sein, daß der Bewerber seine Zeugnisse vorher überprüft und mit den kritischen Augen eines Personalchefs zu lesen lernt.

Die Rechtsgrundlage für die Umschreibungen

Entscheidend für die Praxis der Zeugnisformulierung sind zwei Urteile, die auch heute noch unverändert gültig sind. Einmal handelt es sich um das Urteil des Bundesarbeitsgerichts vom 23. Juni 1960 – 5 AZR 560/58 – und sodann um das Urteil des Bundesgerichtshofs vom 26. 11. 1963 – VI ZR 221/62 –. Wegen ihrer fortwirkenden Bedeutung seien sie hier in ihren Leitsätzen zitiert:

BAG 23. 6. 1960 – 5 AZR 560/58 –
1. Das Zeugnis soll einerseits dem Arbeitnehmer als Unterlage für eine neue Bewerbung dienen, andererseits einen Dritten, der die Einstellung des Zeugnisinhabers erwägt, unterrichten. Es muß alle wesentlichen Tatsachen und Bewertungen enthalten, die für die Gesamtbeurteilung des Arbeitnehmers von Bedeutung und für den Dritten von Interesse sind. Einmalige Vorfälle oder Umstände, die für den Arbeitnehmer, seine Führung und Leistung nicht charakteristisch sind – seien sie vorteilhaft oder nachteilig –, gehören nicht in das Zeugnis. Weder Wortwahl noch Satzstellung, noch Auslassungen dürfen dazu führen, daß bei Dritten der Wahrheit nicht entsprechende Vorstellungen entstehen.

2. Der Arbeitgeber ist für die Tatsachen beweispflichtig, die der Zeugniserteilung und der darin enthaltenen Bewertung zugrunde liegen.

3. Das Zeugnis ist ein einheitliches Ganzes; seine Teile können nicht ohne Gefahr der Sinnentstellung auseinandergerissen werden. Daher sind die Gerichte befugt, gegebenenfalls das gesamte Zeugnis zu überprüfen und unter Umständen selbst neu zu formulieren.

Bundesgerichtshof, 26. 11. 1963 – VI ZR 221/62 –
Oberster Grundsatz ist, daß der Inhalt des Zeugnisses wahr sein muß. Das bedeutet aber bei einem Zeugnis über Leistung und Führung nicht die Pflicht zu schonungsloser Beurteilung von ungünstigen Vorkommnissen. Das Zeugnis soll vom verständigen Wohlwollen für den Arbeitnehmer getragen sein und ihm sein weiteres Fortkommen nicht erschweren. Diese Rücksichtnahme hat ihre Schranke dort, wo sich das Interesse des künftigen Arbeitgebers an der Zuverlässigkeit der Grundlagen für die Beurteilung des Arbeitssuchenden ohne weiteres aufdrängt und das Schweigen in der einen oder anderen Richtung, insbesondere das Verschweigen bestimmter für die Führung im Dienst bedeutsamer Vorkommnisse, die Wahrheit des für die Beurteilung des Arbeitnehmers im ganzen wesentlichen Gesamtbildes beeinflussen. Keinesfalls darf der das Zeugnis ausstellende Arbeitgeber in dem Wunsch, dem Arbeitnehmer behilflich zu sein, wahrheitswidrige Angaben aufnehmen und ein Urteil abgeben, das nicht seiner Überzeugung entspricht oder sich nach den Maßstäben einer vernünftigen Verkehrsauffassung nicht aufrechterhalten läßt.

Soweit die Zitate. Daraus hat sich in der Praxis und Rechtsprechung ein Katalog entwickelt über das, was ein Zeugnis nicht enthalten darf, und das, was ein qualifiziertes Zeugnis enthalten muß:

Ein Zeugnis darf nicht enthalten:

den Kündigungsgrund, wenn das für das berufliche Fortkommen des Arbeitnehmers nachteilig ist,

Angaben über Krankheiten,

den Verdacht, auch nicht den dringenden Verdacht auf strafbare Handlungen,

Vorstrafen nur dann, wenn sie die Leistung und Führung im Dienst erheblich und maßgebend beeinflußt haben,

außerdienstliches Verhalten, sofern es nicht die Leistung und Führung im Dienst erheblich und maßgeblich beeinflußt hat, die Zugehörigkeit zum Betriebsrat oder zu politischen Organisationen.

Das Zeugnis muß enthalten:
die eindeutige Bezeichnung des Arbeitnehmers mit Vornamen, Familiennamen, Geburtsdatum und derzeitigem Wohnort,
die genaue Art des Einsatzes,
die Beschäftigungszeit mit genauen Datenangaben,
beim qualifizierten Zeugnis die genaue Umschreibung des Arbeitsplatzes und der Aufgabenstellung,
eine genaue Beschreibung von Leistung und Führung (nur beides zusammen möglich),
Unterschrift des Ausstellers.

Anmerkung: Man spricht von einem einfachen Zeugnis, wenn es den Arbeitnehmer mit Namen, Geburtstag und derzeitigem Wohnort genau benennt, sowie genaue Angaben über die Art der Beschäftigung und der Beschäftigungsdauer enthält. Man spricht von einem qualifizierten Zeugnis, wenn es darüber hinaus noch ein Urteil über die Leistungen und die Führung des Arbeitnehmers enthält. Wenn es der Arbeitnehmer verlangt, muß der Arbeitgeber ein qualifiziertes Zeugnis ausstellen.

Die kritischen Stellen

Die beiden kritischsten Stellen im qualifizierten Zeugnis sind die Umschreibung der Leistung und Führung sowie die des Kündigungsgrundes.

Er bemühte sich ...

Nach den genannten Zitaten ist es für den Zeugnisschreiber nicht möglich, klar zu sagen: Dieser Arbeitnehmer hat nichts geleistet, wir waren überhaupt nicht mit ihm zufrieden. Er muß diesen negativen Inhalt in eine positive Verbalform bringen. Dafür hat sich eine Skala entwickelt, deren Stufen weitgehend wortgleich in jedem Zeugnis zu finden sind. Es steht für:

sehr gute Leistungen	– er hat die ihm übertragenen Aufgaben zu unserer vollsten Zufriedenheit erledigt,
gute Leistungen	– er hat die ihm übertragenen Aufgaben zu unserer vollen Zufriedenheit erledigt,
durchschn. Leistungen	– er hat die ihm übertragenen Aufgaben zu unserer Zufriedenheit erledigt,
schlechte Leistungen	– er bemühte sich, die ihm übertragenen Leistungen zu unserer Zufriedenheit zu erledigen.

Gerade die letztere Formulierung zeigt das Grundmuster. Bei genauem Hinsehen und Lesen hat es den Inhalt: Dieser Arbeitnehmer hat sich zwar bemüht, seine Aufgabe zu schaffen, er schaffte es aber nicht, er hat sich lediglich bemüht. Nach dem gleichen Muster kann die schlechte Leistung auch so umschrieben werden: Er zeigte Interesse an seiner Aufgabe. Man darf die Formel: ‚Er bemühte sich ...' allerdings nicht aus dem Zusammenhang reißen und sie in jedem Fall als Negativurteil verstehen. So könnte es zum Beispiel heißen: Die ihm übertragene Aufgabe hat er zu unserer vollsten Zufriedenheit erledigt. Er bemühte sich darüber hinaus um eine ständige Verbesserung der Qualität ...

In gegenseitigem Einvernehmen ...

Die einschlägige Rechtsprechung sagt, daß im Zeugnis der Kündigungsgrund nicht genannt werden darf, wenn er für das berufliche Fortkommen des Arbeitnehmers nachteilig ist. Da es aber für den möglichen neuen Arbeitgeber von erheblichem Interesse ist, ob zum Beispiel der Arbeitnehmer von sich aus kündigte oder ob er gekündigt wurde, hat sich auch hier für die Formulierung ein Standard entwickelt. Dabei geht es im wesentlichen darum, daß ein Arbeitgeber bei dem heutigen Kündigungsschutz einem Arbeitnehmer nur dann kündigen kann, ohne einen Prozeß zu riskieren, wenn sich dieser Arbeitnehmer etwas Schwerwiegendes hat zuschulden kommen lassen. Die übliche Formulierung für diesen Fall, daß der Arbeitnehmer gekündigt wurde (gefeuert), lautet: Wir trennten uns von Herrn X zum soundsovielten in gegenseitigem Einvernehmen.

Hat dagegen der Arbeitnehmer von sich aus gekündigt, dann lautet die Formel: Herr X verläßt unser Unternehmen zum soundsovielten auf eigenen Wunsch. Wir wünschen ihm für seinen weiteren Berufsweg das Beste.

Hierbei gibt es Abstufungen im Nachsatz, die deutlich machen, ob man darüber glücklich war, daß dieser Arbeitnehmer endlich von sich aus gekündigt hat, oder ob man sein Ausscheiden ernsthaft bedauert. So kann die Formulierung lauten: Herr X verläßt uns mit dem heutigen Datum auf eigenen Wunsch, um sich einer neuen Aufgabe zu widmen. Wir bedauern sein Ausscheiden sehr, danken ihm hiermit für die langjährige erstklassige Mitarbeit und wünschen ihm für die Zukunft alles Gute.

Sie kann auch einfach und lapidar lauten: Das Arbeitsverhältnis mit Herrn X endet auf seinen Wunsch mit dem heutigen Datum.

Der Kontrast der beiden Formulierungen zeigt, daß der erfahrene Zeugnisschreiber beachtliche Gestaltungsmöglichkeiten hat.

Was tun, wenn das Zeugnis unrichtig oder unvollständig ist?

Entscheidend ist der Zeitpunkt, zu dem der Arbeitnehmer erkennt, daß sein Zeugnis unrichtig oder unvollständig ist. Grundsätzlich muß er seinen Berichtigungsanspruch unmittelbar nach Erhalt des Zeugnisses geltend machen. Kann er sich dabei mit seinem Arbeitgeber nicht einigen, sollte er Klage beim zuständigen Arbeitsgericht erheben. Die Beweispflicht, daß das erteilte Zeugnis richtig und vollständig ist, hat dabei nach der oben (Seite 104f.) zitierten Entscheidung des Bundesarbeitsgerichts der Arbeit*geber.* Die Beweislast kehrt sich allerdings um, wenn der Arbeitnehmer das Zeugnis zunächst ohne Einspruch angenommen hat und nach Wochen erst um Änderung nachsucht, etwa, weil er keinen Erfolg bei seinen Bewerbungen hatte. Dann gilt der (Seite 107) zitierte Grundsatz, daß der Arbeit*nehmer* darlegungs- und beweispflichtig dafür ist, daß ihn eine unrichtige Leistungsbeurteilung im Zeugnis geschädigt hat. Dabei können ihm die Darlegungs- und Beweiserleichterungen des § 252 Satz 2 BGB zugute kommen. (BAG vom 24. 3. 77 – 3 AZR 232/76 –)

Interpretationsbeispiele aus der Praxis

Die nachfolgenden konstruierten Beispiele basieren auf Fällen aus der Praxis. Sie sollen dem Bewerber zeigen, wie Formulierungen außer den bekannten – er bemühte sich / er verläßt uns im gegenseitigen Einvernehmen – im Zusammenhang eines Zeugnisses negativ interpretiert werden können. Sie werden ihm für die Prüfung seiner eigenen Zeugnisse, die nach dem tabellarischen Lebenslauf den wichtigsten Teil seiner Bewerbung ausmachen, den Blick schärfen.

Wenn das Urteil ganz fehlt

Als Interpretationstext soll der folgende konstruierte Wortlaut dienen, der nach einer umfangreichen Arbeitsplatzbeschreibung das Zeugnis eines Sozialarbeiters in einem Großunternehmen der Chemischen Industrie abschließt:

... Am soundsovielten wurde Herr Meiermüller von der Zentrale in XYZ zur Niederlassung ABC delegiert. Damit war eine beachtliche Erweiterung seines Aufgabenbereichs verbunden. Herr Meiermüller hat sowohl in der Zentrale als auch in der Niederlassung mit den Mitarbeitern kollegial zusammengearbeitet. Er verstand es, mit den Vorgesetzten im Rahmen seiner Aufgabe als Sozialarbeiter den erforderlichen Kontakt zu halten. Seine fachlichen Qualitäten, sein Arbeitstempo, seine Ausdauer und Belastbarkeit sind unbestritten. Herr Meiermüller war jederzeit zuverlässig.

Herr Meiermüller scheidet mit dem heutigen Tag in gegenseitigem Einvernehmen aus unseren Diensten aus.

Interpretation

Es fehlt jede Begründung dafür, weshalb er nach längerer Tätigkeit in der Zentrale in die Zweigstelle versetzt worden ist. Es heißt lediglich, daß damit eine beachtliche Erweiterung seines Aufgabengebietes verbunden war. Ein positiver Sinn ergäbe sich nur dann, wenn man zum Ausdruck gebracht hätte, daß er sich in der Zentrale so großartig bewährt habe, daß man ihm den Aufstieg in eine verantwortungsvollere, größere Aufgabe angeboten habe. Im zweiten Absatz heißt es dann, daß er einerseits mit den Mitarbeitern kollegial zusammenarbeitete, und andererseits, daß er es verstanden habe, mit den Vorgesetzten im Rahmen seiner Aufgabe als Sozialarbeiter den erforderlichen Kontakt zu halten. Die Wortwahl dieser beiden Sätze kann nur bedeuten, daß er einseitig auf der Seite der Mitarbeiter stand (‚kollegial') und die Zusammenarbeit mit den Vorgesetzten auf das unumgängliche Maß eines ‚im Rahmen der Aufgabe erforderlichen Kontaktes' beschränkte. Insbesondere vor dem Hintergrund der Aufgabe eines Sozialarbeiters bekommt diese Formulierung einen negativen Sinn. Etwa wenn man in der Aufgabenbeschreibung liest, daß es zu seinen Aufgaben als Sozialarbeiter gehörte, innerbetriebliche Spannungsfelder zu beobachten oder bei der Klärung von Fluktuation und Krankenstand mitzuarbeiten.

Besondere Bedeutung kommt in diesem Zusammenhang der eigentlichen Leistungsbeurteilung, dem Werturteil, zu. Bezeichnenderweise fehlt es völlig. Normalerweise steht am Schluß eines qualifizierten Zeugnisses ein Satz mit dem Inhalt: Herr Meiermüller hat die ihm übertragenen Aufgaben zu unserer vollsten (oder vollen oder nur) Zufriedenheit erledigt.

Einen ebenso eindeutigen Sinn hat die Formulierung: scheidet in gegenseitigem Einvernehmen mit uns aus. Sie besagt, daß der Arbeitgeber dem Arbeitnehmer gekündigt hat. Geht man davon aus, daß heute bei den geltenden Paragraphen des Kündigungsschutzgesetzes und der einschlägigen Rechtsprechung eine Kündigung durch den Arbeitgeber nur möglich ist, wenn der Betriebsrat (außer bei leitenden Angestellten) zugestimmt hat und wenn wichtige Gründe gegen den Arbeitnehmer vorliegen – in seiner Person oder seinem Verhalten –, dann kann man den negativen Sinn dieser Formulierung ermessen.

Er zeigte ein gesundes Selbstvertrauen

Auch hier geht es wieder um die Leistungs- und Führungsbeurteilung. Der konstruierte Wortlaut folgt nach einer umfangreichen Darstellung der Aufgabe eines Niederlassungsleiters einer Handelsgesellschaft:

... Herr Meiermüller verfügt über Fachwissen und zeigt ein gesundes Selbstvertrauen. Er war Neuem gegenüber stets aufgeschlossen und besaß zur Ausübung seiner Funktion die erforderliche Entschlußkraft. Er verstand es, die Aufgaben mit Erfolg zu delegieren, und setzte sich für die Förderung seiner Mitarbeiter ein. Herr Meiermüller hat den in ihn gesetzten Erwartungen entsprochen. Das bestehende Arbeitsverhältnis wurde auf Wunsch von Herrn Meiermüller zum heutigen Tage gelöst.

Interpretation: ‚Er verfügte über Fachwissen und zeigte ein gesundes Selbstvertrauen' bedeutet im Klartext, daß er zwar geringes Fachwissen hatte, aber außerdem eine so große Klappe, daß er damit wohl eine gewisse Zeit das fehlende Fachwissen überspielt hat. Er war Neuem gegenüber aufgeschlossen, mehr aber auch nicht. Er war nicht in der Lage,

Neues zu verarbeiten, zu integrieren. Im Zusammenhang mit dem zweiten Teil des Satzes, daß er die erforderliche Entschlußkraft besaß, kann man den Sinn auch dahin verstehen, daß er mit Entschlußkraft ständig etwas Neues anfing, ohne es weiterzuverfolgen, also ohne Plan und Systematik vorging.

Der Satz ‚Er verstand es, die Aufgaben mit Erfolg zu delegieren und setzte sich für die Förderung seiner Mitarbeiter ein' gibt zu verstehen, daß er kaum selbst gearbeitet hat und sich nur halten konnte, weil er Mitarbeitern, die seine Faulheit kritisierten, mit einer Gehaltserhöhung das Maul stopfte.

Das Werturteil fällt entsprechend negativ aus: Er hat den in ihn gesetzten Erwartungen entsprochen – weder zur Zufriedenheit, noch zur vollen oder gar vollsten Zufriedenheit, nein, sondern gerade so. Man kann im Zusammenhang mit den vorstehenden Sätzen, denen das Werturteil folgt, auch negativer interpretieren. Dann bedeutet es, wir wußten von Anfang an, daß er wahrscheinlich unseren Erwartungen nicht entsprechen wird, in diesem Sinn hat er unseren Erwartungen entsprochen.

In seinem und im Interesse der Firma

Der folgende Interpretationstext soll sich auf einen Außendienstmitarbeiter beziehen. Nach einer Aufgabenbeschreibung könnte als Urteil über Leistung und Führung stehen:

... wir haben Herrn Meiermüller als einsatzwilligen und sehr beweglichen Mitarbeiter kennengelernt, der stets bemüht war, die ihm übertragenen Aufgaben zur vollsten Zufriedenheit in seinem und im Interesse der Firma zu lösen. In persönlicher Hinsicht war sein Verhalten ohne Tadel. Herr Meiermüller kündigte seinen Vertrag zum 31. 12. dieses Jahres.

Interpretation: Am negativen Sinn der positiven Worte ist hier kein Zweifel mehr möglich. Im Klartext müßte es lauten: Herr Meiermüller hat uns bestohlen. Aber das Zeugnis soll wohlwollend und für das Fortkommen des Arbeitnehmers nicht hinderlich sein. Andererseits soll es aber auch wahr sein, sonst könnte der mögliche neue Arbeitgeber unter Umständen Schadensersatzansprüche stellen. Die Klarheit des negativen Sinns kommt im Zusammenhang der Formulierungen zustande: „... er war sehr beweglich und stets bemüht, die ihm übertragenen Aufgaben zur vollsten Zufriedenheit in seinem Interesse zu lösen.' Darum war sein Verhalten auch in persönlicher Hinsicht ohne Tadel – er hat niemanden tätlich angegriffen. Aber fachlich hat er seine Kasse mit der des Unternehmens verwechselt.

Freundlich, hilfsbereit und stets loyal

Der nachfolgende Interpretationstext ist als Schluß eines Zeugnisses für einen Leiter der Produktion in einem kleineren Zweigwerk eines größeren Unternehmens gedacht. Der allgemein gehaltenen Aufgabenbeschreibung folgt:

... Herr Meiermüller war stets bemüht, sein Bestes zu geben. Sein Aufgabengebiet hat er mit großer Sachkenntnis und Interesse betreut. Freundlich, hilfsbereit und stets loyal, ist sein Verhalten gegenüber Vorgesetzten immer ohne Tadel gewesen. Seine guten charakterlichen und menschlichen Eigenschaften machten ihn zu einem beliebten Mitarbeiter.

Interpretation: Viel Worte über die menschliche Größe, aber wo bleibt das Urteil über seine fachliche Leistung? Dieses Beispiel zeigt, daß man durch eine fast emotional gefärbte breitere Schilderung der für die Aufgabe ganz unwesentlichen menschlichen – nicht nachprüfbaren – Eigenschaften verschleiern kann ,daß man die fachliche Leistung negativ beurteilt.

Die beiden ersten Sätze hätten den Herrn Meiermüller vielleicht stutzig gemacht, wenn nicht die folgenden Formulierungen über ihn als Menschen so begeisternd gewesen wären. Da wollte er einfach nicht mehr glauben, daß da steht, er habe sein Bestes, aber nicht das Beste gegeben, und daß sein Bestes eben nur darin bestand, ein Aufgabengebiet mit Interesse zu betreuen (subaltern und ohne Initiative).

Insgesamt kann man die Schilderung der menschlichen ‚Größe' des Herrn Meiermüller auch dahin interpretieren, daß er ein ausgemachter Trottel war, dem jede Führungsbefähigung abging. Statt zu leiten, zu motivieren, zu kritisieren, eben zu führen, war er loyal, hilfsbereit, freundlich (ein Attribut, das für einen Vorgesetzten beleidigenden Sinn hat) – eben ein beliebter Mitarbeiter und keine Führungskraft.

Seine freundliche Art war sehr geschätzt

Textbeispiel über die Führung und Leistung eines Bauleiters: ... die ihm obliegenden Aufgaben hat Herr Meiermüller ohne Beanstandung ausgeführt. Aufgrund seiner anpassungsfähigen und freundlichen Art war er in meinem Büro und bei allen am Bau Beteiligten sehr geschätzt. Herr Meiermüller scheidet bei mir auf eigenen Wunsch aus. Ich wünsche ihm auch weiterhin viel Erfolg.

Interpretation: Prost! Eine andere Erklärung ist kaum möglich, wenn man einmal versucht herauszubekommen, wie man es anders fertigbringen kann, bei allen am Bau Beteiligten sehr geschätzt zu sein. Im Zusammenhang mit der Leistungsbeurteilung ‚ohne Beanstandung ausgeführt' wirkt der letzte Satz fast wie Hohn: auch weiterhin viel Erfolg (beim Schlucken).

Drei durchweg schlechte Zeugnisse

I. Herr Meiermüller, geboren am soundsovielten in XYZ, war in der Zeit vom ... bis ... in unserem Betrieb als Maschinenmeister tätig. Er arbeitete in unseren Abteilungen A, B, C und D und hatte hierbei Gelegenheit, die verschiedenen Typen der bei uns arbeitenden Maschinen kennenzulernen. Auch gaben wir ihm Gelegenheit, sich mit organisatorischen Fragen sowie mit Problemen der Lohnfindung zu beschäftigen. Herr Meiermüller zeigte ein reges Interesse für alle vorkommenden Fragen. Er zeichnete sich durch seine freudige Einsatzbereitschaft und seine Kameradschaft zu den Mitarbeitern aus. Herr Meiermüller verläßt uns heute auf eigenen Wunsch.

II. Herr Müllermeier, geboren am soundsovielten in XYZ, war vom ... bis ... in unserer Abteilung Produktion tätig. Herr Müllermeier war für die Mitarbeit in der Gruppe ABC der DEF-Produktion vorgesehen. Er hat sich in der Einführungsphase mit Eifer und Geschick in die ihm fremden Belange eingearbeitet. Seine Leistungen und seine ruhige Art gaben zu keinen Klagen Anlaß. Herr Müllermeier verläßt uns auf eigenen Wunsch.

III. Herr Diplom-Kaufmann Müllermüller, geboren am soundsovielten in XYZ, war vom ... bis ... Rechnungsprüfer in unserem Unternehmen. Die ihm übertragenen Aufgaben wurden von ihm fachlich und menschlich mit großem Ernst und besonderer Sorgfalt durchgeführt. Er war ein angenehmer Kollege, dessen Verhalten zu Beanstandungen niemals Anlaß gab. Herr Müllermüller verläßt unser Haus auf eigenen Wunsch.

Die Beispiele zeigen deutlich: Je weniger der Verfasser über die fachliche Qualifikation und Leistung sagen kann, ohne irrezuführen oder etwas Negatives zu sagen, desto mehr findet sich das menschliche und kollegiale Verhalten, die ruhige Art und die Kameradschaft. Wenn er schon nichts geleistet hat, er war doch ein ganz netter Kerl.

Schlechte Zeugnisse in der Bewerbung

Die ganzen negativen, schlechten Beispiele (Seite 103ff.) sollen dem Bewerber den Blick für die Prüfung seiner eigenen Arbeitszeugnisse schärfen. Er wird dann erkennen, ob seine Zeugnisse nach Inhalt und Formulierung durchweg gut sind oder ob sich positive Umschreibungen mit negativem Sinn finden. Bestehen alle Zeugnisse diese kritische Prüfung, dann werden sie auch vor den Augen des Personalchefs bestehen. Im anderen Fall gibt es mehrere Möglichkeiten: Weisen alle Zeugnisse solche doppelbödigen Formulierungen auf, dann erscheint eine kritische Analyse der eigenen Fähigkeiten und Leistungen sowie der eigenen Vorstellungen über die erstrebenswerte Position erforderlich. Kein Personalchef wird glauben, daß alle schlechten Zeugnisse eines Bewerbers auf böswillige Zeugnisschreiber zurückzuführen sind. Der Fall ist nicht nur theoretisch, er kann bei einem Arbeitnehmer vorkommen, der sich ständig überschätzt, der versucht, Aufgaben anzugehen, denen er nicht gewachsen ist. In diesem Fall ist eine Lösung über eine komplette berufliche Neuorientierung möglich, zum Beispiel über die Erkenntnis, daß man eben nicht das Zeug zu einem Chefkonstrukteur hat, sondern nur zu einem soliden Detailkonstrukteur. Eine andere Ursache für komplett schlechte Zeugnisse kann in der Persönlichkeitsstruktur liegen, zum Beispiel in einer übersteigerten Streitsucht. Lösungen ohne den psychologisch geschulten Berufsberater sind hier kaum vorstellbar.

Der in der Praxis häufigste Fall sind ein oder zwei Zeugnisse, in denen nicht die ‚vollste Zufriedenheit' zum Ausdruck kommt. Je weiter sie in der beruflichen Laufbahn zurückliegen, um so besser. Wesentlich ist, daß ein Zeugnis über die letzte Position oder die vorletzte Position diese Schwäche ausgleicht. Es muß über einen längeren Zeitraum gehen, und es muß sehr gut sein. Insbesondere, wenn das Zeugnis mit der Schwachstelle nur über ein kürzeres Engagement geht, wird man zu dem Urteil kommen: Na ja, damals und das kurze Engagement, aber nun ist er schon seit sechs Jahren in der verantwortungsvollen Position mit einem erstklassigen Zwischenzeugnis.

Schlechte Zeugnisse einfach zu unterdrücken und der Bewerbung erst gar nicht beizulegen, ist kein Lösungsansatz. Der interessierte Personalchef wird die Lücke bemerken und entweder gleich absagen, weil er Betrugsabsicht vermutet, oder das fehlende Zeugnis nachfordern. Erklärungen wie ‚das Zeugnis ist verbrannt', ‚es ist bei einem Umzug verlorrengegangen', ‚es wurde mir gestohlen' etc. sind nicht diskutabel.

Alle Zeugniskopien müssen in die Bewerbung, auch die nicht ganz so guten. Der Bewerbungsempfänger wird nur auf der Basis der lückenlos vorliegenden Arbeitszeugniskopien seine Entscheidung treffen, ob jemand eingestellt werden kann oder nicht. Das beste Mittel gegen ein schlechteres Zeugnis älteren Datums ist ein erstklassiges Zeugnis neueren Datums (enorm, wie sich der Mann gesteigert hat). Bei ‚dunklen' Stellen in den Zeugnissen ist es für den Bewerber sehr wichtig, daß er sie kennt und daß er bei einer möglichen Vorstellung auf diesbezügliche Fragen mit einer guten Antwort vorbereitet ist.

Charakterbild: die Handschriftprobe

In vielen Stellenangeboten wird neben dem Anschreiben, dem tabellarischen Lebenslauf (mit frühestem Eintrittstermin und Einkommenswunsch) sowie den Zeugniskopien auch ein Handschreiben vom Bewerber gefordert. Dabei gibt es formale Mißverständnisse, etwa wenn ein ‚handgeschriebener Lebenslauf' gewünscht wird. Natürlich ist es nicht der Wunsch des Personalchefs, einen oft schwer leserlichen handgeschriebenen Lebenslauf zu studieren. Er will ein Handschreiben für den Graphologen und für sich einen gut gegliederten, mit der Maschine geschriebenen Lebenslauf. Die Floskel vom handgeschriebenen Lebenslauf schleicht sich nur immer wieder ein, weil man das schon immer so gesagt hat, weil man nicht so recht weiß, was der Bewerber denn sonst mit der Hand schreiben soll. Aus der Praxis kann man sagen, daß auch dann, wenn in der Anzeige ein handgeschriebener Lebenslauf gefordert wird, ein mit der Maschine sauber getippter Lebenslauf angebracht ist. Als Handschreiben kann man dann ein Stück des tabellarischen Lebenslaufes noch einmal mit einem Füllhalter abschreiben und mit der Überschrift ‚Schriftprobe' versehen. Dafür empfiehlt sich der Teil ‚Persönliche Daten' und ‚Ausbildungsdaten'. Beide zusammen ergeben mit der Hand geschrieben meist eine gute Seite. Weniger, etwa nur eine Zeile oder zwei, ist nicht sinnvoll, weil der Graphologe einen Teil seines Urteils auch darauf stützt, wie der Schreiber den Text auf dem Blatt unterbringt, wie er mit dem Raum umgeht und auskommt. Man kann auch einen Text aus der Zeitung abschreiben. Etwas geziert und nicht empfehlenswert wirkt es, besonders anspruchsvolle Texte zu wählen, etwa, um das eigene geistige Niveau zu unterstreichen.

Was ist Graphologie?

Ein psychodiagnostisches Verfahren, das sich zur Ermittlung allgemeiner Persönlichkeitszüge und dem, was sich daraus schließen läßt, eignet, nicht dagegen zu speziellen Verhaltensvoraussagen (Müller/Enskat). Beurteilt wird die Schrift, das Ergebnis des Schreibens. Schreiben wird als eine semantische Handlung mit bleibendem Ergon definiert, bei der jemand etwas Bestimmtes in bestimmter Weise schreibt bzw. jemandem mitteilt, wobei einige Züge personalen Soseins in dem Wie des Mediums, nämlich der Handschrift, erscheinen. Das kann als sprachlich-graphisch-signifikante Werkgestalt charakterisiert werden.

Die Graphologie macht Aussagen über schreibgeübte Personen und deren Persönlichkeitsstruktur. Darunter fallen etwa Aussagen über Stabilität, Anfälligkeit für Konflikte, Kontaktbereitschaft, Selbständigkeit. Ihre Funktion innerhalb der Bewerberbeurteilung ist eine Hilfsfunktion. Sie dient zur Absicherung der Erkenntnisse aus der sorgfältigen Lebenslauf- und Zeugnisanalyse sowie dem persönlichen Eindruck, den der Bewerber bei der Vorstellung macht. Dabei spielt es manchmal eine Rolle, daß der Personalchef die Verantwortung für die Einstellung oder Ablehnung nicht allein übernehmen möchte.

Die Grenzen der diagnostischen Möglichkeiten der Graphologie werden überschritten, wenn sie über das biologische Geschlecht, über das Lebensalter, über Schreib- und Ausdruckshemmungen, über Neurosen und Psychosen, über Triebbesonderheiten oder gar über geniale Begabungen Aussagen zu machen versucht. Fehlbeurteilungen können entstehen, wenn das Schriftbild verändert wurde, zum Beispiel durch kurz vorher ausgeführte schwerere körperliche Arbeit, durch Vorurteile des Graphologen, durch mißverständliche Formulierungen, durch alles, was Einfluß auf das Schriftbild hat (Alkoholgenuß, Tabletten).

Was ist bei der Handschriftprobe zu beachten?

Der Bewerber muß sich darüber klar sein, daß seine Handschriftprobe eine zusätzliche Beurteilungsgrundlage für den Personalchef sein soll. Es hat wenig Sinn, diese Beurteilungsgrundlage zu manipulieren, indem man etwa die Schrift eines anderen schickt oder unter Aufputschmittel schreibt. Bei einer Einstellung wird sich schon bald herausstellen, daß die in der Schriftprobe behauptete Persönlichkeit nicht vorhanden ist. Es kann auch dem Bewerber nur darauf ankommen, daß ein erfahrener Graphologe aus der Handschrift nur die Persönlichkeitszüge herausliest, die der Schreiber unter normalen Umständen auch wirklich hat. Es empfiehlt sich darum, eine Seite mit einem gut funktionierenden Füllfederhalter zu beschreiben. Man sollte die Handschriftprobe nicht anfertigen, wenn man übermüdet und gereizt aus dem Büro kommt, sondern in einem ausgeruhten, ausgeglichenen Zustand, etwa am Wochenende.

Einen eigenen Graphologen?

Wie weit ist es für den Bewerber sinnvoll, selbst einen Graphologen zu bemühen? Grundsätzlich kann sich der Bewerber selbst ein graphologisches Gutachten anfertigen lassen. Dieses kostet ihn je nach Qualität des Graphologen zwischen fünfzig und zweihundertfünfzig Mark. Er wird nicht bei allen Graphologen die Bereitschaft finden, ihm ein solches Gutachten anzufertigen. Der Gutachter muß befürchten, daß solche Privatgutachten Bewerbungen beigelegt werden oder als Gegengutachten zur Beschuldigung eines Kollegen verwendet werden.

Der Sinn eines solchen Privatgutachtens kann für den Bewerber nur sein, sich Klarheit über sich selbst zu verschaffen, die Richtung zu erkennen, in die ein vom Stellenanbieter in Auftrag gegebenes Gutachten gehen könnte. Es ist unbedingt davon abzuraten, solche Privatgutachten der Bewerbung beizulegen. Das wird meist so verstanden, als wolle der Bewerber mit einem Gutachten, das er selbst bezahlt hat, auf dessen Formulierung er unter Umständen Einfluß hatte, das vielleicht einen anderen Schreiber als Urheber hat, dem Urteil des von der Firma beauftragten Graphologen vorgreifen.

Juristische Fragen

Wenn ein Bewerber, der Aufforderung in der Stellenanzeige folgend, seiner Bewerbung ein Handschreiben beilegt, dann gilt das als schlüssiges Verhalten, durch das er seine Einwilligung zur Einholung eines Gutachtens gibt. Dies gilt nur bei leitenden Angestellten oder sonst hochqualifizierten Mitarbeitern. Andere Bewerber als die vorgenannten Arbeitnehmer sind häufig der Ansicht, es gehe nur um die Qualität der Schrift als solcher. Deshalb ist von diesem Bewerber im Zweifel die ausdrückliche Zustimmung zu fordern. Er gibt auch seine Einwilligung dazu, daß das Gutachten dem Personenkreis zugänglich gemacht wird, der über seine Einstellung entscheidet.

Als Personalangelegenheit muß das graphologische Gutachten streng vertraulich behandelt werden und darf nicht offen in der Personalakte liegen. Der Bewerber hat ein Recht darauf zu erfahren, ob ein Gutachten eingeholt wurde, nicht jedoch, welchen Umfang und welchen Inhalt es hat.

Im Zusammenhang mit dem Betriebsverfassungsgesetz gehört ein graphologisches Gutachten, das auf Veranlassung des Arbeitgebers über den Bewerber erstellt wurde, nicht zu den vorlagepflichtigen Bewerbungsunterlagen. Dem Betriebsrat kann eine mündliche Auskunft gegeben werden. Er ist zur vertraulichen Behandlung und zum Stillschweigen verpflichtet.

... sowie unter Angabe von Referenzen

Warum werden Referenzen gefordert?

Weil der Stellenanbieter zusätzliche Beurteilungskriterien über den Bewerber und über die Bewerbungsunterlagen hinausgehende Information sucht. Gerade bei Fach- und Führungskräften geben Zeugnisse mit ihren verklausulierten, immer positiven Texten dem Personalfachmann oft auf eine Reihe von Fragen keine Auskunft. Er möchte am liebsten den Vorgesetzten des Bewerbers direkt anrufen und fragen: Wie ist der Mann? – Ist er erste Klasse oder nicht? Warum geht der bei euch weg? Was strebt er wirklich an? Wie stark ist er in Streß-Situationen? – und ähnliches mehr. Am liebsten würde er mehrere Leute über den Bewerber befragen, damit sich, neben den Erkenntnissen aus Lebenslauf, Zeugnissen, graphologischem Gutachten, ein abgerundetes Bild ergibt.

Das Interesse des Bewerbers

Der Bewerber hat in vielen Fällen kein Interesse daran, daß ein möglicher neuer Arbeitgeber seinen derzeitigen Arbeitgeber anruft, ihn damit über seine Veränderungsabsichten informiert und ihn interviewt. Hier liegen auch Gefahren für den Bewerber: Der Referenzanruf des künftigen Arbeitgebers kann den Sinn haben, den derzeitigen so zu motivieren, daß er dem Arbeitnehmer nahelegt zu kündigen und ihn damit bereitwilliger macht, bestimmte Vertragsklauseln zu akzeptieren. Andererseits gibt ein solcher Anruf dem derzeitigen Arbeitgeber die Möglichkeit, die Chancen des Bewerbers zunichte zu machen und ihn damit zum Bleiben zu zwingen. Etwa wenn er sagt: ‚Kein Kommentar. Zu diesem Mann und seiner Führungsbegabung möchte ich keine Auskunft geben. Sie werden das verstehen.' Er muß nicht einmal etwas Negatives sagen wie: ‚Lassen Sie die Finger davon', er erreicht das gleiche Ergebnis, wenn er den Kommentar neutral ablehnt. Er wird den möglichen neuen Arbeitgeber zumindestens stark verunsichern.

Form und Vorgehen

Wenn in der Anzeige keine Angabe von Referenzen gefordert ist, sollte der Bewerber in der ersten Bewerbung auch keine Referenzen angeben. Sind Referenzen gefordert, müssen sie genannt werden. Falsch wäre es, zu schreiben, Referenzen könne man aus Diskretionsgründen erst bei der Vorstellung nennen oder ähnliches. Man unterstellt damit dem Bewerbungsempfänger Indiskretionsabsichten.

Als Referenzgeber eignen sich nur solche Personen, die eine sachbezogene Auskunft geben können. Es hat keinen Sinn, wenn ein Leiter der Konstruktion eines Zweigwerkes den Vorstandsvorsitzenden des Gesamtkonzerns als Referenz benennt. Der Name macht sich sicherlich gut, aber dieser Mann wird kaum zu erreichen sein, und er wird keine sachdienliche Auskunft geben können. Die oder der Vorgesetzte beim letzten Arbeitgeber eignet sich nur dann als Referenz, wenn die Veränderungsabsicht des Bewerbers dort bekannt ist und trotzdem noch ein wohlwollendes Verhältnis besteht. Ist das nicht der Fall, sollte man die Vorgesetzten aus der vorletzten Position und der Position davor benennen. Je nach Beruf und erreichter Hierarchieposition kann auch der

Name eines mit dem Haus verbundenen Bankinstituts und einer seiner Vorstände richtig sein oder, bei Positionen im Verkauf, kompetente Leute aus belieferten Unternehmen.

Man kann neben den Leuten, die eine fachbezogene Referenz geben können, auch solche benennen, die eine mehr auf die Persönlichkeit bezogene Referenz geben können (was ist das für ein Mensch?). Drei Referenzadressen reichen in der Regel aus, sofern die Genannten auch wirklich erreichbar sind. Sinnvollerweise wird der Bewerber die als Referenz angegebenen Leute vorher davon verständigen, daß er sie nennen möchte, und fragen, ob sie damit einverstanden sind.

Es empfiehlt sich, die genauen Referenzadressen mit Telefonnummern auf einen gesonderten Bogen mit der Überschrift ‚Referenzen' zu schreiben und der Bewerbung im Anschluß an den tabellarischen Lebenslauf und die Handschriftprobe beizufügen.

Rechtliche Fragen

Grundsätzlich ist es nach der heute herrschenden Meinung so, daß der ehemalige Arbeitgeber aufgrund der nachwirkenden Fürsorgepflicht einem künftigen Arbeitgeber wahrheitsgemäße und erschöpfende Auskünfte aus dem früheren Arbeitsverhältnis geben muß. Ist ein Zeugnis erteilt, dann kann er sich darauf berufen. Der Bewerber kann eine unkontrollierte Referenzeinholung verhindern, wenn er dem Bewerbungsempfänger die Einholung von Referenzen über die genannten Adressen hinaus untersagt: ‚Weitere Referenzen können nur mit meinem Einverständnis eingeholt werden.'

Falls in der Anzeige keine Referenzen gefordert wurden, der Verdacht aber naheliegt, daß der Bewerbungsempfänger doch Referenzen seiner Wahl einholt, dann sollte die Bewerbung den ausdrücklichen Hinweis tragen: ‚Bei der Einholung von Referenzen bitte ich um vorherige Verständigung.'

Der Arbeitnehmer kann auch mit seinem jetzigen und seinen früheren Arbeitgebern vereinbaren, daß sie keine Auskunft über ihn erteilen. Eine Ausnahme besteht bei Behörden. Sie sind nach Artikel 35 Grundgesetz zur gegenseitigen Amtshilfe verpflichtet.

Entsteht dem Arbeitnehmer durch falsche oder unberechtigt eingeholte Auskünfte Schaden, so kann er Schadensersatz fordern. Wer insbesondere über die geistigen und körperlichen Eigenschaften und Fähigkeiten eines Arbeitnehmers herabwürdigende Angaben gegenüber Dritten macht, ist strafbar nach § 187 des Strafgesetzbuches bzw. nach § 186.

§ 187 StGB lautet: Wer wider besseres Wissen in Beziehung auf einen anderen eine unwahre Tatsache behauptet oder verbreitet, welche denselben verächtlich zu machen oder in der öffentlichen Meinung herabzuwürdigen oder dessen Kredit zu gefährden geeignet ist, wird wegen verleumderischer Beleidigung ... bestraft.

Im § 186 StGB heißt es: Wer in Beziehung auf einen anderen eine Tatsache behauptet oder verbreitet, welche denselben verächtlich zu machen oder in der öffentlichen Meinung herabzuwürdigen geeignet ist, wird, wenn nicht diese Tatsache erweislich wahr ist, wegen Beleidigung ... bestraft.

Kaum nachweisbar

So klar die juristische Seite ist, so schwierig ist es, in der Praxis ein Nachweis über Referenzen und ihren Inhalt zu führen. Es muß schon viel Glück hinzukommen, damit ein Bewerber, der zunächst Spitzenkandidat war und dann überraschend eine Absage erhielt, Referenzen für sein Mißgeschick verantwortlich machen kann. Er muß nachweisen können, daß eine Referenz eingeholt und gegeben wurde und daß der Inhalt der Auskunft so negativ war, daß deswegen auf eine Einstellung verzichtet wurde.

Ungewollte Referenzen

Für Personalberater und Personalpraktiker, die mit sehr vielen Bewerbern zu tun haben, gibt es einen recht einfachen Weg, zu brauchbaren Referenzen zu kommen. Als Referenzgeber fungieren andere Bewerber für andere Positionen. Beispiel: Der Berater sucht für den Klienten A einen Konstrukteur und für den Klienten B einen Leiter der Konstruktion. Es kommen Bewerbungen für beide Positionen von Mitarbeitern der Firma C und Firma D, aber auch aus dem Hause des Klienten A für die Position bei B und umgekehrt. Bei den Vorstellungsgesprächen ist es kein Problem, etwa von einem Konstrukteur aus Firma C etwas über den Konstruktionsleiter in seinem Hause zu erfahren.

Sonstiges

Was noch zu einer Bewerbung gehören kann
Was bei einer ersten Bewerbung besser wegbleibt

Die nachfolgende Aufstellung kann als Kontrolliste für Bewerber gelten, die über sehr umfangreiche Unterlagen für ihre Bewerbung verfügen, aber nicht so genau wissen, was sie beilegen sollen und was nicht. Generell kann man sagen, daß es zum Beispiel bei der Vielzahl der möglichen Kurse, die man belegen kann, in den meisten Fällen empfehlenswert ist, nur die Urkunden oder Bescheinigungen der Bewerbung beizulegen, die ein gutes Ergebnis testieren und die für die angestrebte Position von Bedeutung sein könnten.

Auch von den Schulzeugnissen war schon die Rede. Es ist nach ca. zehnjähriger Berufspraxis nicht mehr erforderlich, sein Schulabgangszeugnis einer Bewerbung beizulegen, zumal dann nicht, wenn es keine guten Noten ausweist.

Sonstige persönliche Daten, die noch zu einer Bewerbung gehören können:
Führerschein(e),
Klubmitgliedschaften,
Geschwister, sofern sie berufstätig sind.

Sonstige persönliche Daten, die nicht in eine erste Bewerbung gehören:
Geburtsurkunde,
Heiratsurkunde,
Polizeiliches Führungszeugnis.

Sonstige Ausbildungsdaten, die noch zu einer Bewerbung gehören können:

Lehrzeugnis,
Bescheinigung über Praktika,
Praktikantenzeugnis,
Kaufmannsgehilfenbrief,
Facharbeiterbrief,
Gesellenprüfungszeugnis,
Meisterprüfungszeugnis,
Fachschulreifevermerk,
Dienstzeugnis der Bundeswehr,
Zeugnisabschriften, sofern sie amtlich beglaubigt sind,
bei im Ausland erworbenen akademischen Graden die Genehmigung der Führung im Inland.

Sonstige Daten zur Berufspraxis, die noch zu einer Bewerbung gehören können:

Arbeitsproben: Dabei ist zu beachten, daß der Arbeitnehmer, der geheime Unterlagen aus Eigennutz, um sich und seine Leistung herauszustellen, in einer Bewerbung preisgibt, gegen den § 17 des Gesetzes gegen den unlauteren Wettbewerb und gegen Treu und Glaube verstößt. Insofern sind aktuelle Arbeitsproben aus Konstruktions- und Entwicklungsabteilungen zum Beispiel nicht gut möglich. Das gleiche gilt für Konzeptionen im Marketing- oder Public-Relations-Bereich. Hier sind höchstens zugängliche Fachveröffentlichungen als Ersatz für Arbeitsproben möglich. Arbeitsproben sind meist nur dann üblich, wenn es sich um Kreative handelt, also um Leute, die ständig neu produzieren müssen und deren Stil man kennenlernen möchte, z. B. bei Graphikern, Textern, Designern und ähnlichen Berufen. Es ist allerdings verboten, sich mit fremden Feder zu schmücken. Wer Arbeitsproben, die er gar nicht selbst angefertigt hat, seiner Bewerbung beilegt und als seine eigenen ausgibt, läuft Gefahr, daß der daraufhin zustande gekommene Vertrag wegen arglistiger Täuschung angefochten wird.

Besondere Kenntnisse: In bestimmten Fällen kann es sinnvoll sein, etwa bei Programmieren, unter den Titel ‚Besondere Kenntnisse' alle Programmiersprachen, die beherrscht werden, aufzuführen. Damit erhält der Bewerbungsleser schon im Lebenslauf einen Überblick und muß sich nicht diese Punkte aus den verschiedenen Kurszeugnissen zusammensuchen.

Auslandserfahrungen/-aufenthalt: Falls aus den Zeugnissen nur pauschal ersichtlich ist, daß der Arbeitnehmer für längere Zeit im Ausland tätig war, dann ist es empfehlenswert, als Zusatzinformation – insbesondere wenn es für die angestrebte Stelle von Interesse ist – die einzelnen Länder und die Aufenthaltsdauer dort zu nennen.

Veröffentlichungen: Bei bestimmten Berufen gehört es zum guten Ton, daß man zu seinem Fachgebiet eine Reihe von Veröffentlichungen in bekannten (den Fachleuten bekannten) Medien aufzuweisen hat. Das gilt zum Beispiel für verschiedene naturwissenschaftliche Fachrichtungen, wenn der Arbeitnehmer im Forschungsbereich tätig ist; es kann auch für Juristen zutreffen, es versteht sich von selbst bei Journalisten und verwandten Berufen und kann einen Bewerber als anerkannte Kapazität auf seinem Gebiet ausweisen.

Es empfiehlt sich, die Veröffentlichungen nicht gleich der ersten Bewerbung beizulegen (als Kopie), sondern dem Lebenslauf ein besonderes Blatt mit der Überschrift ‚Veröffentlichungen' beizufügen, das eine Aufstellung enthält mit Titel, Medium und Datum.

Orden- und Ehrenzeichen: Insbesondere bei Verkäufern ist es in manchen Branchen üblich, für besondere Verkaufserfolge Orden und Ehrenzeichen zu verleihen, zum Beispiel Urkunden über die erreichte Punktzahl, goldene Ehrennadeln, Flugreisen und ähnliches. Man kann, wenn man in einer Branche mit diesen Gepflogenheiten bleibt und sich bei einer ihrer Firmen bewirbt, diese Urkunden der Bewerbung beilegen.

Vorträge: Sie können eine ähnliche Funktion wie Fachveröffentlichungen haben. Es gibt Positionen und Funktionen, bei denen eine gewisse Vortragstätigkeit sogar gewünscht wird, etwa an Universitäten oder vor entsprechendem Fachpublikum aus Gründen der Reputation der Firma. Technisch ist genauso zu verfahren wie bei den Veröffentlichungen: eine Liste mit Titel, Auditorium, Datum dem tabellarischen Lebenslauf beifügen.

Arbeitsrichter, ehrenamtlich (ehrenamtliches Richterverhältnis am Arbeitsgericht zum Beispiel).

Ausbildereignung, Urkunde der Handelskammer.

Bestallungsurkunde als Dolmetscher oder Sachverständiger.

Sonstige Daten zur Berufspraxis, die nicht in eine Bewerbung gehören:

Graphologische Gutachten, vom Bewerber selbst bezahlt und bestellt: Kostprobe: ‚... Ihre Schrift zeigt, daß Sie über eine überdurchschnittliche intellektuelle Leistungsfähigkeit verfügen. Daneben ist auch Ihr kreatives Denken sehr gut ausgeprägt. Dadurch zeigt sich in Ihren Denkabläufen Originalität, und Sie können bei schwierigen Problemen mit individuellen Lösungen arbeiten. Entsprechend Ihrer vielseitigen Begabung brauchen Sie auch im Beruf eine Tätigkeit, die einerseits geistig anspruchsvoll, andererseits auch vielseitig und abwechslungsreich ist. Mit Routineaufgaben sind Sie nicht zufriedenzustellen. Im zwischenmenschlichen Bereich verfügen Sie über Spontaneität, große Kontaktbereitschaft und -fähigkeit. Sie sind ein extravertierter, umweltaufgeschlossener Mensch. Sie haben diplomatisches Geschick und Einfühlungsvermögen. In Ihrer psychischen Gesamtverfassung sind Sie ausgeglichen, gut stabilisiert und selbstbewußt.‘

Der Leser mag selbst beurteilen, wie ein Personalchef auf eine solche Persönlichkeitsdarstellung reagieren wird.

IQ-Nachweis: Auch hier gibt es Dienstleistungsunternehmen, die fähig sind, fast für jeden Kunden einen IQ von über 100 herauszurechnen. Es ist nicht empfehlenswert, ein solches Dokument der Bewerbung beizulegen. Der Bewerber beweist damit lediglich, daß er in dieser Richtung seine Zweifel hat.

Empfehlungsschreiben: Sie sind früher für Hauspersonal üblich gewesen. Heute sind sie gelegentlich noch bei Führungskräften anzutreffen, die, um den Entscheidungsprozeß des möglichen künftigen Arbeitgebers positiv zu beeinflussen, sich von den verschiedensten bekannten Leuten, mit denen sie Verbindung haben, Briefe schreiben lassen, wie brillant sie sind und waren und wie geeignet gerade für diese Position. Das läuft auf eine Bevormundung des Bewerbungsbeurteilers hinaus und sollte unterbleiben.

Stellenbeschreibungen/Innerbetriebliche Beurteilungsbogen: Manche Bewerber wollen es sich und dem Empfänger einfach machen. Sie legen über ihre derzeitige Position einfach eine Stellenbeschreibung oder einen Beurteilungsbogen bei. Das verstößt in der Regel gegen Treu und Glauben. Denn in beiden Fällen handelt es sich um innerbetriebliche Dokumente, die nicht zum Bewerbungsgebrauch gedacht sind und die darüber hinaus noch oft eine Reihe von betriebsinternen Informationen enthalten (besonders bei ausführlichen Stellenbeschreibungen), die auf keinen Fall in die Hände – etwa der Konkurrenz – kommen sollen.

Belobigungen, Anerkennungsprämien, Gehaltserhöhungen: Sie alle gehören nicht in eine erste Bewerbung. Entweder sind sie in bestimmten Zeitabständen üblich, oder sie sind als einmaliger Vorgang nicht relevant für die Beurteilung.

Die Aufzählung kann nur einen Ausschnitt bringen. Es tauchen immer neue Formen auf, die irgendeine Seite des

Bewerbers beleuchten, dokumentieren, attestieren, zensieren, ins rechte Licht setzen. Man kann nur als allgemeine Richtlinie nennen: Was kann der Bewerbungsempfänger für seine Beurteilung innerhalb des üblichen Rahmens wirklich gebrauchen und was nicht? Alle vom Bewerber selbst angeforderten, bestellten, bezahlten Urteile und Gutachten gehören nicht in die Bewerbung; genausowenig alle Dokumente, mit deren Weggabe der Bewerber gegen Treu und Glauben gegenüber seinem derzeitigen Arbeitgeber verstößt oder ihn gar schädigt.

II. Teil
Bewerbungs-Muster

Bewerbung um eine Start-Position für Schüler/Studenten

Für eine Reihe von Bewerbergruppen gibt es spezielle Fachfragen, die sich in einer Musterbewerbung nicht unterbringen lassen. Es handelt sich um Fragen, die nur auf die jeweilige Gruppe zutreffen und für andere Bewerber nicht relevant sind. Solche Fragen werden in den folgenden Kapiteln besprochen, sozusagen als Variationen der ausführlich dargestellten Muster-Bewerbung, dem Rahmen, der für alle Bewerbungen gilt.

Schüler: Bewerbung um einen Ausbildungsplatz / eine Lehrstelle

Um einen Ausbildungsplatz, eine Lehrstelle bewirbt man sich mit einer schriftlichen Bewerbung. Sie sollte schon alle Grundstrukturen einer ‚richtigen' Bewerbung tragen. Das heißt, sie muß ein Anschreiben, einen tabellarischen Lebenslauf, ein Lichtbild, Zeugniskopien und gelegentlich eine Schriftprobe enthalten. Allerdings verschieben sich bei der Beurteilung gegenüber einer Bewerbung von einem langjährig tätigen Arbeitnehmer die Gewichte dieser Teile. So hat zum Beispiel der tabellarische Lebenslauf nicht die zentrale Bedeutung, wohl aber das letzte Schulzeugnis und die Zeugnisnoten.

Der Zeitpunkt der Bewerbung

Bei der Bewerbung von Schülern – gleich welchen Schultyps und welcher Abschlußform – um einen Ausbildungsplatz kommt dem Zeitpunkt der Bewerbung große Bedeutung zu. In der Regel stellen mittelgroße und große Unternehmen jedes Jahr eine bestimmte Anzahl Schüler als Auszubildende ein. Arbeits- und Vertragsbeginn ist meist der erste September, nachdem das letzte Schuljahr und die großen Ferien zu Ende sind. Es ergibt sich so als zeitlicher Rahmen ein ganzes Jahr, zwischen September und September, der sich für das Abschicken einer Bewerbung eignet. Der Schüler verfügt dann über das Zeugnis der vorletzten Klasse. Er wird am Jahresanfang noch ein Zwischenzeugnis erhalten und dann das Abschlußzeugnis. Mit dem Zeugnis der vorletzten Klasse kann und sollte er sich schon bewerben. Als günstigen Zeitpunkt kann man das letzte Quartal vor dem Jahr des Arbeitsbeginns und das erste Quartal des Jahres des Arbeitsbeginns empfehlen.

Es gibt zwei Formen der Suche nach Schülern für Ausbildungsplätze: Man sammelt und sichtet das ganze Jahr über und entscheidet insgesamt einige Monate vor dem endgültigen Einstellungstermin; oder man wirbt gezielt mit Anzeigen einige Monate vor dem Einstellungstermin und entscheidet dann aufgrund der eingegangenen Bewerbungen. In beiden Fällen wird der Schüler, der sich im letzten Quartal des Jahres vor dem Arbeitsbeginn oder im ersten Quartal des Jahres seines Arbeitsbeginns bei einer Firma bewirbt, mit dabei sein.

Dabei hat er mehrere Vorteile. Er bringt sich nicht selbst in Zeitdruck, indem er wartet, ob ihn eine Firma einige Zeit vor dem Ende seiner Schulzeit sucht. In diesem Fall bleiben ihm nur einige Monate, wenn er seine Absage erhält. Nutzt er aber den ganzen Zeitraum zwischen September und September, dann bringen ihn Absagen nicht in Zeitnot, er hat die Möglichkeit, die Gründe der Absagen zu analysieren, vielleicht seinen Berufswunsch noch einmal zu überdenken, sich umzuorientieren. Es kommt dazu, daß er sich auszeichnet, wenn er selbst systematisch die Initiative ergreift und planmäßig vorgeht.

Ein weiterer Vorteil für ihn ist, daß seine Bewerbung als einzelne Bewerbung auf den Tisch eines Personalchefs kommt und nicht als eine unter Hunderten, wie das nach Anzeigenaktionen für Auszubildende heute üblich ist. Man wird sich mehr Zeit nehmen können, seine Unterlagen zu beurteilen und zu entscheiden, ob man ihm einen Vertrag anbieten soll. Er steht dabei nicht unter dem Vergleichsdruck, der entsteht, wenn Hunderte von Bewerbungen parallel gesichtet werden. Unter solchen Mengen sind in der Regel auch einige ganz erstklassige. Wenn er durchschnittlich gut ist, werden ihn diese Erstklassigen in den Schatten stellen. Die Gefahr ist nicht gegeben, wenn er als einzelne Bewerbung dem Personalchef zur Beurteilung vorliegt (vorausgesetzt natürlich, die Noten sind als ‚gut' zu bezeichnen).

Berufswunsch und Marktmöglichkeiten

Für welchen Ausbildungsberuf soll sich der Schüler bewerben, bei welchen Firmen, bei wie vielen Firmen?

Der Berufswunsch, sofern er konkret vorhanden ist, muß im Arbeitsmarkt realisierbar sein. Zum Beispiel Kraftfahrzeugschlosser. Diesen Berufswunsch haben viele Haupt- und auch Mittelschulabgänger. Aber wer soll so viele Kraftfahrzeugschlosser ausbilden, und wer braucht sie später? Hier muß der Berufswunsch eine erste Korrektur erfahren. Der Schüler muß versuchen, einen Überblick über die von den Mitbewerbern am stärksten favorisierten Berufswünsche zu erhalten und auch über die von der Industrie am stärksten angebotenen Ausbildungsstellen. Die Informationen sind zum Teil bei den Arbeitsämtern zu erhalten und – oft aktueller – aus einer guten Wirtschaftszeitung. Die Industrie- und Handelskammer kann ebenfalls Informationen geben, auch die Berufsverbände.

Ein Beispiel soll illustrieren, zu welchen Ergebnissen Berufswunsch und Marktmöglichkeiten führen:

Ein mittleres Unternehmen der Textil-Industrie sucht durch eine Anzeige Schüler für Ausbildungsplätze. Es werden Ausbildungen zum Büro- oder Industriekaufmann, zum Weber, zum Betriebsschlosser angeboten. Für die drei ersten Ausbildungsberufe werden Schüler und Schülerinnen angesprochen. Die Anzeige bringt knapp fünfhundert Bewerbungen. Unabhängig vom Geschlecht und der Art des Schulabschlusses bewerben sich vierhundertneunzig um die Ausbildungsplätze eines Bürokaufmanns oder eines Industriekaufmanns. Der Rest teilt sich auf in drei Bewerbungen um den Ausbildungsplatz zum Weber und sieben um den Ausbildungsplatz als Betriebsschlosser. Grundlage dieses Ergebnisses ist einmal das Vorurteil, ein sauberer Büroberuf sei einem handwerklichen vorzuziehen, sodann die oft nicht eingestandene Tatsache, daß man eigentlich nicht so recht weiß, was man werden soll. Es fehlt die Information, man hat keine Vorstellung von den Inhalten der verschiedenen Berufsbilder, also wird man einfach Kaufmann. (In der Regel hat man sich aber auch nie darum ernsthaft gekümmert, was zum Beispiel die Aufgabe und die tägliche Arbeit eines Bürokaufmanns ist.)

Bei einem solchen Auseinanderklaffen von Berufswunsch und Marktmöglichkeit, bei der Konzentration auf wenige Modeberufe, hatte der im Beispiel genannte Bewerbungseingang zur Folge, daß für die fünf Ausbildungsplätze zum Büro- und Industriekaufmann jeweils fast hundert Anwärter Schlange standen. Es wurden nur die allerbesten ausgewählt. Alle anderen bekamen Absagen, obwohl sie vielfach keine schlechten Zeugnisse hatten. Aber es gab eben einige, die hatten noch bessere.

Ganz anderes bei den drei Bewerbungen um den Ausbildungsplatz als Weber. Hier erhielten zwei der drei Bewerber einen Ausbildungsvertrag. Und das mit Zeugnissen, mit denen sie als Bewerber um einen Ausbildungsplatz als Büro-

oder Industriekaufmann überhaupt keine Chance gehabt hätten. Natürlich hatten auch sie keine Zeugnisse mit einem Notendurchschnitt von 4,9, sondern von 3 und 3,5. Sie hatten in der Schule befriedigende Leistungen gezeigt: Mittelfeld. Sie hatten – wahrscheinlich ohne Planung – den Modetrend nicht mitgemacht und damit ihre Chancen ganz entscheidend verbessert. Wie bei dem Büro- oder Industriekaufmann gibt der gewählte handwerkliche Beruf nach Ausbildungsabschluß die Möglichkeit der Fort- und Weiterbildung, etwa zum Webmeister, zum Textilingenieur grad., und allen damit verbundenen Einsatzmöglichkeiten.

Hier eröffnet sich ein Planungsschema: Der Ausbildungsberuf ist der Einstieg und nicht die endgültige Weichenstellung für den ganzen Rest des Berufslebens bis zur Pensionierung. Die Einsatzmöglichkeiten nach der Mehrzahl der Ausbildungsberufe sind so vielfältig, daß man sich als Schüler nicht auf einen einzigen Ausbildungsberuf fixieren sollte. Es entspricht der beruflichen Wirklichkeit eher, daß alle drei, der gelernte Industriekaufmann, der Weber und der Betriebsschlosser, nach zehn Jahren Arbeitsleben Verkäufer sind, als daß sie in den engen Grenzen ihres Ausbildungsberufs steckenbleiben. Unabhängig vom Ausbildungsberuf wird auf die Dauer des Berufslebens immer die Begabung des einzelnen durchschlagen, gleichgültig, in welchem Ausbildungsberuf er Lehrling war.

Unter diesem Gesichtspunkt ist es sinnvoll, nicht nur Bewerbungen um einen Ausbildungsplatz in einem Beruf zu verschicken, sondern mindestens auch für eine alternative Möglichkeit, zum Beispiel für einen kaufmännischen und für einen handwerklichen Ausbildungsberuf. Es ist auch nicht empfehlenswert, gleich zehn, zwanzig oder mehr Bewerbungen zu verschicken. Wenn man sich ein Jahr Zeit lassen kann, dann genügt es zunächst, für die kaufmännische und für die technische Möglichkeit jeweils drei Bewerbungen zu verschicken. Je nach der Reaktion muß man dann seine

Strategie ändern, zum Beispiel, wenn sich herausstellt, daß man in beiden Fällen auf einen Trend-/Modeberuf verfallen ist.

Das Kernstück der Bewerbung: Zeugnisse und Noten

Anders als bei den ‚richtigen' Bewerbungen aus der Berufspraxis heraus, ist das Kernstück der Bewerbung um einen Ausbildungsplatz das letzte Zeugnis, nicht der tabellarische Lebenslauf. Dabei wird es immer einen Kompromiß zwischen dem Angebot an Ausbildungsplätzen in einem bestimmten Ausbildungsberuf und dem Notendurchschnitt der sich bewerbenden Schüler geben. Wie das geschilderte Beispiel zeigt, bedeutet das nicht, daß die Schüler mit den besonders guten Zeugnissen die besonders guten Ausbildungsplätze erhalten werden. In den gerade als schick geltenden, überlaufenen Ausbildungsplätzen haben die Schüler mit den besonders guten Zeugnissen die besseren Chancen, während die mit den durchschnittlichen oder weniger guten Zeugnissen sich um andere Ausbildungsplätze bemühen müssen. Wer dabei allerdings das bessere Los gezogen hat (in unserem Beispiel Seite 145 der Industriekaufmann oder der Weber), wird sich erst im Laufe der Berufspraxis erweisen.

Diese Marktmechanik hat zur Folge, daß man sich als Schüler mit einem sehr guten Zeugnis mit guten Chancen auch um einen der gerade schicken Ausbildungsplätze bewerben kann. Gehört man dagegen nicht zu den ‚Giganten', dann sollte man auf keinen Fall den Versuch machen, durch möglichst viele Bewerbungen und durch möglichst große Ausdauer doch noch an einen der gerade begehrten Ausbildungsplätze zu kommen. Man verspielt damit nur Geld, Zeit und die vielen Chancen, die es auch noch in anderen Ausbildungsstellen gibt.

Welche Zeugnisse beilegen?

Auf keinen Fall dürfen die Zeugnisse selbst beigelegt werden, sondern nur Fotokopien. Diese Fotokopien müssen gut leserlich und vollständig sein. Wenn das Zeugnis aus zwei oder mehr Seiten besteht, dann müssen alle diese Seiten als Fotokopien der Bewerbung beiliegen. Für mittlere und kleinere Firmen ist es wichtig, daß sie – sofern vorhanden – Erklärungen zu den Noten mitgeschickt bekommen. Das trifft insbesondere bei Zeugnissen aus Gesamtschulen mit Kurssystem und auf Schulen, die statt Noten Punkte geben, zu. Viele Personalchefs wissen nichts damit anzufangen, wenn in einem solchen Zeugnis statt einer ‚eins' oder ‚sehr gut' eine zwölf steht. Auch die Bedeutung der Schule ist nicht immer klar erkennbar. Es empfiehlt sich, davon auszugehen, daß der Bewerbungsempfänger kein Experte in modernen Schulsystemen und Zeugnisbewertungen ist. Er kennt die drei Schultypen Hauptschule, Mittelschule, Gymnasium und die Notenskala von eins/sehr gut bis sechs/ungenügend. Ein Zeugnis, das diese Schultypen und diese Notenskala nicht erkennen läßt, sollte immer mit einer – möglichst offiziellen – Erklärung verbunden sein. Grundsätzlich genügt das letzte, das aktuellste Zeugnis. Wer sich zum Beispiel im Oktober bewirbt, muß das Zeugnis, das er vor den Sommerferien erhielt, beilegen. Nimmt er statt dessen das davorliegende Zeugnis, dann setzt er sich dem Verdacht aus, das letzte aktuelle Zeugnis sei so schlecht, daß er es nicht beilegen konnte. Es ist aber auch denkbar, daß man dem Bewerbungsempfänger eine Notenentwicklung zeigen möchte, zum Beispiel, daß man über drei Jahre seine Noten konstant gehalten hat oder daß man sich kontinuierlich verbessert hat. Als Vergleichszeitraum eignen sich dazu drei Jahre und die jeweiligen Jahreshauptzeugnisse. Wer sie im ersten oder zweiten Quartal bewirbt, sollte das letzte Jahreshauptzeugnis und das letzte, aktuelle Zwischenzeugnis der Bewerbung beilegen.

Berufsbezogene Kenntnisse

Berufsbezogene Kenntnisse können neben dem Zeugnis und den Noten ein wesentliches Beurteilungskriterium sein. So können gute Kenntnisse in Maschineschreiben und Stenografie zusammen mit einem ‚befriedigenden' Notendurchschnitt eher zu einem Ausbildungsplatz führen als keine solchen Kenntnisse und ein Notendurchschnitt von 2,5. Auch Sprachkenntnisse können hier eine ganz entscheidende Rolle zur Verbesserung des Gesamteindrucks spielen. Die nach der Hauptschule besuchte Handelsschule, sofern dort ein guter Abschluß gelungen ist, gehört auch hierher. Ferienjobs spielen manchmal eine entscheidende Rolle. Wer in den letzten beiden Jahren vor seinem Schulabschluß in einem bestimmten Unternehmen jeweils vier Wochen tätig war, der hat nicht nur einen ganz konkreten Einblick bekommen, er kennt vielleicht auch den Personalchef oder den entsprechenden Sachbearbeiter, und man kennt ihn. Hat er gute Arbeit geleistet und geht dann mit seiner Bewerbung um einen Ausbildungsplatz zum Personalchef, dann hat er ohne Zweifel bessere Chancen, als wenn er als Unbekannter seine Bewerbung geschickt hätte.

Bewerbungsmuster für Schüler / Bewerbung um einen Ausbildungsplatz

Das Bewerbungsanschreiben

Es sollte keine Meinungen und Stellungnahmen enthalten, keine Zeugniskommentare oder Glaubensbekenntnisse (ich werde bei Ihnen mein Bestes geben). Es besteht aus der genauen Anschrift des Absenders und der des Empfängers, dem Datum und der Unterschrift. Der Inhalt besteht lediglich darin, auszudrücken, daß man sich hiermit um diese bestimmte Lehrstelle/diesen Ausbildungsplatz bewirbt:

Fritz Müller
Bachgasse 7
Tel.: 069 / 17 18 19

6xxxx Frankfurt/Main 15. September 19..

Firma
Müllermann und Co., KG
Personalleitung
Haasengasse 20

6xxxx Frankfurt/Main

Bewerbung um einen Ausbildungsplatz im Beruf Großhandelskaufmann Papier, Zeitungen, Zeitschriften

Sehr geehrte Damen und Herren,
hiermit bewerbe ich mich um einen Ausbildungsplatz zum Großhandelskaufmann Papier, Zeitungen, Zeitschriften in Ihrem Hause. Ich werde zum soundsovielten 19.. die ABC-Schule mit dem Abschluß ‚Mittlere Reife' verlassen.

Mit freundlichen Grüßen
(Unterschrift)

Der Lebenslauf

Der Lebenslauf bei Schülern kann lediglich aus den Teilen: Persönliche Daten und Ausbildungsdaten bestehen. Berufspraxis ist in der Regel nicht vorhanden. Auch Ferienjobs sollten nicht als Berufspraxis dargestellt werden, sondern als Praktikantentätigkeit oder Ferienarbeit. Der tabellarische Lebenslauf sollte – ebenso wie das Anschreiben – auf weißem Papier, Format Din A 4, geschrieben werden. Wer beides mit der Maschine/PC schreiben kann, sollte es tun. Von liniertem oder kariertem Papier ist abzuraten. Es macht zu stark den Eindruck einer Kladde oder eines Schulheftes. Wer mit der Hand schreiben muß, sollte sich vorher einen Entwurf machen und ihn von Freunden oder Eltern auf Rechtschreib-, Interpunktions- oder Grammatikfehler korrigieren lassen. Erst dann folgt die Reinschrift. Sie sollte auch keine Schreibfehler (durchgestrichen/überschrieben etc.) enthalten. Beispiel:

Lebenslauf

Fritz Müller
Bachgasse 7
Tel.: 069 / 17 18 19 (Lichtbild)

6xxxx Frankfurt/Main

Persönliche Daten

geboren		12.10.1977
in		Frankfurt/Main
Eltern		Richard Müller, Kaufmann, und Inge Müller, geb. Meier
Staatsangehörigkeit		deutsch
Konfession		evangelisch
Familienstand		ledig
Hobby		Funktechnik, Nachrichtentechnik
Wehrdienst		befreit

Ausbildungsdaten

Schulausbildung	1982–1985	Besuch der ABC-Hauptschule in Frankfurt/M.
	1986–1993	Besuch der DEF-Realschule in Frankfurt/M., Abschluß: mittlere Reife

zur Zeit		Besuch der GHK-Handelsschule, voraussichtlicher Abschluß: September 1994
Sprachkenntnisse		Englisch gut (Sprachkurse)
Sonstige Kentnisse		Maschineschreiben und Stenografie gut (... Anschläge/...Silben)
Praktikantentätigkeit		
	1992	in Firma Meiermüller für vier Wochen Aushilfe als Bote
	1993	ebenfalls in Firma Meiermüller in der Poststelle
Frühester Eintrittstermin		September 1994
(Datum)		(Unterschrift)

Der Lebenslauf muß übersichtlich gegliedert sein, auch dann, wenn er mit der Hand geschrieben wird.

Das Lichtbild gehört oben rechts in den Lebenslauf. Es sollte kein Automatenfoto sein. Besonders bei Schülerinnen fällt gelegentlich auf, daß sie sich in völlig überschminktem Zustand fotografieren lassen. Manche Schüler meinen, sie würden den richtigen Eindruck machen, wenn sie sich ungekämmt aufnehmen lassen und der Blick möglichst lässig aus halbgeöffneten Lidern kommt. Hier kann die Beratung durch den berufstätigen Vater sicher Besserung bringen.

Studenten, Hochschulabsolventen / Bewerbung um eine Startposition

Lernprozesse: ‚Nachdem ich vergangene Woche meine Diplom-Prüfung für Volkswirte absolviert habe, strebe ich eine Tätigkeit als Angestellter, Beamter oder als Praktikant in entsprechenden Kammern, Verbänden oder in der öffentlichen Verwaltung an. Die Hilfe des für mich zuständigen Arbeitsamtes scheint sich jedoch auf das Anlegen einer Bewerberkartei zu beschränken. Meine Frage ist deshalb: Wie bringe ich eine Liste der Institutionen in Erfahrung, bei denen eine Bewerbung für mich sinnvoll sein kann?‘

Ein anderer Bewerber schreibt: ‚Als künftiger Absolvent einer Fachhochschule beobachte ich seit geraumer Zeit aufmerksam die Stellenangebote der verschiedenen Firmen, mit der Hoffnung, daß auch für mich als Anfänger eine Anfangsstellung angeboten wird. Leider wird aber offensichtlich nur der sehr junge Ingenieur mit einem Maximum an praktischer Erfahrung gesucht. Also nicht das Rechte für einen Anfänger.‘

Schließlich noch ein drittes Beispiel: ‚Als Diplom-Chemiker stehe ich in Kürze vor der Aufgabe, mir eine erste Anstellung in der Industrie zu suchen. In der Chemie werden jedoch für Berufsanfänger sehr wenige Stellen angeboten. Das bedeutet aber, daß sich der Bewerber den Firmen anbieten muß. Meine Frage: Wie wird der obengenannte Sachverhalt am besten in einer Bewerbung berücksichtigt?‘

Diese Auszüge aus Briefen ratsuchender Erstbewerber sind typisch. Sie zeigen Naivität und Marktunkenntnis. Man steht einer unübersichtlichen Menge von Firmen und Chancen mit oft unklaren Vorstellungen über die eigenen Wünsche und Berufsziele gegenüber. Man schaut sich nach jemandem um, der einem die Hand hält, der einem die Tür zu der hochdotierten Karriere aufmacht. Aus dieser Einstellung heraus machen viele Erstbewerber gleich einen ersten falschen Schritt. Sie setzten ihre Hoffnungen auf andere, die für sie aktiv werden sollen, statt selbst aktiv zu werden. Wenn nach Wochen dann die große Chance nicht gekommen ist, beginnt der Lernprozeß, die Einsicht dämmert, daß man selbst etwas unternehmen muß. Man schaut sich die vielen Stellenangebote an und beginnt mit dem Bewerbungsschreiben. Auch hier fehlt es oft noch an der genauen Kenntnis der eigenen Berufsziele und Wünsche. Als Diplom-Kaufmann könnte man ja eigentlich alle nur denkbaren kaufmännischen Laufbahnen einschlagen. Die Marktübersicht fehlt. Die umfangreichen Stellenanzeigenteile in den Tageszeitungen – regional wie überregional – zeigen, daß sehr viele Fachkräfte gesucht werden. Sie zeigen auch, wo die Marktlücken liegen. Ein junger Diplom-Chemiker zum Beispiel, der sich die Mühe macht und Stellenanzeigen einer Zeitung systematisch durchsieht, wird rasch herausfinden, daß etwa in der kunststoffverarbeitenden Industrie oder im Anlagenbau zur Zeit Diplom-Chemiker gesucht werden, aber nur für Positionen in der Forschung und Entwicklung. Damit hat er einen ersten Ansatzpunkt für seine Bewerbung. Wenn er schon vor dem Abschluß seines Studiums die für ihn interessanten Stellenangebote sammelte, wird er immer wieder auf bestimmte Firmen stoßen, die regelmäßig solche Positionen ausschreiben. Sicherlich reicht dazu eine Anzeige nicht aus. Aber eine Sammlung von zwanzig Anzeigentexten, in denen Diplom-Chemiker gesucht werden, gibt eine sehr gute Übersicht über die erwarteten Fachkenntnisse, über das Anforderungsprofil.

Die zentrale Bedeutung der Examensnote

Man muß davon ausgehen, daß heute auf die Stellenanzeigen, durch die Jungakademiker gesucht werden, bei der riesigen Anzahl von Kandidaten, die dafür in Frage kommen, beachtliche Zuschriftenmengen an den Personalchef gelangen. Er kann unter Hunderten wählen. Das bedeutet, ein rasch erkennbares Auswahlkriterium zu finden, nachdem er zunächst einmal eine erste Vorauswahl in ‚geeignet', ‚weniger geeignet', ‚nicht geeignet', zustande gebracht hat. Hier leistet das Diplom, genauer, die Examensnote, gute Dienste. Es gibt beachtlich viele Jungakademiker, die ihr Examenszeugnis lieber erst gar nicht vorlegen möchten. Sie versuchen zum Beispiel nur, die erste Seite des Diploms beizulegen, die bei vielen Universitäten nicht die Examensnote enthält, sondern lediglich den Text: „... wird auf Grund der bestandenen Diplomprüfung für Betriebswirte der akademische Grad Diplom-Kaufmann verliehen.' Die folgenden Seiten mit den Noten und der Gesamtbewertung liegt der Bewerbung nicht bei. Andere versuchen, nicht das Diplomzeugnis, sondern das Vordiplom oder eine vorläufige Bescheinigung über zu erwartende Ergebnisse als Ersatz zu geben. Das alles hilft nicht weiter. Bei Hunderten von Bewerbungen kann sich der Personalchef auf den rationellen Standpunkt stellen, wer seine Diplomnote nicht mitschickt, hat Gründe dafür, die nicht für ihn sprechen. Und das heißt: Absage. Er wird sich nicht die Mühe machen, in solchen Fällen noch einen Brief zu diktieren und um die fehlenden Seiten des Diplom-Zeugnisses bitten.

Nicht selten wird versucht, die Diplom-Note herunterzuspielen. Man relativiert die Note: ‚Ich bin mir natürlich im klaren darüber, daß die Gesamtbeurteilung ‚ausreichend' Sie zunächst stutzig machen wird. Dafür habe ich Verständnis. Bitte betrachten Sie diese Beurteilung aber unter dem derzeitigen Zustand der Hochschulen und dem Druck, unter dem sie zustande kam. Objektiv ergibt sie lediglich eine Momentaufnahme. Wie relativ sie ist, zeigt auch ein Blick auf die Einzelnoten. Hier möchte ich besonders hinweisen auf ...' Man bringt andere Qualitäten ins Spiel: ‚Sicherlich haben Sie recht, wenn sie mein Diplom isoliert betrachtet negativ beurteilen. Ich meine jedoch, daß hier meine Leistungen auf sportlichem Gebiet eine gewiß einleuchtende und befriedigende Erklärung abgeben: Als Trainer der XYZ-Mannschaft gelang es mir, aus der Ortsklasse Z in die Bezirksklasse K vorzustoßen.'

Alle diese Ausflüchte und Tricks helfen nichts. An der Examensnote entscheidet sich die Beurteilung durch den Personalchef. Eine von der Frankfurter Allgemeinen Zeitung veröffentlichte Untersuchung macht die Lage deutlich. Von allen Zuschriften auf eine Anzeige ‚Jungakademiker betriebswirtschaftlich/kaufmännischer Richtung als Führungsnachwuchs' hatten

16,5 % die Examensnote ausreichend,
59,7 % die Examensnote befriedigend,
23,3 % die Examensnote gut,
0,5 % die Examensnote sehr gut.

Hier wird ganz deutlich, daß der Empfänger der Zuschriften von Jungakademikern die Wahl unter den ‚Guten' hat. Bei der großen Anzahl der Zuschriften ist die Gruppe mit der Examensnote ‚gut' zahlenmäßig groß genug für die engere Wahl. Der Rest kann unbesehen zurückgeschickt werden.

Wird wirklich so kaltschnäuzig verfahren? Ja. Man könnte hier den Allgemeinplatz strapazieren: Das Bessere ist der Feind des Guten. Der Personalchef hat ein klares Ziel. Er sucht einen oder mehrere erstklassige Jungakademiker. Ob ein Bewerber ‚erstklassig' ist, kann hier nur auf Grund des Studienabschlusses beurteilt werden. Für die Einladung zur Vorstellung von Kandidaten, die lediglich ein ‚befriedigend' oder gar ein ‚ausreichend' vorzuweisen haben, gibt es keinen Grund bei soviel Angeboten von Besseren.

Die Rolle des Professors / der Universitätsort

Eine gewisse Bedeutung kann der für den Bewerber zuständige Professor oder das Institut spielen. Nicht selten sind die Fälle, in denen ein Gastprofessor oder ein ordentlicher Professor Angestellter eines großen Unternehmens oder dessen Berater ist. Unternehmen nutzen diese Informationsmöglichkeiten, etwa um herauszufinden, welche Examenskandidaten für eine Position in Frage kämen.

Der Professor, besonders wenn er einen bekannten Namen hat, wenn er über sein Institut hinaus bekannt ist, gibt als Auswahlkriterium bei der Bewerberauslese nicht viel her. Es mag eine Bewerbung zieren, wenn da steht, daß man sein Examen bei dem berühmten Volkswirtschaftler Professor XYZ gemacht hat. Das bringt aber nichts ein, wenn man es mit der Gesamtbeurteilung ‚ausreichend' geschafft hat.

Auch die manchmal anzutreffende Einteilung in Arbeits- und Ferienuniversitäten hilft nicht über die schlechte Examensnote hinweg. Es ist eine schlechte Ausgangsbasis für eine Bewerbung, wenn man sich auf den Standpunkt stellt, ich bin zwar nur ein ‚befriedigender' Diplom-Kaufmann, aber einer von einer ungeheuer schwierigen Arbeitsuniversität. Das geht an der Realität vorbei, da sich für die gleiche Position oft viele Jungakademiker bewerben, die einfach einen besseren Studienabschluß vorzuweisen haben, meist sogar noch von der gleichen ‚schwierigen' Arbeitsuniversität. Es mag zwar hart klingen, aber es gibt überhaupt keinen sachlichen Grund, aus dem ein Personalchef den ‚befriedigenden' Diplom-Kaufmann dem ‚guten' Diplom-Kaufmann vorziehen sollte.

Was tun mit einer schlechten Examensnote?

Was soll man machen, wenn man ein ‚befriedigender' Diplom-Kaufmann ist? Angesichts des beachtlichen Angebots von ‚guten' Diplom-Kaufleuten erscheint es nicht sinnvoll, hier in eine Konkurrenz treten zu wollen. Es erscheint sinnvoller, die Startposition etwas tiefer anzusiedeln, etwas zurückzustecken. Man muß es ja nicht gleich als Führungsnachwuchs versuchen. Man kann auch zunächst einmal das Diplom vergessen und sich als gut ausgebildeter Kaufmann verstehen und versuchen, ein Fachwissen in der Praxis zu erwerben. Ein Fachwissen, das dann in Verbindung mit einem befriedigenden Diplom schon eine ganz andere Ausgangslage sein kann. Hierher gehören zwei bis drei Jahre Praxis in einer Steuerberater- oder Wirtschaftsprüfersozietät oder eine Bewährung im Verkauf, eine Assistententätigkeit in der Personalabteilung eines Großunternehmens. Wenn dann eine Anzeige erscheint, in der ein Diplom-Kaufmann mit mehrjähriger Praxis in ... gesucht wird, ergibt sich eine echte Chance.

Die zentrale Bedeutung der Examensnote bei der Bewerberauswahl von Jungakademikern und die Größe des Angebots von guten und sehr guten Kandidaten läßt es nicht sinnvoll erscheinen, als ‚befriedigender' oder ‚ausreichender' Examenskandidat die Startposition allein auf das Diplom zu stützen. Man muß versuchen, mit einem größeren Angebot an den Markt zu gehen. Das bedeutet konkret, daß man auch liebgewordene Vorstellungen über den Eintritt ins Berufsleben zunächst an den Nagel hängen muß. So etwa die weitverbreitete Meinung, mit einem Diplom in der Tasche erspare man sich die Ochsentour von der Pike an aufwärts, man könne gleich ganz oben einsteigen, zum Beispiel als stellvertretender Geschäftsführer. Als ‚Angebotserweiterung' an einen möglichen künftigen Arbeitgeber kommt in erster Linie Arbeitspraxis in Frage, eine Praxis und Bewährung in einer Position, in einem Einsatzgebiet. Dabei steht sich der Jungakademiker oft selbst im Wege. Er versteht es nicht, einem Arbeitgeber glaubhaft zu machen, daß er nicht in erster Linie ein junger Vollakademiker ist, sondern ein Bewerber wie alle anderen auch, der eben eine gute Fachausbildung mitbringt und sich nun seine ersten Sporen in der Praxis verdienen will. Er muß dabei dem Vorurteil, er sei überqualifiziert, entgehen. Das erscheint über eine Reihe sinnvoller Kurse und Prüfungsergebnisse möglich, die neben oder nach dem Studium absolviert werden. Für Jungakademiker der betriebswirtschaftlichen Richtung könnten solche Kurse im Bereich Organisation/Datenverarbeitung, Ziel Programmierer/Systemanalytiker, liegen oder im Bereich Rechnungswesen mit der Bilanzbuchhalterprüfung, der Fachprüfung zum Steuerbevollmächtigten oder im Exportbereich durch die Dolmetscher- oder andere Sprachexamen in mehreren gängigen Sprachen.

Für Ingenieure und Naturwissenschaftler kann ebenfalls die Organisation/Datenverarbeitung eine Zwischenstation sein oder der Bereich Export, wenn excellente Sprachkenntnisse vorhanden sind. Darüber hinaus bieten sich vielfältige Möglichkeiten in dem oft von solchen Akademikern etwas abschätzig beurteilten Verkauf.

Der ‚befriedigende' Diplom-Kaufmann, der nichts außer seinem Diplom vorlegen kann, wird es schwer haben, zu einer Anfangsposition im Rechnungswesen zu kommen. Hat er dagegen neben dem Diplom noch die Bilanzbuchhalterprüfung vorzuweisen, dann bringt er schon wesentlich bessere Voraussetzungen für eine solche Aufgabe mit. Sein Ziel ist es, drei Jahre Praxis zu ‚machen', um dann als Diplom-Kaufmann mit mehrjähriger Praxis im Rechnungswesen alle die Chancen wahrzunehmen, die ihm seine Diplom-Note zunächst verstellt hat.

Bewerbungs-Anschreiben/Muster

Jungakademiker haben bei der Abfassung ihres Bewerbungsschreibens eine Schwierigkeit zu überwinden: den Stilwechsel von der verklausulierten wissenschaftlichen Fachsprache zur nüchternen Geschäftssprache. Besonders häufig finden sich Darstellungen der eigenen philosophischen Grundhaltung oder ausführliche Erklärungen über die Zukunftserwartungen: „... meine Zukunftserwartungen werden von meiner philosophischen Grundeinstellung geprägt. Diese ist deutlich an der Schule Epikurs orientiert. Verkürzt und daher nur unvollkommen dargestellt bedeutet das, daß Ruhe und Ausgeglichenheit für mich zentrale Begriffe sind. Dies besagt aber nur, daß ich nicht an Vordergründigem hängenbleibe, Hektik vermeiden und Integration von Beruf und privaten Interessen betreiben möchte ...'

Wenn ein Personalchef so einen Satz im Bewerbungsanschreiben liest, dann ist für ihn die Entscheidung meist schon gefallen. Er liest nicht weiter. Auch für das Bewerbungsanschreiben von Jungakademikern gilt das Seite 46f. dargestellte Grundmuster. Wer das Anschreiben umfunktioniert zur Darstellung seiner Lebensphilosophie, zur Kritik am Anzeigentext, zur Begründung seiner Gehaltsforderungen oder zur untertänigen Bitte, ihn doch bitte bei der Auswahl zu berücksichtigen, verfehlt seinen Sinn.
Beispiel:

Fritz Meier
Diplom-Kaufmann
Bachgasse 7

6xxxx Frankfurt / Main 17. 4. 19..

Firma
Müllermann
Personalleitung
Grünstraße 17

6xxxx Frankfurt / Main

Bewerbung / Ihre Anzeige in der Frankfurter Allgemeinen Zeitung vom . . . / ‚Junge Betriebswirte'

Sehr geehrte Herren,
hiermit bewerbe ich mich um die ausgeschriebene Position. Alle Einzelheiten entnehmen Sie bitte den beigefügten Unterlagen.

Mit freundlichen Grüßen

Auch formal sollte das Anschreiben den üblichen und erwarteten Standards entsprechen: weißes DIN-A4-Papier, möglichst eigener Briefbogen, mit der Maschine geschrieben. Keine handschriftlichen Notizen auf kariertem, liniertem Kladdenpapier.

Der tabellarische Lebenslauf

Der Teil ‚Ausbildungsdaten' nimmt den größten Teil ein. Neben den üblichen persönlichen Daten wird meist die ‚Berufspraxis' aus kaum mehr als einigen Praktika bestehen. Bei Jungakademikern, die nach dem Examen zunächst weiter im Bereich der Universität geblieben sind, sollte diese Zeit als Berufspraxis dargestellt werden. Die folgenden Muster können als Beispiele für diese beiden Fälle genommen werden.

Muster I

Lebenslauf

Fritz Müller
Diplom-Kaufmann
Bachgasse 7
Tel.: 0 69 / 17 18 19 (Lichtbild)

6xxxx Frankfurt/Main

Persönliche Daten

geboren	10.7.1967
in	Frankfurt/Main
Eltern	Karl Müller, Kaufmann, und Maria Müller, geb. Meier, Ärztin
Familienstand	ledig
Staatsangehörigkeit	deutsch
Konfession	evangelisch
Hobbys	Segeln, Angeln
Wehrdienst	befreit

Ausbildungsdaten

Schulausbildung	1973–1976	Grundschule in Frankfurt
	1977–1985	Fritz-Müller Gymnasium, Frankfurt/Main Abschluß: Abitur
Lehre	1986–1988	XYZ-Bank, Frankfurt/Main, Banklehre, Abschluß vor der IHK
Studium	1989–1993	Betriebswirtschaftslehre, Universität Frankfurt/Main
Examen	1993	Diplom-Kaufmann
Examensnote		2,1 (gut)
Studienschwerpunkt		Absatzforschung / Marktforschung
Thema der Diplomarbeit		Die Auswirkung produktbezogenen Marketings in definierten Teilmärkten
bei Professor		Dr. Müllermann-Schulze
Note		sehr gut
Sprachkenntnisse		Englisch, in Wort und Schrift, Französisch, ausbaufähige Grundkenntnisse

Praktika

	1990	drei Monate in der XYZ-Bank, in der Buchhaltung
	1992	drei Monate in der Meiermüller-Bank, in der Kreditabteilung

Frühester Eintrittstermin	
	2.1.1994
Einkommens-vorstellungen	
	DM 3800,–
(Datum)	(Unterschrift)

Als Variante ist natürlich denkbar, daß man nicht an einer Universität, sondern an verschiedenen und nicht nur in einer Fachrichtung, sondern in zwei, drei studiert hat. Alle diese Einzelheiten gehören mit in die Ausbildungsdaten.

Muster II

Variante und Ergänzung zu Muster I
Persönliche Daten und *Ausbildungsdaten* wie dort (Grundlage ist hier ein Studium zum Diplom-Physiker)

Berufspraxis

Praktika	1982–1987	in Firma Müllermüller, Chemie-Anlagenbau / Durchführung und Auswertung von Experimenten
	1988–1989	zweimal für drei Monate bibliothekarische Hilfskraft in ...
	1989–1991	Wissenschaftlicher Mitarbeiter am Institut für Technische Thermodynamik der Universität XYZ
	seit 1991	Wissenschaftlicher Assistent am Lehrstuhl Thermodynamik, im Institut für Thermodynamik der Universität XYZ

Voraussichtlicher Abschluß des Promotionsverfahrens

Ende 1991

Frühester Eintrittstermin

Frühjahr 1992

Einkommensvorstellungen

zur Zeit BAT VI/b

Denkbare Ergänzungen könnten sein: zeitweiser Studienaufenthalt im Ausland, Veröffentlichungen, Nebentätigkeiten, soweit sie zur angestrebten Position einen Bezug haben.

Besondere Bedeutung besitzen auch Fertigkeiten und Fähigkeiten, die für die angestrebte Stelle wichtig sein können. So kann es eine sinnvolle Ergänzung sein, wenn ein Diplom-Kaufmann auch gut Maschineschreiben kann. Er sollte im Anschluß an die Sprachkenntnisse auf diese Fähigkeit hinweisen (möglichst mit Zahl der Anschläge).

Die Einkommensvorstellung

Falls in der Anzeige keine Einkommensvorstellungen gefordert werden, sollten in der Bewerbung auch keine genannt werden. Die Gefahr ist zu groß, daß man sich ohne jede Orientierung an der Praxis in der Höhe vergreift. Das könnte die Chancen erheblich mindern. Oft ist das Anfangseinkommen von Jungakademikern für die suchende Firma keine diskutable Größe. Man hat seine genauen Vorstellungen, die sich aus der allgemeinen Einkommensstruktur des Unternehmens ergeben. Wenn hier der frisch examinierte Dipl.-Ing./Maschinenbau unaufgefordert eine konkrete Einkommensvorstellung nennt, läuft er Gefahr, entweder unter dem schon vorgesehenen Limit oder darüber zu liegen. Im ersten Fall könnte er die Position zu dem von ihm angegebenen niedrigen Einkommen erhalten. Im zweiten Fall wird er wahrscheinlich eine Absage erhalten, weil er zu hoch liegt.

Gesetzt den Fall, in der Anzeige ist ausdrücklich um Angabe von Einkommensvorstellungen gebeten – was tun? Man kann dann ein durchschnittliches Monatseinkommen von Angestellten als Obergrenze annehmen, wie es sich aus den Statistiken ergibt, zum Beispiel DM 4500 brutto monatlich. Diesen Einkommenswunsch sollte man in der Bewerbung nicht kommentieren, etwa dahin, was man später verdienen wolle, was man nach der Einarbeitung für angemessen halte, welche Steigerungen man sich vorstelle. Auch die Angabe des Einkommenswunsches als Jahressumme, p. a., ist nicht empfehlenswert. Hier sind die Schwankungen zwischen verschiedenen Firmen in bezug auf die Anzahl der gezahlten Gehälter – 12, 13, 13¹/₂, 14 – zu groß. Es ist nicht vorauszusehen, was ein Unternehmen alles in das Jahreseinkommen mit einrechnet. So kann sich zum Beispiel die Angabe DM 60000,– p.a. ergeben, wenn der Bewerber zwölfmal DM 5000,– denkt. Für das Unternehmen entspricht die Jahressumme einem Monatsgehalt von zwölfmal DM 4300,– plus einem Urlaubsgeld, einem Weihnachtsgeld und einer vermögenswirksamen Leistung.

Bewerbung in der Mitte der Laufbahn

Geplanter Wechsel

Die Bewerbung in der Mitte der Laufbahn ist der Normalfall. Die Mehrzahl der erstklassigen Bewerbungen kommen von Fach- und Führungskräften, die in der Mitte ihrer Laufbahn aus eigenem Entschluß und mit positiver, einsichtiger Begründung wechseln wollen. Sie fühlen sich stark und kompetent genug, eine größere Aufgabe zu übernehmen. Sie wissen, daß sie die gewünschten Kenntnisse und Erfahrungen besitzen. Für ihre Bewerbung gilt all das, was im ersten Teil ‚Muster-Bewerbung' gesagt wurde. Ein besonderes Bewerbungsmuster ist darüber hinaus nicht erforderlich. Trotz dieser durchweg positiven Voraussetzungen gibt es in dieser Situation eine Reihe von Stolperstellen für den Bewerber.

Der Lösungskrach

Wer sich entschlossen hat, seinen langjährigen Arbeitsplatz aufzugeben und sich einen neuen zu suchen, der verändert sein Verhalten. Je sicherer der neue Arbeitsplatz wird, je näher der Kündigungs- und Erklärungstermin kommt, um so mehr löst man sich – meist ohne daß man es selbst bemerkt – aus den alten Zwängen. Man achtet nicht mehr so sehr darauf, ob der Vorgesetzte schlechte Laune hat oder gute. Man nimmt es nicht mehr so wichtig, ob man zu allen Konferenzen gebeten wird oder nicht. Man ist nicht mehr bei jeder

Diskussion ängstlich darauf bedacht, nichts Falsches zu sagen. Man hat den Mut zu seiner eigenen Meinung, gleichgültig, wer deswegen das Gesicht verziehen wird. Man hat sich innerlich schon von all diesen eingebildeten oder tatsächlichen Zwängen und Konventionen gelöst. Man empfindet das als positive Auswirkung der eigenen Entscheidung, dem Entschluß, zu wechseln, herauszugehen aus den ganzen verkrusteten Strukturen, die einem das Leben schwergemacht haben, ohne daß ein wirkliches Vorankommen noch deutlich wurde, die einem bis in die Träume verfolgten. So oder ähnlich ist die Stimmungslage und Haltung der Fach- und Führungskraft, die sich beworben und eine Zusage erhalten hat. Im Extremfall entwickelt sich daraus eine heimliche Triumphstimmung: Am soundsovielten kommt die Stunde der Wahrheit, meine Stunde, in der ich alles sagen werde, was ich von ihnen halte, und so weiter. Abgesehen von diesem Extremfall, der in der Praxis durchaus vorkommt, zeigt sich auch im Regelfall eher das Gefühl, etwas geschafft, gewonnen zu haben; weniger ein Gefühl der Wehmut, daß man dieses schöne Unternehmen nun leider verlassen müsse.

Diese nur schwer faßbare, aber konkret vorhandene Lage des Ausscheidens hat natürlich ihre Auswirkungen im Verhältnis zu den noch befristet Vorgesetzten und Untergebenen. Die Kommunikation verändert sich in ihrer Qualität. Wesentliche Gründe, die den Arbeitnehmer zwangen, Anordnungen auszuführen, pünktlich zu sein, nicht krank zu feiern und so weiter, nämlich die Rücksicht auf den Erhalt seines Arbeitsplatzes in diesem Unternehmen und die Größe der nächsten Gehaltserhöhung, sind weggefallen. Wenn er sich diese grundlegend veränderten Umstände nicht bewußtmacht, läuft er Gefahr, rasch in Streit und Auseinandersetzungen verwickelt zu werden. Denn er irritiert seine Umgebung, weil er nicht mehr nach den allgemein anerkannten Regeln mitspielt.

Der Lösungskrach kann sich in unterschiedlicher Intensität abspielen. Er ist auf jeden Fall schlecht und sollte vermieden werden. Gerade in der Ablösungsphase ist der ‚alte' Arbeitgeber für den Ausscheidenden wichtig. Er braucht ihn für ein erstklassiges Zeugnis/Zwischenzeugnis, er braucht ihn später als Referenz, er braucht ihn unter Umständen als wohlwollenden Verhandlungspartner, wenn es um die Verkürzung der Kündigungsfrist geht. Er braucht ihn vielleicht sogar als Auffangstellung, wenn es mit der neuen Position total danebengeht.

Der unbedacht oder mutwillig hervorgerufene Lösungskrach kann dazu führen, daß der Arbeitgeber von sich aus kündigt, möglicherweise sogar fristlos. Mit der Folge, daß im Zeugnis dann der bekannte Passus erscheint: ‚. . .und trennten uns im gegenseitigen Einvernehmen' sowie der Berechtigung, bei Referenzen auf die Tatsache der Kündigungsumstände hinzuweisen. Bei unglücklicher Verkettung der Umstände kann sich so ein vorzüglich geplanter und in die Wege geleiteter Wechsel zerschlagen, der mögliche neue Arbeitgeber macht aufgrund einer eingeholten Referenz in letzter Minute einen Rückzieher, und der alte Arbeitgeber will auch nicht mehr. Die qualifizierte, aber auf dem fremden Gebiet der Bewerbung ungeschickte Fach- und Führungskraft steht auf der Straße.

Lösungsvorschlag: Man sollte seiner verständlichen Freude zu Hause freien Lauf lassen und die Vertragsunterzeichnung zu Hause feiern. Im Betrieb aber, am Arbeitsplatz sollte man versuchen, bis zum Schluß erstklassig zu arbeiten und insbesondere der zwischenmenschlichen Kommunikation mit Vorgesetzten und Untergebenen große Aufmerksamkeit widmen, mit dem Ziel, keine Spannungen oder Konfliktherde entstehen zu lassen. Lieber etwas zurückstecken, nachgeben, anderen recht geben – man kann es sich ja leisten, ohne allerdings dabei in das andere Extrem zu verfallen: Macht doch, was ihr wollt, mir ist das doch sowieso hier alles egal.

Oft führt der Entschluß, sich zu verändern, das Unternehmen zu wechseln, zu dem Wunsch, diesen Entschluß so schnell und so sicher wie möglich in die Tat umzusetzen. Das führt zum Beispiel dazu, daß sich eine solche Fach- oder Führungskraft schlagartig bei sämtlichen Personal- und Unternehmensberatungen, die eine für ihn auch nur von fern interessante Stelle anbieten, bewirbt. Darüber hinaus verschickt er Bewerbungen direkt an Unternehmen, er läßt sich in die Kartei des Büros Führungskräfte der Wirtschaft bei der Zentralstelle für Arbeitsvermittlung aufnehmen – kurzum: Er setzt alle Hebel in Bewegung. Das alles natürlich höchst vertraulich unter größter Diskretion und bei noch bestehendem, ungekündigtem Arbeitsverhältnis.

Dabei vergißt er, daß es eine Kommunikation zwischen Unternehmen, zwischen Personal- und Unternehmensberatungen, zwischen Unternehmen und Personal- und Unternehmensberatungen gibt. Manche Unternehmen arbeiten mit mehreren Personal- und Unternehmensberatungen zusammen, um eine bestimmte Position zu besetzen. Da wäre der Fall schon denkbar, daß ein und derselbe Mann von mehreren Agenturen als passend vorgestellt wird. Auch wenn Referenzen eingeholt werden, führen viele, gleichzeitig an verschiedene Empfänger abgeschickte Bewerbungen an verschiedenen Stellen zu einer Häufung von Referenzanfragen. In beiden Fällen wird man nachhaken. Wo hat der sich denn sonst noch beworben? Warum hat er es so eilig? Der hat es wohl nötig? Der liegt auf dem Markt.

Gleichgültig wie triftig die Veränderungsgründe dann auch sein mögen, wie gut der Mann wirklich ist, allein sein Verhalten spricht gegen ihn. Hier liegen starke Vorurteile: Wer mit seiner Bewerbung bei vielen Beratern ‚vorliegt' und sich noch gleichzeitig auf mehrere Anzeigen des gleichen Beraters vom gleichen Datum bewirbt, muß es so brandeilig haben, daß seine Gründe nur schlecht sein können.

Lösungsvorschlag: Nicht zu viele Bewerbungen gleichzeitig abschicken, nicht überall gleichzeitig bewerben. Wenn der Entschluß zum Wechsel einmal gefaßt ist, sollte man sich Zeit nehmen und selektiv vorgehen. Mehr als drei Bewerbungen gleichzeitig sollte man nicht laufen lassen.

Gute Gründe, um zu gehen

Wechselgründe gehören noch nicht in eine erste Bewerbung. Allerdings sollte man sich zu diesem Zeitpunkt über seine Argumentation zu diesem Thema schon klar sein. Wer als erstklassige Fach- oder Führungskraft aus einer guten Position heraus, aus einer wohlfundierten, im Markt gut etablierten Firma heraus sich bewirbt, muß damit rechnen, daß man ihn nach den Gründen seines Entschlusses fragt. Einige Anregungen für gute Gründe, um zu gehen:

Der Altersaufbau in der Hierarchie des derzeitigen Arbeitgebers kann dann ein guter Wechselgrund sein, wenn er so wenig abgestuft ist, daß ein Aufstieg blockiert ist. Besonders einleuchtend wird das, wenn sowohl im Middle- als auch im Top-Management sämtliche Mitarbeiter zwischen 30 und 40 Jahre alt sind. Hier bleibt nur die Alternative: mit einer Position endgültig Vorlieb zu nehmen, die man vom Können und Wissen eigentlich längst hinter sich haben müßte oder zu wechseln.

Die Pionieraufgabe: Ein guter Grund, um zu gehen, kann auch in der Risiko- und Reizlosigkeit der Position liegen. Zumal wenn man diese Position einmal übernommen hatte, als sie noch ein echtes Risiko war. Etwa in der Konstruktion/Entwicklung beim Aufbau einer neuen Produktlinie, im Verkauf bei einer Markteroberung, in der Verwaltung, bei der EDV-Einführung. Nun läuft alles, man hat seine Lorbeeren erhalten, neues ist nicht mehr gewünscht, man ist nur noch verwaltend, erhaltend tätig. Darum sucht man eine neue Aufgabe, die ein Risiko hat, in der man etwas auf- oder ausbauen kann, neue Wege gehen kann, kurzum: die Pionieraufgabe.

Die innere Logik des Werdegangs kann ein guter Grund sein zu gehen, wenn sie wirklich vorhanden ist. So gibt es Werdegänge mit Stationen, die man normalerweise drei bis fünf Jahre innehat. Danach wechselt man, oder die Station wird zur Endstation. Zum Beispiel der Programmierer. Entweder man bleibt für immer Programmierer oder man wird nach drei bis fünf Jahren Systemanalytiker oder Organisator. Angenommen, dieser Aufstieg ist in einem Unternehmen nicht möglich, weil die Plätze alle besetzt sind, dann wechselt man. Das gleiche gilt für den Detailkonstrukteur oder den Kontakter, den Buchhalter oder den Sachbearbeiter.

Die Veränderung der Gesellschaftsstruktur/Besitzverhältnisse: Daraus ergeben sich gute Gründe, um zu gehen, wenn diese neuen Verhältnisse eine entscheidende Einschränkung des Arbeits- und Einsatzgebietes des Arbeitnehmers ergeben, ohne daß die Gründe in seiner Person oder Leistung liegen. Etwa in Familiengesellschaften, wenn die Söhne oder Töchter nach der Ausbildung in entscheidende Positionen gehievt werden; etwa wenn die Kapitalmehrheit an ausländische Eigner übergeht, die ‚ihre' Leute in die Schaltstellen setzen und das Klima wie den ganzen Unternehmensstil verändern.

Schwächen des Arbeitgebers können nur dann zu guten Gründen für den Wechsel führen, wenn sie vom Arbeitnehmer unbeeinflußbar sind und bei dem neuen Arbeitgeber als grundsätzlich bekannt vorauszusetzen sind. Hier spielt auch der Zeitpunkt der Bewerbung eine ganz wesentliche Rolle bei der Frage, ob die Gründe noch gut oder nicht mehr gut sind. Zum Beispiel, wenn das Unternehmen so überschuldet ist, daß der Zeitpunkt für Konsequenzen absehbar ist. In diesem Fall wären die Gründe gut, solange der konkrete Termin für einen Konkurs oder ähnliches noch nicht feststeht. Oder wenn sich der Markt ändert, das Unternehmen aber den Wechsel nicht mehr schaffen kann, weil es die notwendigen Investitionen verschlafen hat. In allen solchen Fällen gibt es einen Zeitpunkt, bis zu dem das Unternehmen noch einen Namen hat, und einen Zeitpunkt, von dem an es keinen mehr hat. Wer dann bis zum Schluß bleibt, hat aus der Unternehmenssituation keine guten Gründe mehr. Er wird sich fragen lassen müssen, warum er denn so lange geblieben ist, ob er die Sache nicht überschaut habe. Das gilt in besonderem Maße für Führungskräfte. Aber auch für Fachkräfte gibt es solche Situationen. Etwa für Maschinensetzer. Der Zeitpunkt ist nachprüfbar, von dem an eigentlich jedem in der Branche klar sein mußte, daß der Bleisatz keine Zukunft mehr hat. Das ist so lange ein guter Wechselgrund, solange es noch genügend Bleisetzereien gibt und schon genügend Foto-/Lichtsetzereien.

Unterforderung wurde bei der Pionieraufgabe schon als Grund genannt. Unterforderung ist darüber hinaus dann ein guter Wechselgrund, wenn dem künftigen neuen Arbeitgeber klarwerden kann, daß es nicht am Arbeitnehmer lag, daß man ihn keine besseren, anspruchsvolleren Aufgaben anvertraute. Hier liegt die Gefahr des Unterforderungs-Arguments. Es ist ja ohne weiteres möglich, daß sich der Arbeitnehmer, wenn er sich schon nicht durch besondere Leistungen hervortun kann, durch den Anspruch auf eine bessere Aufgabe mit seinem Wunsch artikuliert. Angenommen, die Unterforderung entsteht dadurch, daß das Einsatzgebiet durch Einflüsse des Marktes (Änderung der Produktpalette) stark schrumpft, dann kann der Arbeitnehmer, der bisher seine Aufgabe gut gemacht hat, um Versetzung bitten, um eine neue Aufgabe. Es wird dann schwer sein, dem möglichen neuen Arbeitgeber klarzumachen, daß die neue Aufgabe zwar bestand, daß sie aber versehentlich mit einem anderen Mann besetzt wurde, etwa weil man immer zu bescheiden war, um die eigenen guten Leistungen in den Vordergrund zu stellen.

Mehr Geld ist kein guter Grund, um zu gehen. Wer allein aus diesem Grund wechselt, wird gerade deswegen wieder wechseln. Dazu kommt, daß es nur schwer verständlich zu machen ist, weshalb er bei seinem ehemaligen Arbeitgeber nicht so viel bekommen hat, wie er von seinem neuen fordert. Waren seine Leistungen vielleicht nicht mehr wert?

Die Familie, das Haus, der Garten, die Freunde und so weiter sind keine guten Wechselgründe. Wer seinen Wechsel damit begründet, daß sein Arbeitgeber seinen Firmensitz verlegt, beweist nur seine Immobilität. Die Kinder sind auch nur sehr bedingt einsetzbar, etwa weil am derzeitigen Arbeits- und Wohnort keine höheren Schulen vorhanden sind. Damit dokumentiert man weder Organisationsgeschick noch langfristige Planung. Man würde außerdem einem einzigen privaten Grund so viel Gewicht beimessen, daß er einen Firmenwechsel rechtfertigt. Das wird vielen Arbeitgebern zu unsicher sein. Es gibt so viele private Gründe. Man möchte einen neuen Mitarbeiter, der nicht schon wegen des nächsten privaten Grundes wieder geht.

Gesucht: Lebensstellung – ein positiver Wechselgrund?

Die Lebensstellung ist kein Begriff mit eindeutigem Inhalt. Er kann bedeuten, daß man ein endgültiges Ruhekissen sucht, eine Position, die gegen innerbetriebliche Konkurrenz abgesichert, gut dotiert (mit jährlichen Zuwachsraten), mit allen Kompetenzen ausgestattet, aber auch mit genügend fähigen Mitarbeitern, auf die man die Aufgaben delegieren kann, eine Position mit guten Extras wie Firmenwagen zur privaten Nutzung (vorzugsweise eine bekannte Automarke aus dem Stuttgarter Raum), Pensionsvertrag, zusätzliche Lebensversicherung, Firmenbungalow und so weiter und so weiter. Lebensstellung kann auch bedeuten, daß man nun seine ganzen Fähigkeiten, sein Können und seine Erfahrungen in eine Position einbringen möchte, daß man sich einer Firma, einer Aufgabe mit Haut und Haaren verschreiben möchte.

Lebensstellung kann auch bedeuten, daß man müde geworden ist, nicht mehr wechseln will, daß man im Grunde gescheitert ist und nach vielen vergeblichen Versuchen irgendwie, irgendwo bleibend unterkommen möchte.

Lebensstellung ist auch ein Anspruch an einen möglichen neuen Arbeitgeber, die Forderung zur endgültigen, unwiderruflichen Einstellung, Beschäftigung und Sorge um das weitere Wohlergehen. Welcher Arbeitgeber kann vernünftigerweise darauf eingehen? Selbst im positiven Fall, wenn der Arbeitnehmer unter Lebensstellung versteht, seine ganze Leistungsfähigkeit und sein Können in den Dienst eines Arbeitgebers zu stellen, dann umschreibt er nur das, was sich von selbst versteht. Der Arbeitgeber, der einen neuen Arbeitnehmer einstellt, setzt in der Regel voraus, daß dieser seine ganze Kraft und Leistungsfähigkeit langfristig in seinen Dienst stellt. Das wird nicht verhindern, daß dieses Arbeitsverhältnis kündbar bleibt und von beiden Seiten gekündigt werden kann, wenn sich die Umstände ändern.

So wird deutlich, daß der Wunsch nach einer endgültigen Lebensstellung negativ interpretierbar ist. Er ist kein guter Wechselgrund, weil er in der positivsten Interpretation eine Selbstverständlichkeit umschreibt und in allen anderen Fällen nur negativ verstanden werden kann.

Versorgungsansprüche sind ein bekannter Stolperstein in der letzten Phase vor dem Vertragsabschluß. Sie können aber auch schon die erste Bewerbung sinnlos machen, wenn sie dort ausführlich und detailliert gestellt werden. Es ist verständlich, daß eine Fach- oder Führungskraft, die sich nach einem langjährigen Engagement verändert, den im Laufe der Jahre angesammelten Extras, vom Firmenwagen bis zur Lebensversicherung, große Bedeutung beimißt. Man möchte diesen Besitzstand auch bei einem Wechsel wahren und übersieht dabei, daß alle Extras bei einem ehemaligen Arbeitgeber aufgrund von Leistungen und Verdiensten zustande kamen, Zug um Zug, mit der Zeit. Bei einem neuen Arbeitgeber möchte man sie sofort, von Anfang an, im Grunde auf der Basis von Verdiensten bei einem alten Arbeitgeber haben. Ganz kritisch für die Bewerbung und den Bewerber wird die Sache aber, wenn schon in der ersten Bewerbung ein Pensionsvertrag oder ein Vertrag über die betriebliche

Altersversorgung gefordert wird, möglichst mit genauen Konditionen. So etwas kommt in der Praxis vor, es gibt wirklich Fälle, da fordert der Bewerber vor Abgabe seiner kompletten Unterlagen Abschrift der Betriebsvereinbarungen über betriebliche Altersversorgung und Pensionszusage. Das sollte entschieden unterbleiben.

Ungeplanter, überraschender Wechsel

Der Zeitfaktor

Betriebsstillegungen, Rationalisierungen, Fusionen und ähnliche Vorgänge mit oder im Unternehmen können aus einem engagierten, langjährigen Mitarbeiter überraschend einen Bewerber machen, obwohl er das nie wollte, nie an Wechsel dachte.

Bei einem solchen ungeplanten, überraschenden Wechsel gelten andere zeitliche Bedingungen als bei einer ‚normalen' Bewerbung. Hier kann sich der Bewerber keine Zeit lassen. In der Regel verfügt er maximal über die vertraglich vereinbarte Kündigungfrist. In manchen Fällen steht nicht einmal diese zur Verfügung.

Es gibt für ihn zwei Bewerbungsphasen: eine, solange der zu seiner Bewerbung führende Vorgang bei seinem Arbeitgeber noch nicht öffentlich oder in der Branche bekannt ist. Eine zweite, wenn der Vorgang bekannt ist. Im ersten Fall wird er in der Regel den wirklichen Grund seiner Bewerbung weder in dieser noch bei einem Vorstellungsgespräch nennen dürfen, weil es sich – etwa bei einer Fusion – um Firmengeheimnisse handelt. Er wird sich ohne Wechselgründe bewerben müssen, was durchaus üblich ist. Wenn er Glück hat und durch seinen Informationsstand diese erste Phase für seine Bewerbung erreicht, ergibt sich für ihn eine bessere Ausgangslage als in der zweiten Phase. In dieser ersten Phase ist er noch ein ganz normaler Bewerber, den man mit den üblichen Maßstäben messen wird. In der zweiten Phase weiß man, daß er Grund und Ursache hat, sich nach einem neuen Arbeitsplatz umzusehen. Außerdem wird er unter Umständen in dieser zweiten Phase in Konkurrenz mit anderen Mitarbeitern des gleichen Arbeitgebers um neue Arbeitsplätze stehen.

In dieser zweiten Phase ist es empfehlenswert – abweichend von den bisher empfohlenen Mustern –, schon im Anschreiben zu sagen, warum man sich bewirbt. Zum Beispiel:

‚... Nachdem durch den Verkauf der Firma Müller (mein bisheriger Arbeitgeber) an den Konzern Miller in Amerika die gesamte Konstruktion in der Bundesrepublik eingestellt und ab soundsovielten von Amerika aus gemacht wird, stehe ich ab soundsovielten für neue Aufgaben zur Verfügung und bewerbe mich hiermit bei Ihnen als Konstrukteur...'

Es hat wenig Sinn, in solchen besonderen Fällen, wenn allgemein bekannt ist, was bei Müller geschehen ist, gegenüber dem Empfänger der Bewerbung den Eindruck zu erwecken, als bewerbe man sich ganz normal, geplant und unabhängig von den Ereignissen. Das Beispiel macht aber auch deutlich, daß hier nicht alle Wechselgründe denkbar sind.

Die Gründe

Bei einem ungeplanten, überraschenden Wechsel können die Gründe zwar beim Unternehmen liegen, sie können allerdings so gelagert sein, daß sie ein negatives Urteil über den Bewerber ergeben. Hierzu rechnen hauptsächlich Umorganisation und Rationalisierung, in Grenzen auch Fusionen. Wenn zum Beispiel durch Rationalisierung Arbeitsplätze vernichtet werden und Rationalisierungsopfer entstehen – wie das in der üblichen Terminologie beschrieben wird –, wenn also jemand wegrationalisiert wurde, dann ergibt das in der Regel keinen guten Wechselgrund. Man kann einen solchen Rationalisierungsvorgang von Personen abstrahiert darstellen, als Einsparung oder ‚Vernichtung' von Arbeitsplätzen. Aber es geht im Grunde doch um Personen, um Arbeitnehmer. Es geht im Beispielsfall um die Einführung von Maschinen, die von weniger Arbeitskräften als zuvor bedient werden können oder nach der Einführung einer EDV-Anlage darum, daß nur noch wenige Buchhaltungsfachkräfte benötigt werden. Welche der bisher beschäftigten Kräfte wird man behalten? Hier beginnt für den Empfänger einer solchen Bewerbung die negative Interpretation des Wechselgrundes ‚aus Rationalisierungsgründen'.

Sicherlich ist eine Rationalisierung denkbar, bei der am Ende nur die Maschine und wenige Hilfskräfte bleiben, die die Knöpfe bedienen, aber in vielen Fällen bedeutet Rationalisierung für den Personalpraktiker, daß die Hochqualifizierten geblieben sind und die weniger Qualifizierten gehen mußten. Darum sollte man bei der Bewerbung mit dem Wechselgrund Rationalisierung vorsichtig umgehen. Nur wenn es sich um gute Rationalisierungsgründe handelt, sollte man sie in der Bewerbung nennen. Dann allerdings etwas ausführlicher und so, daß es für einen Personalmann einsichtig und nachprüfbar ist. Es muß deutlich werden, daß die Rationalisierung keine selektive Maßnahme war, von der die Guten nicht betroffen wurden.

Die gleichen Überlegungen gelten auch bei Fusionen. Der Bewerber muß den Eindruck vermeiden, als sei die Fusion auf personellem Gebiet ein Straffungsprozeß gewesen, dem die weniger Guten zum Opfer fielen.

In allen diesen Fällen, in denen sich der wirkliche Wechselgrund für den Bewerber negativ interpretieren läßt, bleibt als einzig sinnvolle Empfehlung, überhaupt keinen Wechselgrund in der Bewerbung zu nennen. Es ist dann besonders wichtig, einen Bewerbungszeitpunkt zu erreichen, zu dem die Maßnahme im Unternehmen noch nicht an die Öffentlichkeit gedrungen oder in der Branche bekanntgeworden ist. Das erfordert im Idealfall die ständige Bereitschaft des Arbeitnehmers, sich über den eigenen, engeren Arbeitsplatz hinaus zu informieren, innerbetrieblich Kontakt zu halten, den eigenen Arbeitsplatz nicht als Pfründe auf Lebzeit zu betrachten, sondern mit der Möglichkeit eines Wechsels zu rechnen. Das aber ist der Idealfall, in der Regel ist es nicht so. Man läßt sich überraschen.

Die Form

Bei einem ungeplanten, überraschend notwendigen Arbeitsplatzwechsel ist es auch sinnvoll, unaufgefordert Bewerbungen zu verschicken. Im Normalfall, in dem man unter keinem Zeitdruck steht, ist das auf keinen Fall empfehlenswert, wohl aber hier, um nicht – für wie kurz auch immer – arbeitslos zu werden. Unaufgeforderte Bewerbungen sollen nicht planlos und in großer Anzahl verschickt werden, sondern gezielt. Auch hier ist eine solide Information die beste Voraussetzung. Im Idealfall kennt man die Unternehmen der gleichen Branche im näheren Umkreis. Man weiß vielleicht sogar, wer dort eine ähnliche Funktion oder Aufgabe wahrnimmt. Man hat vielleicht die Stellenanzeigen dieser Unternehmen langfristig verfolgt und gesammelt – selbst wenn es nur aus Eitelkeit geschah, um festzustellen, was für ein stark gesuchter Mann man doch eigentlich ist. Bei diesen Voraussetzungen weiß man genau, an wen man seine unaufgeforderte Bewerbung schicken muß.

Ist der Idealfall nicht gegeben, dann kann man sich bei den überregionalen Zeitungen die zurückliegenden Samstagsausgaben mit den Stellenangebots-Anzeigen zuschicken lassen. Meist reichen zehn Ausgaben, um innerhalb von zwei Stunden herauszufinden, welche Firmen der Branche eine der eigenen Position entsprechende Aufgabe angeboten haben. Liegt die Anzeigenveröffentlichung mehr als zehn Wochen zurück, dann sollte man eine unaufgeforderte (auf keine Anzeige Bezug nehmende) Bewerbung abschicken. Ist die Anzeigenveröffentlichung dagegen weniger als sechs Wochen alt, dann kann man sich durchaus noch darauf bewerben. Unter Personalpraktikern gilt eine Eingangszeit von Bewerbungen auf eine Stellenausschreibung innerhalb von sechs Wochen als normal.

Die unaufgeforderte Bewerbung unterscheidet sich nur im Anschreiben von der normalen Bewerbung. Da man sich nicht auf eine ganz bestimmte Position bewerben kann/sollte, denn man kennt die gerade offenen Stellen nicht, könnte der Text eines solchen Anschreibens lauten:

„. . . Betrifft: Bewerbung als Konstrukteur
Sehr geehrte Damen und Herren,
hiermit bewerbe ich mich bei Ihnen als Konstrukteur. Meine Ausbildung und Erfahrung entnehmen Sie bitte den beigefügten Unterlagen.‘

Dabei sollte sinnvollerweise offenbleiben, welchen Einsatz als Konstrukteur man sich vorstellt. Der Personalchef hat dann die Möglichkeit, etwas vorzuschlagen, zum Beispiel: Sie sind ein Maschinenbau-Ingenieur mit mehrjähriger Konstruktionspraxis. Wir suchen einen Fachmann Ihrer Ausbildung und Erfahrung für den Vertrieb und die Beratung unserer Kunden.

Aus diesem Grund sollte auch der tabellarische Lebenslauf bei einer unaufgeforderten Bewerbung keine Akzente in einer bestimmten Einsatzrichtung haben, sondern alle bisherigen Aufgaben und Nebenaufgaben vollständig nennen.

Bewerbung kurz vor dem Ende der Laufbahn

Die Altersfrage

Bewerbungen kurz vor dem Ende der beruflichen Laufbahn sind meist ungeplant und überraschend notwendig geworden.

Die Problematik der Altersfrage ist zu bekannt, als daß man es etwa als Fünfzigjähriger noch riskieren würde, freiwillig seinen Arbeitsplatz zu kündigen und sich auf die Suche nach etwas Neuem zu begeben. Ein Aspekt dieser Altersfrage ist der Zeitpunkt einer immer früher möglichen Pensionierung. Er steht bei der Bewerbung älterer Arbeitnehmer in Widerspruch zu den Erwartungen des möglichen neuen Arbeitgebers. Der möchte in jedem Fall einen langjährigen Mitarbeiter, also einen, der nach der Einarbeitungszeit noch für Jahre bei ihm tätig ist. Angenommen, der Bewerber ist fünfundfünfzig Jahre alt, die Einarbeitungszeit, bis er wirklich seine beste Form erreicht, beträgt sicherlich ein Jahr, in vielen Positionen mehr als ein Jahr, so bleibt nicht mehr viel für einen ‚langjährigen' Einsatz. Dazu kommt, daß ältere Arbeitnehmer durch Kuren und Krankheiten oft weniger Tage am Arbeitsplatz sind als jüngere. Sie haben aber durch lange Dienstjahre oft ein höheres Einkommen als die Jüngeren.

Die Jüngeren selbst sind manchmal auch ein Grund: Wenn das Vorurteil besteht, daß sich ältere Arbeitnehmer mit jüngeren Kollegen schlecht vertragen, daß sie wenig aufgeschlossen sind gegenüber Neuem, daß sie wenig flexibel sind und so weiter.

Zusammenfassend kann man aus der Praxis sagen, daß gegenüber älteren Arbeitnehmern, die als Bewerber auftreten, ein Vorbehalt besteht, der sich aus den unterschiedlichsten Vorurteilen vielschichtig zusammensetzt.

Was heißt ‚älterer Arbeitnehmer', wann tritt die ‚Altersfrage' auf? Ein Blick in die Stellenanzeigen bestätigt die sogenannte ‚Schallmauer': Sie liegt eindeutig bei 45 Jahren. Es gibt praktisch keine Stellenangebote, die einen Alterswunsch / eine Altersvorstellung über 45 Jahre hinaus enthalten. Meist liegt das ‚Idealalter' zwischen 35 und 45 oder zwischen 30 und 40 Jahren. Auch für die Altersgruppe 25–35 Jahre finden sich viele Angebote. Nur in ganz wenigen Ausnahmefällen kann der Bewerber auch ‚zweite Hälfte 40' sein. Das ist gelegentlich in der kaufmännischen Verwaltung oder in der Fertigung möglich.

Für den Arbeitnehmer bedeutet das, daß er bei Überschreiten der Altersgrenze von 45 Jahren kein normaler Bewerber ist. Hier sollte man keine falschen Hoffnungen wekken, sondern sich in die Lage des Personalchefs versetzen, des Einkäufers von *man power*. Warum sollte der für eine vakante Position, wenn er die Auswahl zwischen zwei von der Ausbildung her gleichguten Bewerbern hat, den älteren, teureren nehmen, der fünf Jahre mehr Praxis hat, statt den jüngeren, der billiger ist und über ausreichend Praxis verfügt? Selbst wenn beide von der Einkommensvorstellung her gleich wären, wird er dem jüngeren den Vorzug geben, und sei es nur, weil er nicht mit den Vorurteilen im Zusammenhang mit dem Altsein belastet ist.

Die Wechselgründe

Die Wechselgründe sind bei Bewerbern über Fünfzig meistens negativ interpretierbar. Dann kommen Alter und schlechte Wechselgründe zusammen. Auch hierfür gibt es –

begründet oder nicht – ein Vorurteil: Man verbindet allgemein den Typ eines jüngeren Arbeitnehmers mit der Vorstellung, daß er wechselt, daß er Wanderjahre durchmacht. Mit dem älteren Arbeitnehmer verbindet man die Vorstellung, daß er seine endgültige Aufgabe, sein Einsatzgebiet und seine Grenzen gefunden hat. Man wird es selbst als Personalpraktiker einem Fünfundfünfzigjährigen kaum abnehmen, daß er sich bewirbt, um noch einmal eine Pionieraufgabe zu bewältigen. (Obwohl er dazu durchaus in der Lage wäre.) Die Regel, die tägliche Praxis, scheint das Vorurteil auch zu beweisen: Mit Fünfzig hat man ‚seine' Position in ‚seinem' Unternehmen und denkt nicht mehr an Wechsel. Man will nicht noch einmal von vorne anfangen, das ganze, langjährig in einem Unternehmen erworbene innerbetriebliche Know-how aufgeben, noch einmal die ganzen Konkurrenzkämpfe und Auseinandersetzungen ausfechten. Man hat eine Position, einen Besitzstand erreicht und möchte ihn behalten. Solche oder ähnliche Ergebnisse würde jede Umfrage unter älteren Arbeitnehmren (ab 50 Jahre) erbringen. Die Praxis zeigt auch, daß die Bewerbungen von über Fünfzigjährigen nicht geplant und freiwillig zustande kamen. Wenn sie gekonnt hätten, wären sie geblieben. Fusionen, Firmenschließungen oder Verkäufe und ähnliche Vorgänge haben sie noch einmal auf den Arbeitsmarkt gebracht. Es ist bei dieser weitgehend bekannten Situation für den älteren Bewerber sinnvoll – von der Regel abweichend –, die Gründe für seinen Wechsel gleich im Bewerbungsanschreiben zu nennen. Er bringt damit zum Ausdruck, daß er kein normaler Bewerber ist und eigentlich auch nicht mehr daran gedacht hat, sich noch einmal bewerben zu müssen. Dann kann es gelingen, der negativen Interpretation der Wechselgründe die Spitze zu nehmen. Das kann im Bewerbungsanschreiben geschehen. In aller gebotenen Kürze könnte es dort heißen:

„. . .Ich bin zweiundfünfzig Jahre alt und seit fünfzehn Jahren Niederlassungsleiter der Firma Müllermüller. Durch den überraschenden Konkurs dieses Hauses bin ich noch einmal zum Bewerber geworden und biete Ihnen hiermit meine Kenntnisse und Erfahrungen für die von Ihnen ausgeschriebene Position als ... an ...'

Marktnischen suchen

Als älterer Bewerber sollte man nicht den Versuch unternehmen, mit durchsichtiger Argumentation (bin zwar fünfzig, wirke aber wie fünfunddreißig und nehme es noch mit jedem Jüngeren auf etc.) gegen jüngere Bewerber anzutreten. Damit nimmt man sich gleich die Chance, in die engere Wahl zu kommen. Sinnvoller erscheint der Versuch, aus dem Nachteil einen Vorteil zu machen. Als Nachteil in der Konkurrenz mit jüngeren Bewerbern gilt zum Beispiel, daß man als älterer nur noch für wenige Jahre zum Einsatz kommen kann. Gerade das aber ist für alle Positionen von Vorteil, die als Übergangslösungen gedacht sind. Das kann von der Sache her möglich sein, wenn etwa bei Investitionen in der Anlaufphase die Produktion noch parallell auf der alten und der neuen Anlage laufen muß, es kann von der Hierarchie her möglich sein, wenn beim Generationswechsel eine Lücke entsteht oder wenn man eine vakante Position bis zum Eintritt eines neuen Mannes, der eine sehr lange Kündigungsfrist hat, vorübergehend besetzen muß. Der ältere Arbeitnehmer, der gegen seinen Willen noch einmal zum Bewerber wurde, muß sich dabei von bestimmten Vorstellungen trennen, etwa der, daß er im Handumdrehen zu einer neuen ‚Lebensstellung' kommen könne, oder der, daß seine fünfundzwanzig Jahre Praxis mehr seien als die zehn Jahre eines jüngeren Mitbewerbers, denn die letzten zehn interessanten Praxisjahre haben beide gemeinsam.

Um Marktnischen wie die angedeuteten zu finden, muß der ältere Bewerber wider Willen sein Vorstellungsmuster ‚als ein Angestellter, für den die Firma schon sorgen wird', gegen ein aktives unternehmerisches Vorstellungsmuster austauschen. Nur dann wird er einem Unternehmen, das zum Beispiel einen Teamleiter für ein Projekt in Algerien sucht, schreiben können, er gehe davon aus, daß es sich um ein zeitlich begrenztes Projekt handele, und sei bereit, einen zeitlich entsprechend begrenzten Vertrag zu akzeptieren. Damit bietet er dem Unternehmen unter Umständen einen echten Vorteil, den ein jüngerer Bewerber, der eine Dauerstelle sucht, nicht aufzuweisen hat.

Eine andere Form kann darin bestehen, daß man ganz offen sagt: Mir sind die Vorbehalte gegen ältere Bewerber bekannt. Ich möchte Ihnen beweisen, daß sie auf mich nicht zutreffen. Von der Ausbildung und Praxis her bringe ich alle Voraussetzungen für die angebotene Position mit. Wegen der sicher bestehenden Vorbehalte in bezug auf mein Alter biete ich Ihnen einen Vertrag als freier Mitarbeiter an. Auch mit einer Probezeit von einem Jahr oder einem befristeten Arbeitsvertrag von einem Jahr bin ich einverstanden.

Im Kern laufen alle diese Vorschläge auf eine zusätzliche Risikoübernahme durch den älteren Arbeitnehmer, den Bewerber wider Willen hinaus. Das kann man zu einer Diskriminierung der älteren Stellensuchenden hochstilisieren. Das geht aber an der Praxis vorbei. Sicherlich wird kein Personalchef einem älteren Bewerber schreiben: ‚Als Anlage erhalten Sie hiermit Ihre Bewerbung zurück. Sie sind zu alt'. Nein, er wird ihm sehr nett schreiben, daß er ihm leider absagen müsse aus Gründen, die nicht in seiner Person oder seinem Können begründet liegen. Einstellen wird er ihn aber auf keinen Fall. Dazu kann ihn auch niemand zwingen. Der Bewerber muß selbst etwas dazu tun, um den Nachteil des Alters auszugleichen. Er muß dem Bewerbungsempfänger etwas bieten, was er von den anderen Bewerbern mit dem ‚richtigen Alter' nicht bekommt.

Eine Möglichkeit der Bundesanstalt für Arbeit muß in diesem Zusammenhang kritisch gesehen werden. Die Behörde hat aufgrund des Arbeitsförderungsgesetzes die Möglichkeit, um die Arbeitslosigkeit älterer Arbeitnehmer zu beheben, dem einstellungswilligen Arbeitgeber Zuschüsse zu den Lohnkosten bis zu fünfzig Prozent für einen begrenzten Zeitraum zu zahlen. Das mag in vielen Fällen angebracht sein und kann zusätzliche Arbeitsplätze schaffen. Es führt aber auch dazu, daß ältere Arbeitnehmer, die zu den Fach- und Führungskräften zu rechnen sind, diese Möglichkeit so anwenden, daß sie gegen sie spricht. Zum Beispiel, wenn sie Firmen mit der Bitte anschreiben, sie allein wegen der Lohnzuschüsse einzustellen, die sie damit dem Unternehmen verschaffen könnten. Die aber werden nur für einen begrenzten Zeitraum gezahlt – und was dann? Hier wird die Reihenfolge der entscheidenden Einstellungsgründe verkehrt. Richtig ist, daß man einen älteren Arbeitnehmer einstellt, weil man ihn für eine ganz bestimmte Aufgabe für geeignet hält. Daß die Bundesanstalt für Arbeit dann diese Einstellung auch noch belohnt, wird die Sachentscheidung in der Regel nicht beeinflussen. Nur in dieser Reihenfolge ist die Einstellung eines älteren Arbeitnehmers auch mit dessen Selbstachtung zu vereinbaren.

Sonderformen

Die Kurzbewerbung
Grundsätzlich nein

‚Ich bin zur Zeit auf Stellensuche aus einem noch bestehenden ungekündigten Arbeitsverhältnis heraus. Meine Methode besteht darin, zunächst einmal den Kontakt mit einer Kurzbewerbung aufzunehmen, und der Bitte, bei Interesse die kompletten Unterlagen anzufordern. Der letzte Absatz meines Bewerbungsbriefes lautet etwa: ›. . . bei Interesse Ihrerseits bitte ich vor einer weiteren Kontaktaufnahme um Zusendung einer detaillierten Stellenbeschreibung mit Angabe der von Ihnen vorgesehenen Gehaltseinstufung. Sie erhalten dann meine kompletten Bewerbungsunterlagen postwendend.‹

In der Regel erhalte ich auf meine Kurzbewerbungen überhaupt keine Antwort. Was mache ich falsch?‘

Diese Anfrage ist für zwei bestimmte Gruppen von Bewerbern typisch: die sogenannten Erstbewerber und die Dauerbewerber. Manche Erstbewerber sind über die Form der Bewerbung unsicher oder in bezug auf ihre möglichen Chancen ängstlich. Sie möchten erst einmal vorfühlen. Dabei stellen sie sich eine Situation des Empfängers ihrer Zuschrift vor, die nicht den Realitäten entspricht. Sie flirten von fern, ohne ernste Absichten deutlich zu machen und übersehen dabei, daß der Personalchef gleichzeitig mit ihren vorsichtigen Kontaktsignalen zwanzig, dreißig und mehr handfeste und komplette Bewerbungen mit allen gewünschten Details erhalten hat. Aus welchem Grund sollte er seine Zeit damit zubringen, geraffte Kurzbewerbungen zu interpretieren, zu raten, ob ein passender Mann dahinterstecken könnte, einen Antwortbrief zu schreiben, auf neue Antwort warten und so weiter?

Manche Erstbewerber sind auch regelrecht scheu. Sie tun ‚so etwas' zum ersten Mal und empfinden gegenüber unbekannten Empfängern (Chiffreanzeigen) das Verschicken ihrer Zeugniskopien und Unterlagen sowie die Selbstdarstellung in einem Lebenslauf als eine Art Striptease. Sie möchten sich zunächst von der Seriosität dieses Empfängers überzeugen. So einsichtig dieser Wunsch sein mag, er geht an den Marktgepflogenheiten vorbei.

Eine besonders realitätsferne Form der Kurzbewerbung ist in dem zitierten Beispiel skizziert. Hier möchte eine angehende Fach- und Führungskraft das übliche Verfahren umkehren. Die suchende Firma soll sich zunächst einmal nach der ‚Vorleistung' einiger Stichworte (Kurzbewerbung) offenbaren, soll ihm eine detaillierte Stellenbeschreibung und eine genaue Gehaltseinstufung schicken. Dabei wird übersehen, daß es viele Firmen gibt, die für die ausgeschriebene Position keine Stellenbeschreibung haben. Eine genaue Gehaltseinstufung ist wohl selbst bei Behörden ohne genaue Kenntnisse über Fähigkeiten, Qualifikationen und Praxis des Bewerbers nicht von vornherein möglich. Dazu kommt, daß sich die suchende Firma damit auch festlegen würde. Nach Prüfung der kompletten Unterlagen hätte sie keinen Spielraum für die Gehaltsfestsetzung. Sie würde einen mehr oder weniger Unbekannten, für den die Wahrscheinlichkeit der Einstellung so groß ist wie die der Absage, mit firmeninternen Daten ausstatten.

Abgesehen von diesen Gründen, die deutlich machen, daß die Kurzbewerbung in der Regel zu einer Umkehr der marktüblichen Schritte führt, also sinnlos ist, weil niemand diese Umkehrung mitmachen wird, gibt es noch einen ganz naheliegenden Grund, der gegen eine Kurzbewerbung spricht: In der Anzeige wird in der Regel eine mit allen Unterlagen komplette Bewerbung verlangt. Das ist so etwas wie ein erster Wunsch eines möglichen neuen Arbeitgebers. Bewerber, die diesem Wunsch nicht nachkommen, die nicht schicken, was gefordert wird, liefern damit ein negatives Beispiel, wie sie als Arbeitnehmer den Wünschen ihres Arbeitgebers nachkommen werden.

Es gibt eine kleine Gruppe von Erstbewerbern, die sich eine so bedeutende Position und Stellung in ihrem Unternehmen erarbeitet haben, daß sie in der Branche allgemein bekannt sind, oft mit Lebenslaufdaten und Einkommen. Auch solche Kräfte kommen in die Lage des Bewerbenmüssens. Reicht hier eine Kurzbewerbung, etwa eine Art Visitenkarte? In diesen wenigen Fällen könnte sie für eine erste Kontaktaufnahme reichen, auch ein Telefongespräch kann diese Funktion übernehmen. Bei dieser kleinen Gruppe hochkarätiger Spezialisten und Manager wird sich der Bewerbungsempfänger sicherlich die Mühe machen, einen oder mehrere Briefe zu schreiben. Er wird aber über den Informationsstand der Kurzbewerbung und der allgemein bekannten Daten hinauskommen müssen. Denn gerade bei den Einstellungsverhandlungen mit Spitzenkräften müssen vor der Entscheidung alle Details der ‚Bauart' bekannt sein. Eine Fehlentscheidung kann hier ungeahnten Schaden verursachen. Das bedeutet auch hier: Alle Karten müssen auf den Tisch, die kompletten Bewerbungsunterlagen sind nicht zu umgehen.

Zusammenfassend: Wer sich bewirbt, sollte sich vollständig bewerben, mit allen geforderten Unterlagen, kompletten Zeugniskopien, Lichtbild, Handschriftprobe, Einkommensvorstellung, frühestem Eintrittstermin. Wer ernsthaft an einer neuen Position interessiert ist, sollte das Risiko auch nicht scheuen, an unbekannte Empfänger (Chiffreanzeige) alle Unterlagen zu schicken. Der Vorgang von der Bewerbung bis zur Einstellung ist für das Unternehmen eine Entscheidung, die letztlich auf den überzeugenden, kompletten Details der Eigendarstellung des Bewerbers beruht. Wer diese Details nicht liefert, scheidet meist schon in der Vorauswahl aus dem Rennen aus.

Bei welchen Sonderfällen ist eine Kurzbewerbung sinnvoll? Kurzbewerbungen können dann einen Sinn haben, wenn auch für den Empfänger die Begründung klar einsichtig ist. Hier kommt in erster Linie die

Bewerbung aus dem Urlaub in Frage. Auch in der Haupturlaubssaison erscheinen Woche für Woche Hunderte von Stellenangeboten. Die inserierenden Firmen wissen, daß von den potentiellen Bewerbern nicht alle in Urlaub sind, daß ein Teil Urlaub innerhalb der Bundesrepublik macht und ein weiterer Teil sich die Zeitung nachschicken läßt oder im Urlaub kauft. In vielen Fällen werden gerade im Urlaub die Stellenanzeigen besonders sorgfältig gelesen. Wer für einige Zeit aus dem Tagesgeschäft heraus ist, Abstand zu seiner Position und Aufgabe gewonnen hat, ist eher bereit, einmal über einen Wechsel nachzudenken. Kurz: Die Gründe für eine Stellenanzeige in der Urlaubszeit sind vielfältig und positiv. Ein kleiner Haken ist allerdings dabei: Wie soll sich der Maschinenbau-Ingenieur und Leiter der Konstruktion Meier von Ibiza aus bewerben? Er hat eigentlich nicht damit gerechnet, daß er dort zufällig eine für ihn sehr reizvolle Stelle in der Zeitung findet. Unterlagen hat er natürlich auch nicht bei sich.

Eine ganze Reihe von Anzeigentexten während der Hauptferienzeit enthalten darum auch ausdrücklich den Hinweis: Aus dem Urlaub genügt zunächst eine Kurzbewerbung oder eine Nachricht mit den wesentlichen Details. In diesen besonderen Fällen ist die Kurzbewerbung am Platz.

Bei der Analyse eines Bewerbungseingangs während der Hauptferienzeit wird dem Fachmann jedoch rasch deutlich, daß es unter den im Urlaub befindlichen Bewerbern keine einheitliche Vorstellung darüber gibt, was eine Kurzbewerbung ist und was sie enthalten muß. Die Bandbreite reicht von mehrseitigen handgeschriebenen (oft schlecht leserlichen) Briefen auf Hotelbriefpapier bis zu Kurztexten auf der Rückseite von Ansichtspostkarten.

Empfehlenswert ist es, mit der Möglichkeit einer Kurzbewerbung aus dem Urlaub immer dann zu rechnen, wenn man einer Veränderung nicht grundsätzlich ablehnend gegenübersteht und ‚interessehalber' auch im Urlaub die Stellenangebote überfliegt. Bei diesen Voraussetzungen sollte man vor Antritt des Urlaubs eine Kurzbewerbung (und mehrere Kopien davon) herstellen. Die Kurzbewerbung sollte aus dem Anschreiben, dem tabellarischen Lebenslauf und möglichst einem Foto bestehen. Wer aus dem Urlaub eine gut vorbereitete Kurzbewerbung abschickt, kann sich damit schon formal und von der Aufmachung her, vom Informationswert her einen Bonus gegenüber den anderen Urlaubsbewerbern einhandeln.

Sowohl Bewerbungsanschreiben als auch der tabellarische Lebenslauf sollten auf eigenen Briefbogen mit der Maschine geschrieben werden. Das Bewerbungs-Anschreiben der Kurzbewerbung aus dem Urlaub kann etwa folgenden Text haben:

Fritz Meier	Urlaubsadresse:
Bachgasse 17	Zur Zeit (20. 7.–16. 8.)
Telefon 0 69 / 17 18 19	13416 Cabane de Thyon
	CH–1050 Sion
6xxxx Frankfurt/Main	Schweiz

Firma
Müllermüller
Friedensstraße 19–25
6xxxx Frankfurt/Main

Personalleitung

Ihre Stellenanzeige ‚Leiter der Konstruktion‘ in der Frankfurter Allgemeinen Zeitung vom soundsovielten

Sehr geehrte Damen und Herren,
hiermit bewerbe ich mich um die von Ihnen angebotene Position eines Leiters der Konstruktion. Ich befinde mich zur Zeit im Urlaub und sende Ihnen hiermit vorab meinen kompletten tabellarischen Lebenslauf sowie ein Lichtbild als Kurzbewerbung.

Sobald ich wieder in Frankfurt bin, werde ich die Zeugniskopien nachreichen.
Mit freundlichen Grüßen

Dieses Bewerbungsanschreiben kann mit der Hand geschrieben werden. Es läßt sich nicht vor dem Urlaub vorfertigen. Es sollte allerdings auf eigenem Briefpapier geschrieben sein. Es ist sinnvoll, die genaue Urlaubsanschrift anzugeben, weil der Kurzbewerbungs-Empfänger unter Umständen noch vor dem Urlaubsende des Bewerbers mit diesem Kontakt aufnehmen möchte. Sofern im Urlaubsquartier die Möglichkeit einer telefonischen Kontaktaufnahme besteht, sollte sie im Bewerbungsanschreiben genannt werden.

Der tabellarische Lebenslauf der Kurzbewerbung sollte dem auf Seite 87 gezeigten Muster entsprechen, bis zu zwei Seiten umfassen und alle Daten enthalten, also kein kurzgefaßter Lebenslauf sein. Das häufigste Mißverständnis über die Art und den Inhalt einer Kurzbewerbung besteht darin, daß der Bewerber annimmt, er müsse/sollte von seinen Daten nur ein Extrakt geben. Für den Empfänger hat eine Kurzbewerbung nur dann eine wirkliche Aussagekraft, wenn sie einen kompletten tabellarischen Lebenslauf mit allen Daten enthält. Er kann dann zunächst auf das Studium der Zeugniskopien verzichten und schon eine erste Entscheidung fällen. Verfügt er dagegen nur über Bruchteile der

Daten (hier zunächst einige kennzeichnende Daten zu meiner Person aus dem Urlaub..., mehr folgt später), dann kann er keine Entscheidung darüber treffen, ob der Schreiber für die ausgeschriebene Position grundsätzlich in Frage kommt oder nicht. Er muß warten, bis dessen Urlaub zu Ende ist und ‚mehr' folgt. Er wird aber in vielen Fällen nicht solange warten wollen, wenn er genügend aussagekräftige Kurzbewerbungen und komplette Bewerbungen vorliegen hat und die Position rasch besetzt werden muß. Dann kommen nur solche Bewerber in die engere Wahl, über deren Eignung ein fundiertes Urteil möglich ist. Wenn die Kurzbewerbung mit einem kompletten, vollständigen Lebenslauf versehen ist, gibt es für den Personalchef kein Risiko. Alle diese Daten werden sich in Kürze anhand der nachgereichten Zeugniskopien als richtig erweisen müssen. Er kann in der Regel unterstellen, daß kein Urlaubsbewerber dabei das Risiko eingeht, in seinem tabellarischen Lebenslauf zu frisieren oder zu manipulieren. Spätestens nach vier bis sechs Wochen wird er sich mit seinen Zeugniskopien selbst überführen.

Bewerbungen von unterwegs

Ein anderer Sonderfall, bei dem die Kurzbewerbung sinnvoll erscheint, ist die Bewerbung von unterwegs. Das gilt besonders für die beachtliche Zahl der Fach- oder Führungskräfte, die in großen Teilen ihrer Arbeitszeit auf Reisen sind, in Inland oder Ausland. Der Personalpraktiker weiß, daß gerade diese Personengruppe zu den regelmäßigen Lesern der Stellenanzeigen in der überregionalen Presse zählt und daß sie sich auch von unterwegs her bewerben. Sie kommen dann in die gleiche Lage wie die Urlauber. Oft haben sie kein eigenes Briefpapier bei sich, sie haben auch keine Unterlagen dabei, und sie wissen oft nicht aus dem Kopf ganz genau über die Daten ihrer eigenen Laufbahn Bescheid, zum Beispiel über die genauen Ausbildungsdaten oder über länger zurückliegende Positionen ihrer Berufspraxis. Das Ergebnis sind unbeholfene, wenig informative Kurzbewerbungen auf irgendwelchen Hotelbriefpapier. Auch hier ist es empfehlenswert, immer einige Fotokopien eines kompletten, zweiseitigen tabellarischen Lebenslaufes im Gepäck zu haben. Idealerweise liegt zu Hause griffbereit und für die Ehefrau leicht auffindbar ein Satz von kompletten Zeugniskopien. Dann ist es eher möglich, von unterwegs eine informative, gut aufgemachte Kurzbewerbung abzuschicken und gleichzeitig die kompletten Zeugniskopien von zu Hause auf den Weg zu bringen.

Bewerbung bei amerikanischen Unternehmen

Die angelsächsische Form der Bewerbung

Die Bewerbung bei amerikanischen Firmen in den Vereinigten Staaten oder in Europa, bei US-Firmentöchtern in der ganzen Welt und bei Firmen in Ländern, deren Geschäftssprache Englisch ist (etwa die Öllånder des Nahen Ostens) entspricht weitgehend der für die Bundesrepublik beschriebenen Art. Die einzige deutliche Abweichung ergibt sich beim tabellarischen Lebenslauf: Er hat meist die umgekehrte Zeiteinteilung. Das heißt, er beginnt mit der Position zur Zeit und geht von da an zeitlich zurück bis zur Ausbildung. Am Schluß finden sich die persönlichen Daten.

Beim Anschreiben ist auch hier empfehlenswert, sich kurz zu fassen und auf den tabellarischen Lebenslauf zu verweisen. Er kann die Überschrift haben: Employment Background oder Curriculum Vitae oder einfach Resume.

Beispiele für das Bewerbungsschreiben

Genaue Adresse des Absenders Datum
Genaue Adresse des Empfängers

Gentlemen:
I take reference to your advert in the Frankfurter Allgemeine Zeitung of . . ., requiring the services of a . . ., and I have taken the liberty of enclosing a resume of my professional background.

Further information an references can be supplied on request. I would be available for an interview at your convenience. Thank you for your attention.
Sincerely yours,

oder:

Genaue Adresse des Absenders Datum
Genaue Adresse des Empfängers

Dear Sirs,
I read with great interest in the Frankfurter Allgemeine Zeitung that you are looking for an experienced . . . for your company.

In order to make the first contact easier, I would like to introduce myself by giving you my main personal an professional data.

I would be available for an interview at your convenience.
Sincerely yours,

Der tabellarische Lebenslauf

Die folgenden beiden Beispiele zeigen – einmal in kürzerer Form, einmal ausführlicher – den in angelsächsischen Ländern, besonders in Amerika, üblichen tabellarischen Lebenslauf im zeitlichen Aufbau vom aktuellsten Datum her zurückgehend bis zur Ausbildung und den persönlichen Daten.

Genaue Anschrift des Bewerbers

Resume

Experience:	
Since 1990	Multinational Property Development Company in Brüssel: European General Counsel advising on aspects of corporate legal administration in the European business community.
1988–1990	International Law Practice in New York, Partner with two other American attorneys; General international law with emphasis on real estate, tax and corporate matters.
1979–1988	XYZ-Industries, European Headquarters, Genf, Legal Counsel to the Real Estate Department with responsibility for negotiation with government officials on tax and incentives prerequisite to establishing new commercial industrial facilities.
1976–1979	U.S. Army in Germany
Education:	
1979–1981	Diploma, University of XYZ, German language and literature
1972–1975	J.D., Syracuse Law School
1972–1975	B.A., Syracuse University
Availability:	One month after appoinment
Personal:	U.S. citizen, born in Syracuse, New York, Age 46, 6' tall, 170 pounds, married with two children.
Special interests:	Classical music and mountain climbing

Zweites Beispiel eines tabellarischen Lebenslaufes:

Genaue Anschrift des Bewerbers

	Employment Background
1990–Present	Marketing Manager. Engaged by XYZ Limited, Responsible for the formulation and implementation of marketing objectives and strategies, as well as yearly unit/dollar forecasts and control of relevant expense budgets.
1984–1990	Assistant Manager, ABC Limited, in XYZ Responsible for the day-to-day marketing and sales of NNN-products. Special assignement: The development of the local market for NNN industrial an technical equipment. Sales of this and other NNN industrial and technical equipment surpasses the results of any other distributor market in this region.
1980–1984	Commercial training at XYZ, Frankfurt one of the leading diversified chemical concerns in Germany. Engaged by XYZ in 1982 as ‚Export-Sachbearbeiter' handling correspondence between subsidiaries and customers in U.S.A./Canada and head office.
	Personal background
Date of birth:	November 13, 1957
Age:	37
Place of birth:	Frankfurt/Main, West Germany
Nationality:	German
Martial status:	married, two daughters
Education:	1977 ABC Schule, Wirtschaftsoberschule, Frankfurt 1979 Berufsschule Frankfurt, Commercial Diploma, Industrial Merchant

Languages: German, English, Working knowledge of French.

I am in excellent health and enjoy outdoor sports, tennis and football in particular.

Bewerbung bei Behörden

Schon die Stellenausschreibungen von Behörden zeigen, daß hier manche Abweichung gegenüber den Stellenangeboten der Wirtschaft existieren. So heißt es etwa am Schluß einer solchen Anzeige:

> Nach erfolgreicher Teilnahme an einem Auswahlwettbewerb beginnt die Laufbahn mit einem zweijährigen Vorbereitungsdienst. Während des Vorbereitungsdienstes werden Anwärterbezüge gezahlt, die Besoldung nach Abschluß der Ausbildung beginnt mit A 13.
>
> Die Aus- und Fortbildungsstätte des Auswärtigen Amtes, Gudenauer Weg 134–136, 53175 Bonn-Ippendorf, übersendet Ihnen gerne eine ausführliche Informationsschrift.
>
> Bewerbungsschluß: 30. 9. / Einstellung: 3. 4.

Kennzeichnend ist meist der genau angegebene Einsendeschluß für Bewerbungen entweder mit genauem Datum, wie im Beispiel, oder etwa so: ‚Bewerbungen richten Sie bitte innerhalb von drei Wochen nach Erscheinen dieser Anzeige an. . .‘

Die Stellenbesetzung bei Behörden folgt anderen Gesetzen und Regeln als vergleichbare Aktionen der Wirtschaft. Neu besetzt werden kann ein Arbeitsplatz nur, wenn eine Planstelle in dem entsprechenden Haushalt genehmigt ist. Je nachdem, wie hoch die zu besetzende Position in der Hierarchie angesiedelt ist, wird eine Ausschreibung gemacht oder nicht. Von Ausschreibungen ausgenommen sind in der Regel die Referendarstellen, da die Bewerber für diese Stellen sich in ausreichender Anzahl und Ausbildungsqualität direkt bei den in Frage kommenden Stellen melden. Der Bedarf an Nachwuchskräften kann in der Regel auf diesem Wege und ohne Ausschreibung gedeckt werden.

Gelegentlich findet man aber auch solche Ausschreibungen für Nachwuchskräfte in den Amtsblättern, oder die Behörden schreiben innerbetrieblich aus. Bei Besetzungen von Beamten- und Angestelltenpositionen für den höheren Dienst versuchen die Behörden zunächst, auf bereits vorhandene Mitarbeiter aus den eigenen Reihen zurückzugreifen. Ist das nicht möglich, weil besondere Erfahrungen, zum Beispiel aus der Wirtschaft, erforderlich sind, greift man zu dem Mittel der Insertion in Tageszeitungen und Fachzeitschriften. Die Texte enthalten dann die Funktionsbeschreibung mit Aufgabenstellung, die geforderten Voraussetzungen und die Besoldungsgruppe. Zusätzlich gibt die Behörde immer einen exakten Termin an, bis zu dem die Bewerbung eingereicht sein muß. Diese Termine reichen meist bis zu vier Wochen nach der Ausschreibung und dürfen nicht überschritten werden, weil danach keine Zuschriften mehr berücksichtigt werden. Zu den Angaben in der Anzeige benötigt der Insider aus dem Öffentlichen Dienst in der Regel keine weiteren Informationen, da er die oft in Zahlengruppen dargestellten Aussagen aus der eigenen Praxis kennt. Dem Bewerber aus der Privatwirtschaft, der zum ersten Mal damit zu tun hat, besagen diese Zahlen jedoch wenig. Er kann von der ausschreibenden Behörde ein entsprechendes Merkblatt mit eingehenden Informationen anfordern.

Bei den Behörden ist die Abwicklung der Bewerbung stark formalisiert. Wenn jemand als Jurist oder Finanzfachmann eine Anstellung im öffentlichen Dienst anstrebt, empfiehlt es sich, zunächst einmal überregionale Tageszeitungen und Zeitschriften nach diesen Ausschreibungen durchzusehen. Natürlich werden solche Ausschreibungen auch in kommunalen Informationsdiensten oder in Amtsblättern veröffentlicht. Aber man kann an der von den Behörden ausgewählten Insertionsträgern bereits erkennen, welcher Personenkreis angesprochen werden soll. Eine Ausschreibung etwa in der ‚Frankfurter Allgemeinen Zeitung', der ‚Zeit' oder den ‚VDI-Nachrichten' zielt bewußt auf den entsprechenden Leserkreis in Wirtschaft, Universität oder Technik ab. Insertionen in Amtsblättern dagegen sprechen direkt Mitarbeiter des öffentlichen Dienstes an. An dieser Auswahl sind bereits die Chancen für einen Bewerber aus der Privatwirtschaft abzulesen.

Die Texte enthalten in der Regel exakte Angaben über die gewünschten Bewerbungsunterlagen, gelegentlich aber auch nur den Hinweis auf die ‚üblichen' Unterlagen. Sie reichen vom Lebenslauf, Lichtbild und Zeugniskopien sowie Handschriftprobe über Referenzen bis zu Geburts- und Heiratsurkunden. In manchen Fällen werden auch beglaubigte Zeugnisabschriften, der Lebenslauf in doppelter Ausfertigung, ein exakter Tätigkeitsnachweis und Ähnliches verlangt. Es ist sinnvoll, diesen Wünschen genau zu folgen. Wenn ‚übliche' Unterlagen angefordert werden, ohne Spezifizierung, dann kann man neben dem Bewerbungsanschreiben einen tabellarischen, vollständigen Lebenslauf mit Lichtbild und die kompletten Zeugniskopien einsenden. Ist ein ‚exakter Tätigkeitsnachweis' gewünscht, dann muß eben die Überschrift des Lebenslaufes von ‚Tabellarischer Lebenslauf' in ‚Exakter Tätigkeitsnachweis' geändert werden. Können nicht alle Unterlagen termingerecht eingereicht werden, ist ein Hinweis erforderlich, daß die fehlenden Unterlagen bis zu einem bestimmten Zeitpunkt innerhalb der Bewerbungsfrist nachgereicht werden.

Zur Zeit erhält der Öffentliche Dienst auf seine Anzeigen hin eine Vielzahl von qualifizierten Zuschriften. Die Chancen für Bewerber mit unvollständigen Unterlagen sind dadurch geringer, weil eine Einstufung anderer Bewerber in die Spitzengruppe aufgrund von kompletten Unterlagen mit erkennbaren Voraussetzungen und Kriterien schneller und leichter durchgeführt werden kann.

Für das Bewerbungsanschreiben und den tabellarischen

Lebenslauf / exakten Tätigkeitsnachweis sowie die Zeugniskopien gelten die gleichen Grundsätze wie bei einer ‚normalen' Bewerbung (siehe Seite 50ff.).

Da die Abgabe der Bewerbung auf Anzeigen von Behörden / Öffentlichem Dienst in der Regel an einen genauen Termin gebunden ist, empfiehlt es sich, die Sendung per Einschreiben aufzugeben, damit jederzeit ein Nachweis über die Einhaltung der Bewerbungsfrist möglich ist.

Etwa vierzehn Tage bis drei Wochen nach Eingang der Bewerbung bei der Behörde erhält der Bewerber eine Eingangsbestätigung oder in manchen Fällen auch schon einen Zwischenbescheid. Durch das stark formalisierte Verfahren der Auswahl müssen die Kandidaten eine längere Wartezeit bis zum Vorstellungstermin einkalkulieren. Bei höheren Positionen kann sich diese Frist noch verlängern, da oft politische Entscheidungen mit ins Spiel kommen.

Mitarbeiter des öffentlichen Dienstes sind je nach Status – Angestellte oder Beamte – verschiedenen Tarifen zugeordnet. Angestellte werden nach dem Bundesangestelltentarifvertrag (BAT) bezahlt; Beamte nach der Bundes- oder Landesbesoldungsordnung.

Insbesondere für Fach- und Führungskräfte aus der Privatwirtschaft, die eine Position im öffentlichen Dienst anstreben, ist es ratsam, sich den Bundesangestellten-Tarifvertrag (BAT) zu beschaffen. Er regelt das gesamte Dienstrecht der Angestellten des öffentlichen Dienstes, das zwar zum Arbeitsrecht gehört, aber doch viele Regelungen des Beamtenrechts enthält.

Für Bewerber aus der Privatwirtschaft ist der BAT ausschlaggebend. Er ist in die Gruppen Ia bis X eingeteilt, wobei Ia die höchste und X die niedrigste Gruppe ist. Zu der Gruppenvergütung, die nach Alter und Dienstzugehörigkeit gestaffelt ist, kommt noch der Ortszuschlag hinzu, der wiederum in mehrere Stufen eingeteilt ist: ledig, verheiratet, ein Kind und so weiter. Konkrete Gehälter für einzelne Besoldungsgruppen können darum nicht verallgemeinernd genannt werden, die Summe richtet sich nach den individuellen Gegebenheiten. Einige Beispiele aus Stellenausschreibungen bieten jedoch Anhaltspunkte. Sie sind in der folgenden Tabelle zusammengefaßt:

Beruf	Angestellter (BAT)	Beamter
Betriebswirt (grad.)	Vb	A 9
Gehobener Sachbearbeiter	Va/Vc	A 9
Sozialarbeiter/Sozialpädagoge	IVb/IVa	A 9/A 10
Inspektor/Verwaltungsangest.	IVb	A 9/A 10
Oberinspektor/Ingenieur	IVa/IVb	A 10
Amtmann/Gruppenleiter	IVa/III	A 11
Hauptabteilungsleiter	III	A 12
EDV-Organisator	III	A 12
Fachbereichsleiter	II	A 13
Werkleiter	II	A 13
Bürgermeister		A 15/A 16

Bewerbung als Beschäftigungsloser

Das Thema ‚Arbeitslosen-Bewerbung' erfordert eine breitere Hintergrund-Diskussion, denn es handelt sich hier nicht um eine übliche Bewerbung, bei der man als selbstverständlich voraussetzt, daß sich der Bewerber aus einem festen Arbeitsverhältnis heraus bewirbt.

Sofort verfügbar

Der Arbeitsmarkt mit der permanent hohen Anzahl von Arbeitslosen hat bei Bewerbern und Bewerbungen zu Formulierungen geführt, die man bis Anfang der siebziger Jahre nicht kannte. Es geht dabei um die Umschreibung der Tatsache, daß der Bewerbungschreiber zum Zeitpunkt seiner Bewerbung beschäftigungslos ist. Die meistgebrauchte Formel dafür lautet: ‚Ich bin sofort verfügbar.' Eine Abwandlung heißt so: ‚Ich könnte kurzfristig bei Ihnen eintreten' oder: ‚Terminlich bin ich nicht gebunden.' Warum schreibt man nicht einfach: ‚Ich bin zur Zeit arbeitslos'? Warum werden hier Ersatzformeln gewählt?

Man will auch als Bewerber ein Wort vermeiden, das negative Assoziationen weckt. Das macht sich der arbeitslose Bewerber meist nicht so deutlich klar, aber allein die Tatsache, daß er dem ominösen Wort im Zusammenhang mit sich selbst und seiner Bewerbung ausweicht, zeigt, daß es auch für ihn einen negativen Sinn hat. In solchen Trends kommt eine Veränderung der Vorstellungen aus der Zeit der Vollbeschäftigung zum Ausdruck. Dies wird in manchen Publikationen schon als der neue Verteilungskampf oder der heimliche Bürgerkrieg zwischen solchen, die eine Position haben und solchen, die keine haben, dargestellt. Auf eine einfache Formel gebracht, liegt in diesem Meinungstrend die Vorstellung, daß alle Erfolgreichen und Leistungsfähigen eine Position haben, alle anderen keine haben. Auf die Spitze getrieben, ergibt sich ein neues Beurteilungskriterium für Bewerber: Hat er eine Position oder hat er keine?

Aus der Sicht des Bewerbers ist diese Beurteilung, diese Selbsteinschätzung, zustandegekommen durch die insgesamt negative ‚Presse' zum Thema Arbeitslosigkeit, durch die Fragestellung pauschal: Wer sind denn das, die Arbeitslosen? Dabei haben sich eine Reihe von Klischees, vorgefaßten Meinungen herausgebildet, die sich verfestigen. Der arbeitslose Bewerber muß mit ihnen rechnen. Oft haben sich diese Klischees auch schon beim Bewerber festgesetzt und sei es auch nur als die Vorstellung, daß einer, der eine gesicherte Position hat, irgendwie etwas ‚Besseres' ist, als einer, der arbeitslos und auf Unterstützung angewiesen ist.

Diese Vorstellungen belasten einen Bewerber schon beim Abfassen seiner Zuschrift, insbesondere vor dem Hintergrund anderer denkbarer und wahrscheinlicher Bewerbungen von Leuten, die sich aus einer sicheren, erfolgreichen

Position heraus ebenfalls bewerben. Mit denen muß er konkurrieren. Sie sind zur Zeit der Bewerbung erfolgreich, er nicht.

‚Gute' Gründe gibt es nicht

Für den Personalchef, den Empfänger der Bewerbungen, gibt es keine ‚guten' Gründe, aus denen deutlich wird, warum ein Stellungsuchender längere Zeit arbeitslos ist. Wenn er ein guter Mann ist, dann kann man sich zwar vorstellen, daß er, von einer überraschenden Pleite getroffen, seine Position verloren hat. Aber einmal sind völlig überraschende Pleiten von einer bestimmten Position in der Hierarchie an nicht mehr so überraschend (oder sollten es jedenfalls nicht sein), das heißt, man hätte Zeit gehabt, um sich etwas Neues zu suchen. Zweitens zeigt jeder dieser Pleitefälle, daß die wirklich guten Kräfte nach einem Firmenzusammenbruch vom ‚Markt' sofort aufgenommen wurden. Der ‚Markt' sind hier die Firmen am Platz oder die Branchenkonkurrenz, die auf Firmenzusammenbrüche meist mit Stellenangeboten reagieren. Man kann sich auch vorstellen, daß jemand von sich aus, etwa aus persönlichen Gründen, eine Position kündigt. Dann hat er in der Regel sechs Wochen, oft mehr, Zeit, um sich eine neue Position zu suchen. Wenn er wirklich gut ist . . .

Man kann sich schon kaum noch vorstellen, daß jemand ‚wegrationalisiert' wird oder ‚wegfusioniert'. Wenn er wirklich gut gewesen wäre, hätte man ihn wohl kaum ‚wegrationalisiert'.

Irrtum/falsche Markteinschätzung

Man kann sich vorstellen, daß sich jemand irrt, der meint, er könne seine sichere Position aufgeben, ein zweijähriges Studium zum Betriebswirt (grad.) machen und dann wieder ohne Schwierigkeiten in eine weit bessere Position einsteigen.

Dieser Irrtum mag für Berufsanfänger oder Jungakademiker noch vorstellbar sein, für Fach- und Führungskräfte mit mehrjähriger Praxis kaum noch.

Auch eine falsche Markteinschätzung, etwa, daß in Zukunft wesentlich mehr EDV-Fachkräfte benötigt werden, kann man nur bedingt als Grund für die eigene Arbeitslosigkeit vorbringen. Von einer Fach- und Führungskraft wird ein bestimmtes Urteilsvermögen erwartet. Wer nicht in der Lage ist, seinen eigenen ‚Markt' richtig abzuschätzen, wie sollte der zum Beispiel den Markt für ein bestimmtes Produkt abschätzen können? Wer sich in seinem eigenen, persönlichen Bereich in so gewagte Spekulationen einläßt . . .

Wunschvorstellungen und Realität

Der folgende Fall ist konstruiert, er beruht aber auf mehreren Beispielen aus der Praxis. Er zeigt deutlich, wie eine falsche Markteinschätzung und damit verbunden eine realitätsferne Selbsteinschätzung zur Arbeitslosigkeit von längerer Dauer führen kann: Kurzporträt: Diplom-Ingenieur, Landmaschinenbau, 36 Jahre, Diplom mit ‚ausreichend'. Verlust des Arbeitsplatzes durch Fusion seines Unternehmens mit einem Konzern (wegfusioniert). Letzte Position in der Entwicklung von Hackfruchterntemaschinen.

Empfehlung: Flexibel sein in der Branche und Position, eventuell zurückstecken, um zunächst einmal der Arbeitslosigkeit zu entgehen. Empörte Reaktion: Zur Arbeitsaufnahme empfiehlt man einem Diplom-Ingenieur auch einen Branchenwechsel und eine Anpassung an die verschlechterten wirtschaftlichen Verhältnisse. Das läuft doch darauf hinaus, einem Diplom-Ingenieur eine Position zu empfehlen, die nicht genau seiner Ausbildung und seiner speziellen Erfahrung entspricht. Er müßte einen neuen potentiellen Arbeitgeber davon überzeugen, daß er auch für eine Laienarbeit sein Geld wert ist.

Angenommen, dem Diplom-Ingenieur gelingt es, eine für

ihn branchenfremde, eventuell standesunwürdige und miserabel honorierte Arbeit zu finden, so hätte er damit doch nur erreicht, daß er als Nichtarbeitsloser versuchen kann, sich wieder in seine Branche und seine vorherige Position durchzuschmuggeln. Was aber, wenn das Durchschmuggeln nicht gelingt? Wenn Personalchefs diejenigen Bewerber bevorzugen, die branchentreu sind und dadurch ihre Fachkenntnisse immer auf dem letzten Stand halten? Dann hat am Ende der branchenfremde Diplom-Ingenieur nur noch eine Möglichkeit: Er bleibt als eine billige Kraft zum Anlernen in dem für ihn fremden uninteressanten und unbeliebten Gebiet tätig. Dazu kommt das Risiko, daß er als Neueingestellter bei eventuell anstehenden Entlassungen als erster wieder dran sein wird. Weiterhin kann dieses Experiment, wenn es schiefgeht, negative Auswirkungen auf das Arbeitslosengeld haben. Das trifft dann zu, wenn man in der neuen Position weniger verdient als in der vorigen. Warum das Risiko eingehen, eine mindere Position zu finden, für ein im Prinzip dem derzeitigen Arbeitslosengeld fast gleiches Nettoeinkommen?

Kommentar: Selbst wenn dieser Diplom-Ingenieur den Vermittlungsbemühungen des Arbeitsamtes längere Zeit entgeht, wird er spätestens nach 312 Tagen der Arbeitslosenhilfe anheimfallen und den damit verbundenen Bedürftigkeitsprüfungen. Er wird nach längerer Arbeitslosigkeit wesentlich mehr Schwierigkeiten haben, in eine – wie immer geartete – neue Position zu kommen als zu Beginn seiner Arbeitslosigkeit. Und woher soll er während der Arbeitslosigkeit die Informationen und Erfahrungen beziehen, durch die er sich ständig auf dem laufenden hält, um einer ‚standesunwürdigen' Arbeit zu entgehen? Das krampfhafte, unflexible Festhalten an der Vorstellung: diese Position, die du zuletzt innehattest, mußt du mindestens wieder erhalten, versperrt die Wege heraus aus der Arbeitslosigkeit.

Diese hier skizzierte Einstellung, die Verbindung zwischen falscher Markteinschätzung und Überschätzung der eigenen Möglichkeiten, verbunden mit einer beachtlichen Unflexibilität und der trügerischen Sicherheit der Arbeitslosenunterstützung führt sicherlich nicht zu einer neuen Position, eher zu der folgenden Situation.

Ohne Arbeit werde ich krank

Auch dieser Fall ist konstruiert, beruht aber auf Fällen aus der Praxis: ‚Nach sieben Jahren Berufspraxis als Physiker habe ich ein Zusatzstudium begonnen, um eine breitere Wissensbasis und damit die Ausgangsposition zum weiteren Aufstieg zu schaffen. Den Abschluß dieses Studiums habe ich nicht geschafft. Danach schrieb ich Bewerbungen, um in meinem Beruf als Physiker wieder unterzukommen. Aber da ich auf ein bestimmtes Gebiet spezialisiert war, blieb meine Stellensuche bisher erfolglos. Seit Mitte letzten Jahres bin ich arbeitslos. In den nächsten Tagen habe ich einen Termin beim Förderungsberater. Ich habe schon an Umschulung gedacht. Die Arbeitsvermittlung beim Arbeitsamt ist gegen eine Umschulung, weil nach deren Ansicht erneut Arbeitslosigkeit droht. Aber ohne etwas zu unternehmen werde ich krank. Ich werde 36 Jahre und bin ledig. Eine Ausbildung als Physiklaborant habe ich mit ›gut‹ abgeschlossen. Meinen Physiker habe ich dagegen nur mit ›ausreichend‹ geschafft. Darum ist es für mich trotz meiner Berufspraxis schwer, wieder in meine alte Position zurückzukommen. Was soll ich tun?‘

Kommentar: Dieser Mann hat schon den Zustand erreicht, in dem ihm andere Einsatzmöglichkeiten nicht mehr abwegig und standesunwürdig erscheinen. Er jagt aber trotz vieler vergeblicher Bewerbungen immer noch hinter einer Position her, die er früher einmal innehatte. Einer Position, die er verließ, um über ein Zusatzstudium weiter aufzusteigen. Er ist noch nicht zu der Einsicht gekommen, daß er einem Phantom nachjagt. Warum versucht er nicht, sich eine neue Ausgangsbasis zu schaffen, indem er auf seinen Abschluß als Physiklaborant zurückgeht? Hiermit hätte er wesentlich bessere Chancen, eine Position zu finden. Aber er ist offensichtlich noch unfähig, sich von Wunschvorstellungen zu trennen, sich neu zu orientieren, weg von einer engen Spezialisierung und weiter ‚unten' noch einmal mit breiterer Basis neu zu beginnen.

Warum sind Sie schon so lange arbeitslos?

Eine andere, oft anzutreffende Fehlhaltung läßt sich etwa so skizzieren: ‚Ich bin seit einigen Monaten arbeitslos. Vorher war ich Erster Programmierer bei einem mittleren Unternehmen. Ich habe schon sehr viele Bewerbungen geschrieben. Wenn ich einmal zur Vorstellung gebeten wurde, fragte man mich immer, warum ich schon so lange arbeitslos sei. Wie soll ich mich da verhalten? Auf meine Bewerbungen auf Anzeigen ›Chefprogrammierer‹ oder ähnliche Positionen erhalte ich nur Absagen. Ich bewerbe mich darum auch schon mal um einfache Sachbearbeiter-Positionen, nur um wieder unterzukommen und einen Weg zu finden, meine frühere Position wiederzuerlangen. Wenn ich dann den Firmen diese Gründe erkläre, muß ich mir immer wieder sagen lassen, was nützt es uns, Sie einzustellen, wenn wir doch nur Übergangsstation für Sie sind. Durch diese Einstellung verliert man die Lust, überhaupt zu arbeiten. Ich suche eine interessante Position, in einem interessanten Gebiet mit interessanten Leuten. Nicht irgendeinen Job.'

Kommentar: Auch hier kommt die typische Grundhaltung durch: Im Hintergrund steht eine Wunschvorstellung, die sich nicht realisieren läßt. Der Bewerber drückt sich vor dieser Einsicht mit dem Hinweis auf die bösen Arbeitgeber, die ihn eben einfach nicht wollen.

Lösungsvorschlag

Angesichts der geschilderten Bedeutung der Tatsache, daß man sich aus einer festen Position heraus bewirbt und angesichts der sich verfestigenden Meinung, daß jemand, der arbeitslos ist, nur noch bedingt in Frage kommt, muß der erste Schritt sein: heraus aus der Arbeitslosigkeit und in eine feste Position hinein! Es ist dabei nicht so entscheidend, ob es sich um eine der letzten Position adäquate Stelle handelt, ob sie entsprechend dotiert wird, ob die Branche noch stimmt und so weiter. Hier kommt es darauf an, so schnell wie möglich wieder eine Position zu erlangen, also den Zustand der Arbeitslosigkeit nicht andauern zu lassen und darauf, je nach Angebotslage auf liebgewordene Wunschvorstellungen zu verzichten. Das Ziel, sich in eine grundlegend bessere Ausgangslage zu bringen als die des Arbeitslosen beim neuen Sprung nach vorn, rechtfertigt diesen Verzicht. So klar dieser Ansatz ist: zunächst heraus aus der Arbeitslosigkeit in eine wie immer geartete Position als Sprungbrett für die Bewerbung um eine neue, dauerhafte Aufgabe!

So schwer fällt offensichtlich vielen dieser Schritt. Wenn einer vor seiner Arbeitslosigkeit Abteilungsleiter mit Prokura war, dann braucht er oft zu lange, um sich zu der Vorstellung durchzuringen, daß ein neuer Sprung nach vorn ein Zurückgehen zum Anlauf erfordert. Er braucht, um in diesem Bild zu bleiben, oft viel zuviel Zeit, um überhaupt einzusehen, daß er einen neuen Sprung machen muß, daß er sich mit einem für einen neuen Arbeitgeber interessanten Angebot bewerben muß.

Der Klärungsprozeß von diesen ersten Schritten, den Enttäuschungen, daß ihn niemand als Geschäftsführer haben will, wo er doch als Abteilungsleiter und Prokurist praktisch die Vorstufe dazu schon geschafft hatte, daß man ihn sogar anzüglich fragt, warum er denn zur Zeit keinen Arbeitsplatz habe, daß er auch von Firmen, mit denen er früher so gut zusammenarbeitete nur ausweichende Antworten auf seine

Angebote bekommt, dieser Klärungsprozeß dauert meist zu lange. Oft kommt dann noch als Zwischenstufe, bevor man anfängt flexibel zu werden, den Markt genau zu studieren, dazu, daß man sich an das Arbeitsamt wendet. Aber auch das Arbeitsamt kann in der Regel nicht sofort helfen. Das führt bei vielen nicht nur zu einer pessimistischen und resignierenden Gesamteinstellung gegenüber ihrem eigenen Können und Vermögen, sondern verlängert auch mit jedem Tag die arbeitslose, die schreckliche Zeit.

Es geht zunächst darum, eine Position zu finden, gleichgültig welche. Es ist sinnlos, einer ‚entsprechenden' Position als Arbeitsloser nachzurennen, einer, die der letzten Position vor der Arbeitslosigkeit äquivalent ist. Dabei läuft nur die Zeit davon, und die zunehmende Dauer der Arbeitslosigkeit wird als negatives Argument immer schwerwiegender.

Ist erst einmal eine, wie immer geartete, feste Position erreicht (und sei es mit begrenztem Arbeitsvertrag oder auf freier Mitarbeiterbasis), hat sich die Situation grundlegend verändert. Man ist kein Arbeitsloser mehr.

Dem Zeitargument, also der Dauer der Arbeitslosigkeit, kommt hier großes Gewicht zu. Denn es ergeben sich nach der Dauer der Arbeitslosigkeit beurteilt zwei Gruppen: die kurzfristig, vorübergehend Arbeitslosen und die langfristigen Dauerarbeitslosen. Geht man davon aus, daß hier die Rede von Fach- und Führungskräften ist, also von Leuten, bei denen von Ausbildung und Praxis her alle Voraussetzungen für eine qualifizierte Tätigkeit gegeben sind, dann könnte höchstens noch das Altersargument für eine längere Dauer der Arbeitslosigkeit herhalten. In allen anderen Fällen von längerer Arbeitlosigkeit kann der Verdacht auf Unflexibilität, falsche Vorstellungen und Kurzsichtigkeit aufkommen.

Solche Überlegungen stellt auch der Personalpraktiker, der Empfänger von Bewerbungen an. Wenn er am 3. April die Bewerbung eines Ersten Programmierers bekommt, dessen Arbeitsverhältnis nach seinem Lebenslauf am 30. März endete, dann wird er nach den Gründen forschen. Angenommen, diese sind neutral, also zum Beispiel überraschender Konkurs der Firma, dann ist dieser Mann für ihn interessant, fachliche Qualifikation und Bewährung in der alten Stelle vorausgesetzt. Beim gleichen Fall mit einem Bewerber, der schon ein Jahr arbeitslos ist, wird der Personalchef abwinken, weil er annimmt, daß der Kandidat fachlich nicht mehr Spitze ist. Er wird als ehemaliger Erster Programmierer, mit einem Jahr Arbeitslosigkeit belastet, bei einer Bewerbung um die Position eines Chefprogrammierers eine Absage erhalten. Bewirbt er sich dagegen für die einfachere Position eines Operators, könnte er eine Chance erhalten. Dieses Vorgehen kostet ihn eine deutliche Einbuße in den Einkommenserwartungen und im beruflichen Status. Um diesen Preis entkommt er aber der Arbeitslosigkeit.

Natürlich werden die zur Vermeidung einer langen Beschäftigungslosigkeit eingegangenen Engagements nicht immer Vorstufen der letzten Position davor sein. Sie können in ganz andere Richtung gehen, wie etwa bei dem Leiter der Konstruktion, der nach überraschendem Verlust seines Arbeitsplatzes als Verkaufs-Ingenieur in den Außendienst geht. Welche grundsätzlichen Einwände gibt es gegen einen solchen Wechsel, dem als Alternative eine lange Arbeitslosigkeit mit allen geschilderten negativen Folgen gegenübersteht? Das starre Festhalten am einmal erreichten Hierarchiestand und am Beruf läuft doch, weitergedacht, darauf hinaus, daß etwa ein Maschinensetzer auch dann noch eine Position als Linotype-Bleisetzer anstrebt, wenn es überhaupt keine oder wenig Bleisetzmaschinen mehr gibt.

Zusammenfassen: Wer als qualifizierte Fach- und Führungskraft arbeitslos wird, muß diesen Zustand so rasch als möglich überwinden, indem er unter Umständen sogar seinen bis dahin erreichten Status nach Hierarchie, Einsatzgebiet und Branche zugunsten von Positionen aufgibt, die stark angeboten werden. Je nach Marktlage kann er eine Vorstufe seiner ehemaligen Position anstreben, um von da aus wieder aufzusteigen, oder er muß seinem Ausbildungsberuf und seiner Erfahrung entsprechend ein ganz anderes Einsatzgebiet wählen, ein Einsatzgebiet, für das ein starkes Stellenangebot besteht. Das Ziel, aus dem Stand der Arbeitslosigkeit heraus die gleiche Position wie vorher zu erreichen – aktiv durch Bewerbungen, passiv durch Warten auf das Arbeitsamt –, wird in der Regel nicht erreicht. Die Dauer der Arbeitslosigkeit verlängert sich, und damit verringern sich die Chancen, selbst eine andere, einfachere Position zu bekommen.

Die Form der Bewerbung

Das Bewerbungsanschreiben sollte kurz sein und keinen Hinweis auf die Arbeitslosigkeit des Bewerbers enthalten. Es besteht lediglich aus den genauen Anschriften von Absender und Empfänger sowie dem Text, daß man sich hiermit um die bestimmte ausgeschriebene Position bewirbt; alle Einzelheiten seien den beigefügten Unterlagen zu entnehmen. Bei dem bestehenden Vorurteil gegenüber freien Bewerbern wäre es unklug, gleich im Anschreiben auf den kritischen Punkt hinzuweisen. Der Bewerbungsempfänger soll zunächst einmal den Lebenslauf studieren, so wie er das mit dem Lebenslauf eines ‚normalen' Bewerbers tut. Der tabellarische Lebenslauf bringt es dann mit der letzten Position an den Tag. Hier muß exakt angegeben werden, wann das letzte Arbeitsverhältnis endete. Es ist nicht empfehlenswert, hier etwa zu frisieren, indem der falsche Eindruck erweckt wird, man sei noch bei einem bestimmten Unternehmen als ... zur Zeit tätig, oder zuletzt tätig als ... bei einem Unternehmen des ... Solche Formulierungen können den Bewerbungsempfänger nicht lange täuschen, insbesondere dann nicht, wenn auch noch das entsprechende Zeugnis des letzten Arbeitgebers als Kopie beigelegt wird.

Über die letzte Position sollte dem tabellarischen Lebenslauf eine ausführliche (eine Seite lang) Aufgabenbeschreibung der letzten Stelle beigefügt werden. Als Formulierung für den frühesten Eintrittstermin empfiehlt sich: ‚Sofort verfügbar; arbeitslos seit dem soundsovielten.' Es ist sinnvoll, dieser Zeile noch eine Erklärung zuzufügen, aus der ein plausibler Grund für die Arbeitslosigkeit deutlich wird. Zum Beispiel: überraschender Konkurs der Firma Müller oder Verlagerung der Produktion ins Ausland.

Der ist zu groß für uns

Bei der Bewerbung als Arbeitsloser um eine Stelle, die deutlich unter der zuletzt eingenommenen Position liegt, muß man mit dem skeptischen Einwand des Personalchefs: der ist doch zu groß für uns und die hier ausgeschriebene Aufgabe, rechnen. Das gleiche gilt bei einem Wechsel des Einsatzgebietes. Es ist empfehlenswert, auf solche zu erwartenden Einwände im Lebenslauf stichwortartig einzugehen. Als Platz dafür eignet sich der Schluß des tabellarischen Lebenslaufes, im Anschluß an die Formulierung des frühesten Eintrittstermins. Hintergrund des folgenden Beispiels soll eine Ausbildung und Praxis als Redakteur einer großen Regionalzeitung sein, und die Bewerbung um die Position eines Mitarbeiters der Public-Relations-Abteilung. Der Schluß des tabellarischen Lebenslaufes könnte dann lauten:

Frühester Eintrittstermin	sofort verfügbar, arbeitslos seit dem 1. 7. 1991
Grund	Einstellung der Müllerheimer Ausgabe der Meierheimer Zeitung und Auflösung der eigenständigen Zentralredaktion; Übernahme eines Materndienstes für den Textteil

Warum gebe ich meine Laufbahn als Redakteur auf und sehe in der PR-Arbeit meine Zukunft? Weil ich nach meiner Praxis und mit meinem handwerklichen Können in der Industrie größere Entfaltungs- und Entwicklungsmöglichkeiten sehe, als in der durch weitere Konzentration bedrohten Presselandschaft.

Mehr Text ist hier nicht erforderlich, auch keine tiefschürfenden philosophischen Hintergrundsdiskussionen der Lage. Der Bewerbungsempfänger möchte sehen, ob der Kandidat seinen Einsatzgebietswechsel bewußt und mit positiver Zielsetzung vornimmt oder als Verlegenheits-/Zwischenlösung.

Der in diesem Beispiel skizzierte Einsatzgebietswechsel entspricht den Möglichkeiten, die zum Beispiel Ingenieure im Verkauf oder Ärzte im Produktmanagement der Pharmaindustrie, Juristen als Verwalter von großen Wohnanlagen, Bankkaufleute im EDV-Vertrieb haben. Alle diese Möglichkeiten des Marktes haben ein gemeinsames Grundmuster: Sie bieten für einen bestimmten Ausbildungsberuf eine Einsatzmöglichkeit, die man als unkonventionell bezeichnen kann. Gegen diese Einsatzmöglichkeiten sprechen oft sehr starke Gründe aus dem jeweiligen Standesbewußtsein und dem bei manchen Berufen herausgebildeten Ethos. Mit diesem Standesbewußtsein muß sich die Fach- und Führungskraft auseinandersetzen und sie überwinden, um wirklich positiv einen, wenn auch unkonventionellen neuen Berufsweg zu gehen.

Ich möchte zurück in meinen alten Beruf

Nicht empfehlenswert ist folgende Strategie: Man hat nach kurzer Arbeitslosigkeit in einem neuen Einsatzgebiet eine Aufgabe gefunden und nach der erfolgreich durchgestandenen Probezeit einen unbefristeten Arbeitsvertrag erhalten. Statt nun auf diesem Weg konsequent weiterzugehen, verfällt man in Nostalgie und beginnt Bewerbungen auf Stellenangebote zu schreiben, die der letzten Position entsprechen. Das geht dann oft so weit, daß auch noch in der Bewerbung geschrieben wird: Ich möchte zurück in meinen alten Beruf. Entweder der ‚alte Beruf' wurde und wird in Stellenangeboten gesucht, dann fragt man sich, warum Sie nicht gleich bei einem anderen Unternehmen dort wieder eingestiegen sind, oder es handelt sich um einen kaum gesuchten Beruf, dann beweist die Nostalgie Kurzsichtigkeit.

Es ist sinnvoller, bei drohender oder bestehender Arbeitslosigkeit eine Neuorientierung des Einsatzgebietes überlegt und langfristig zu planen. Wenn der Markt für den ‚alten Beruf' schlecht oder überhaupt nicht mehr gegeben ist, dann muß man sich einem neuen Einsatzgebiet konsequent und ohne Nostalgie verschreiben.

Die Möglichkeiten der Arbeitsämter / der Arbeitsvermittlung

Man soll als Arbeitsloser oder von Arbeitslosigkeit Bedrohter grundsätzlich die Möglichkeiten der Arbeitsämter in Anspruch nehmen, aber immer kombiniert mit eigenen Aktivitäten. Dabei sollten die eigenen Aktivitäten immer an erster Stelle stehen und die Möglichkeiten der Arbeitsämter als Ergänzung verstanden werden. Für die Arbeitsämter gibt es aufgrund des § 53 des Arbeitsförderungsgesetzes (AFG) einen ganzen Katalog von Möglichkeiten zur ‚Förderung der Arbeitsaufnahme'. Dazu gibt es noch die FdA-Anordnung des Verwaltungsrates der Bundesanstalt für Arbeit vom 18. 12. 1969, letzte Änderung vom 1. 1. 1992.

Im einzelnen der § 53 AFG:

(1.) Die Bundesanstalt kann für Arbeitssuchende zur Förderung der Arbeitsaufnahme folgende Leistungen gewähren:

1. Zuschuß zu den Bewerbungskosten,
2. Zuschuß zu Reise- und Umzugskosten,

3. Arbeitsausrüstung,
4. Trennungsbeihilfe, wenn die Arbeitsaufnahme die Führung eines getrennten Haushalts erfordert,
5. Überbrückungsbeihilfe bis zur Dauer von zwei Monaten,
6. Begleitung bei Sammelfahrten zur Arbeitsaufnahme an einem auswärtigen Beschäftigungsort,
7. Sonstige Hilfen, die sich zur Erleichterung der Arbeitsaufnahme als notwendig erweisen.

An Stelle einer Leistung nach den Nummern 1,2,3,5 oder 7 kann auch ein Darlehen gewährt werden.

(2.) Die Bundesanstalt kann die in Absatz 1 genannten Leistungen auch Berufsanwärtern gewähren, die sie in ein Ausbildungsverhältnis vermittelt.

(3.) Leistungen nach den Absätzen 1 und 2 dürfen nur gewährt werden, soweit die Arbeitssuchenden die erforderlichen Mittel nicht selbst aufbringen können. Die §§ 37, 38 und 47 Abs. 2 (wenn andere Stellen die Leistung gewähren) gelten entsprechend.

(4.) Die Bundesanstalt kann durch Anordnung Vorschriften zur Durchführung der Absätze 1 und 2 erlassen. Dabei kann sie bestimmen, daß Leistungen nach Absatz 1 einen bestimmten Höchstbetrag nicht übersteigen dürfen und auf Familienangehörige ausgedehnt werden können, sowie unter welchen Voraussetzungen und in welchem Umfang Leistungen zur Aufnahme einer Arbeit im Ausland gewährt werden können.

Die Einschränkung des Absatzes 3 besagt, daß das Arbeitsamt in jedem Fall entscheiden muß, wie weit die finanziellen Möglichkeiten des einzelnen reichen. Bei Arbeitslosen, die Arbeitslosengeld oder Arbeitslosenhilfe erhalten, dürften allerdings die Voraussetzungen für die Gewährung der Leistungen gegeben sein. Denn bei diesem Personenkreis besteht ein besonderes Interesse, sie so rasch wie möglich wieder in eine Arbeitsstelle zu vermitteln.

Aus der FdA-Anordnung des Verwaltungsrates der Bundesanstalt vom 18. 12. 1969, letzte Fassung vom 1. 1. 1992 ergeben sich folgende Leistungen für den arbeitslosen Bewerber:

(Die Leistungen werden auf Antrag gewährt, zuständig ist das Arbeitsamt am Wohnsitz des Antragstellers, die Leistungen werden als Zuschuß gewährt, sie dürfen nicht gewährt werden, wenn die Umstände des Einzelfalles erwarten lassen, daß der angestrebte Leistungszweck nicht erreicht wird.)

Bewerbungskosten

Als Bewerbungskosten können insbesondere die Kosten für das Anfertigen und Versenden von Bewerbungsunterlagen übernommen werden. Das können Kosten für Fotokopien sein, für Klarsichtfolien, Bewerbungsmappen und Porto. Für einen Antragsteller sollen innerhalb von sechs Monaten nicht mehr als DM 400,– gewährt werden.

Reisekosten

Das sind in erster Linie Vorstellungskosten. Der Arbeitslose bekommt sie nur dann ersetzt, wenn die Firma, bei der er sich vorstellt, nicht die Reisekosten übernimmt. Die Erstattung wird immer erfolgen, wenn die Firma den Arbeitslosen in aller Form auffordert, sich bei ihr vorzustellen. Wenn der Arbeitslose sich aber bei einer Firma, von der er meint, sie könnte eine Stelle für ihn haben, ohne ausdrückliche Aufforderung vorstellt (zum Beispiel, wenn er sich vorher per Telefon angeboten hat und erklärt, daß er auch gerne mal vorbeikommen wolle), dann kann die Bundesanstalt die Kosten für die Reise, für Verpflegung und Übernachtung übernehmen. Der Arbeitslose muß glaubhaft machen, daß seine Vorstellung eine echte Chance bedeutete, das heißt, daß der ‚Leistungszweck' hätte erreicht werden können. Die Bundesanstalt trägt auch dann die Reisekosten einschließlich der Übernachtungs- und Verpflegungskosten des Arbeitslosen, wenn er eine Arbeit an einem auswärtigen Ort aufnimmt; etwa dann, wenn er in München wohnt, aber in Hamburg einen Arbeitsplatz gefunden hat. Wenn sich dabei innerhalb von sechs Wochen herausstellt, daß es ohne sein Verschulden in Hamburg nicht klappt und dort auch keine andere zumutbare Stelle zu bekommen ist, dann zahlt die Bundesanstalt auch die Rückreise nach München. Es werden die Fahrtkosten der niedrigsten Klasse des zweckmäßigsten öffentlichen Verkehrsmittels übernommen. Mögliche Fahrpreisermäßigungen sind zu berücksichtigen. Für die Kosten der Verpflegung und Übernachtung gilt die Reisekostenstufe A für Bundesbeamte. Reisekosten, die entstehen, weil der Arbeitssuchende minderjährig ist und eine Begleitperson mitfahren muß, werden ebenfalls übernommen.

Fahrtkostenbeihilfe

Bei Arbeitslosen, die eine auswärtige Arbeit aufnehmen, kann eine Fahrtkostenbeihilfe bis zu 50% der entstehenden Fahrtkosten bis zu einem Jahr gewährt werden.

Umzugskosten

Wenn der Arbeitslose in einem von seinem Wohnort weiter entfernten Ort eine Arbeit finden könnte, dazu aber umziehen muß, dann können von der Bundesanstalt die Umzugskosten übernommen werden, und zwar die Kosten des zweckmäßigsten Transportes des Hausrates. Darüber hinaus die Reisekosten, die den Familienangehörigen entstehen, um an den neuen Wohnort zu kommen. Das gilt dann nicht, wenn der neue Arbeitgeber die Umzugskosten übernimmt.

Arbeitsausrüstung:

In allen Fällen, in denen der arbeitslose Arbeitnehmer zur Aufnahme der Arbeit in seinem bestimmten Beruf eine Arbeitsausrüstung und üblicherweise auch bestimmte Arbeitskleidung mitbringen muß, springt die Bundesanstalt ein, wenn er diese Ausrüstungen nicht mehr hat und auch nicht die Mittel, um sie zu kaufen. Für Arbeitskleidung können bis zu DM 300,– und für Arbeitsgerät bis zu DM 500,– übernommen werden. Um billige Härten zu vermeiden, können diese Beträge in begründeten Einzelfällen bis zur doppelten Höhe gewährt werden.

Überbrückungsbeihilfe

Unter Überbrückungsbeihilfe wird in der Regel ein Darlehen verstanden, mit dem der vermittelte Arbeitslose den Zeitraum überbrückt, der zwischen seinem Arbeitsantritt und der ersten Lohn-/Gehaltszahlung liegt. Damit soll in diesem Zeitraum der Lebensunterhalt des Arbeitnehmers und seiner Familie sichergestellt werden. Außerdem sollen damit Kosten gedeckt werden, die im Zusammenhang mit der Arbeitsaufnahme entstehen. Als Überbrückungsbeihilfe wird für den Lebensunterhalt bis zu DM 1000,– pro Monat gewährt. In Ausnahmefällen darf die Überbrückungsbeihilfe auch als Zuschuß gewährt werden, der nicht mehr zurückgezahlt werden muß.

Sonstige Hilfen

Darunter wird verstanden: ein Zuschuß zum Erwerb eines geeigneten Beförderungsmittels, wenn der Arbeitslose darauf angewiesen ist und eine angemessene Eigenbeteiligung ermöglichen kann.

Arbeitsaufnahme im Ausland

Wenn sich herausstellt, daß der Arbeitslose im Ausland eine Stelle finden könnte, dann kann die Bundesanstalt Reisekosten bis zur deutschen Grenze übernehmen bei Vorstellung, Anreise zum Arbeitsplatz, auch für nachkommende Familienangehörige, weiterhin Umzugkosten bis zu DM 1 000,–, Überbrückungshilfe bis zu DM 1 000,– für längstens einen Monat sowie Trennungsbeihilfe bis zu DM 50,– wöchentlich für längstens drei Monate.

Vermittlungseinrichtungen der Bundesanstalt

Hier ist für Fach- und Führungskräfte die Zentralstelle für Arbeitsvermittlung in Frankfurt da, sie vermittelt überregional gehobene und akademische Berufe. Bei dieser Behörde gibt es:
Das Büro Führungskräfte der Wirtschaft.
Die Akademiker-Vermittlung, gegliedert in folgende Fachgebiete:

Human- und Veterinärmediziner, Zahnärzte, Apotheker
Rechts-, Wirtschafts- und Sozialwissenschaftler
Naturwissenschaftler
Geisteswissenschaftler
Diplom-Ingenieure aller Fachrichtungen
Schwerbehinderte aus diesen Berufen.

Die Vermittlungsstelle für deutsche Rückkehrer aus dem Ausland.
Den Zentralen Stellen- und Bewerberanzeiger (Markt und Chance):

Dieser erscheint wöchentlich und enthält Stellengesuche und Stellenangebote. Der Arbeitslose kann hier kostenlos eine Stellengesuchsanzeige einschalten.

Die Zentrale Bühnen-, Fernseh- und Filmvermittlung.
Die Zentrale und Internationale Fachvermittlungsstelle für Hotel- und Gaststättenpersonal.

Alle diese Stellen findet man bei der Zentralstelle für Arbeitsvermittlung in Frankfurt/Main, Feuerbachstraße 42 bis 46, Telefon 0 69 / 7 11 11.

Die innerbetriebliche Bewerbung

Über die innerbetriebliche Bewerbung gibt es im Betriebsverfassungsgesetz einen Paragraphen, den § 93. Er lautet: Ausschreibung von Arbeitsplätzen. Der Betriebsrat kann verlangen, daß Arbeitsplätze, die besetzt werden sollen, allgemein oder für bestimmte Arten von Tätigkeiten vor ihrer Besetzung innerhalb des Betriebes ausgeschrieben werden. Danach wird der Arbeitgeber prüfen, ob eine vakante Stelle durch Versetzung von Arbeitnehmern aus dem gleichen Betriebsteil besetzt werden können. Nach dem Gesetz soll so dem Arbeitnehmer, der schon im Betrieb tätig ist, die Möglichkeit gegeben werden, seiner Neigung und Eignung entsprechend den für ihn besten Arbeitsplatz zu finden. Parallel mit der innerbetrieblichen Ausschreibung kann eine Ausschreibung in Tageszeitungen stattfinden. Der Bewerber aus dem Betrieb hat keine Sonderstellung gegenüber dem über eine Anzeige gekommenen Bewerber. Damit wird allerdings nur eine der Möglichkeiten angedeutet, im eigenen Betrieb einen Wunsch nach einer neuen Position, nach einem Aufstieg deutlich zu machen. Ein gelegentliches Gespräch mit dem Personalchef oder dem direkten Vorgesetzten über die mittel- und langfristigen Entwicklungsmöglichkeiten kann ebenfalls sinnvoll sein. Bei Großunternehmen gibt es auf Grund eines Personalbeurteilungssystems regelrechte Karteien von förderungswürdigen und entwicklungsfähigen Mitarbeitern.

Der Regelfall wird allerdings meist ein Arbeitnehmer sein, der mit seinem Arbeitsplatz mehr oder weniger zufrieden ist. Wenn er aufsteigen will, dann verbindet er das meist mit dem Gedanken an einen Wechsel des Arbeitgebers. Das liegt oft daran, daß es auch dem Arbeitgeber zunächst näherliegt, den Arbeitnehmer statisch zu sehen als einen, der eine bestimmte Funktion oder Aufgabe immer wahrnimmt, ohne Entwicklung oder Veränderungsabsicht. Bewirbt sich ein Arbeitnehmer bei ihm, dann sieht er zunächst den vakant werdenden Platz dieses Mannes, für den er neu suchen muß. Er könnte sogar die innerbetriebliche Bewerbung mißverstehen, als Absicht des Arbeitnehmers, auf jeden Fall aus der derzeitigen Position herauszuwollen, entweder, indem er bei ihm eine neue Stelle bekommt oder indem er kündigt.

Um sich nicht durch solche Mißverständnisse selbst zu schaden, ist es erforderlich, der innerbetrieblichen Bewerbung eine genaue Informationsphase vorauszuschicken. Zunächst geht es dabei um die Frage, ob der eigene Vorgesetzte mit einer Veränderung innerhalb des Betriebes einverstanden wäre. Schon hier können die ersten Schwierigkeiten auftreten, wenn der Vorgesetzte den Wechsel seiner ausgezeichneten Fachkraft B zur Abteilung seines Konkurrenten als Schwächung der eigenen Position empfindet. Er wird dann zunächst alles unternehmen, um deutlich zu machen, daß der B bei ihm nicht abkömmlich und auch langfristig kaum zu ersetzen sei. Darüber hinaus wird er, je nach seiner Art, den Versuch des B als einen Vertrauensbruch ihm gegenüber empfinden.

Eine weitere Frage muß klar werden: ob der innerbetriebliche Aufsteiger nicht zu einer bestimmten Schicht zu rechnen ist, die von der Ausbildung und Betriebszugehörigkeit sowie vom Einsatzgebiet her mit ihm gleich ist. Dann würde sein innerbetrieblicher Aufstieg zu einem Präzedenzfall, auf den sich viele Mitglieder der Schicht berufen könnten, obwohl man deren Wünsche nicht erfüllen kann. Es war eben nur dieser eine höhere Posten frei. In diesem Fall wird die Unternehmensleitung sicher den Posten mit einem externen Bewerber besetzen.

Ein Abwägen muß dazukommen: ob man sich nicht mit dem Streben nach einer bestimmten Position innerhalb des Betriebes Scheuklappen anlegt und alle Chancen außerhalb des Betriebes, größere Chancen, einfach nicht mehr sieht, weil man fixiert ist. Sind alle Voraussetzungen gegeben, der Vorgesetzte dem Vorhaben gegenüber wahrscheinlich positiv eingestellt, innerbetriebliche Unruhen für die Unternehmensleitung nicht zu befürchten, bessere Chancen außerhalb des Unternehmens nicht denkbar . . ., dann sollte man die innerbetriebliche Bewerbung mündlich machen, in einer Form, die es dem oder den Vorgesetzten ermöglicht, die Sache als ihr eigenes Produkt der Unternehmensleitung vorzutragen. So als wisse der Bewerber noch nicht, was man mit ihm vorhabe. So, daß die Unternehmensleitung fragt: meinen Sie denn, der B wäre mit einer solchen Veränderung überhaupt einverstanden?

Die Frage nach dem Wie der erfolgreichen innerbetrieblichen Bewerbung ist die Frage nach den Gründen dafür, daß bestimmte Leute aufsteigen und andere, fachlich genauso tüchtige, eben nicht. Sie läßt sich nicht mit Formalien beantworten. Es hängt hier zuviel an den Umständen des Einzelfalls und den besonderen Fähigkeiten und Begabungen des betreffenden Aufsteigers.

Zusammenfassend kann man sagen, daß die innerbetriebliche Bewerbung in Form einer schriftlichen Offerte in Großunternehmen und als Antwort auf eine regelrechte innerbetriebliche Stellenausschreibung am Schwarzen Brett oder in der Firmenzeitung denkbar ist. Es sind dann alle Punkte einer ‚normalen' Bewerbung zu beachten. In allen anderen

Fällen entspricht eine innerbetriebliche Bewerbung dem Versuch aufzusteigen. Dabei entscheiden die Umstände des Einzelfalls, und Glück muß auch dazukommen. In jedem Fall ist große Umsicht und Klugheit erforderlich.

Bewerber-Ärger

Im Zusammenhang mit einer Bewerbung treten immer wieder Situationen auf, Umstände, die zu einer Verärgerung des Bewerbers führen. Dabei gibt es Mißverständnisse auf beiden Seiten, beim Absender und beim Empfänger der Bewerbung.

Die Laufzeit

Der Bewerber sollte wissen, daß die Laufzeit einer Anzeige, also der Zeitraum, während dessen noch Zuschriften eingehen, im Durchschnitt bei sechs Wochen liegt. Die stellenanbietenden Firmen wissen das und haben zwei Methoden: entweder sie warten sechs Wochen ab, ohne sich zu rühren, oder sie geben sofort nach Eingang Zwischenbescheide beziehungsweise Absagen an alle, die überhaupt nicht in Frage kommen. Die interessanten Bewerber müssen dann ebenfalls warten. Die Firmen sollten wissen, daß es nicht statthaft ist, einen Bewerber in der Erwartung, es könnte klappen, ungebührlich lange hinzuhalten. Sechs Wochen sollte die äußerste Frist für eine definitive Nachricht sein, also eine Absage oder den ausdrücklichen Hinweis, Sie sind in der engeren Wahl, bitte gedulden Sie sich noch einige Tage.

Die Behandlung der Bewerbungsunterlagen

Bewerbungsunterlagen müssen wie wichtige Dokumente pfleglich behandelt werden. Es ist nicht empfehlenswert, die nicht passenden Bewerbungen irgend einer Schreibkraft mit dem Auftrag zu geben: Wenn Sie mal gar nichts zu tun haben, schicken Sie den Kram zurück. Es soll Fälle gegeben haben, in denen diese Schreibkraft dann in der gleichen Schublade Zuschriften und ihr Frühstück deponierte. Das war natürlich eine Ausnahme. Ein Trend in dieser Richtung ist allerdings bei manchen Firmen wohl vorhanden.

Es ist empfehlenswert, jede Zuschrift so aufzubewahren, daß sie nicht beschädigt oder verschmutzt werden kann und daß sie komplett in ihrem ursprünglichen Zustand mit allen Unterlagen zusammenbleibt. Es kommt sonst vor, daß die Bewerbung zwar zurückgeschickt wird, daß aber Teile fehlen, zum Beispiel das Lichtbild oder Zeugnisse oder der Lebenslauf. Gerade das Lichtbild scheint ein Problem zu sein, wenn es nicht am Lebenslauf festgeklebt ist oder auf der Rückseite die genaue Anschrift und den Namen des Bewerbers trägt.

Nicht empfehlenswert ist es auch, seine ersten Eindrücke auf den Rand oder quer über die Bewerbungsunterlagen zu schreiben (Der ist wohl größenwahnsinnig, bei welcher Klitsche arbeitet der eigentlich? – Spinner! – und so weiter). Die schon genannte Schreibkraft wird solche treffenden und geistreichen Bemerkungen meist nicht mehr entfernen können und die Bewerbung eben so zurückschicken. Das kann ein juristisches Nachspiel haben.

Die Weitergabe von Bewerbungsunterlagen

Bewerbungsunterlagen dürfen nicht beliebigen Personen und auf keinen Fall betriebsfremden Personen zugänglich gemacht werden. Das erkennbare Interesse des Bewerbers richtet sich nur darauf, daß die Unterlagen denjenigen Personen zugänglich gemacht werden, die sich mit seiner eventuellen Einstellung zu befassen haben. Die Bewerbung darf auch nicht an ein anderes, vielleicht befreundetes Unternehmen weitergegeben werden, weil der ursprüngliche Empfänger vielleicht nicht interessiert ist. In solchen Fällen muß vorher das Einverständnis des Bewerbers eingeholt werden.

Die Rücksendung der Bewerbungsunterlagen

Hat der Bewerbungsempfänger entschieden, daß er mit dem Bewerber keinen Arbeitsvertrag abschließen will, so muß er die Unterlagen, die im Eigentum des Bewerbers stehen, an diesen unverzüglich zurückschicken. Zu den Bewerbungsunterlagen gehören außer dem Anschreiben alle Unterlagen, die der Bewerber an den Auftraggeber der Stellenanzeige geschickt hat. Auch Klarsichthüllen, Schnellhefter, Schutzumschläge, in denen der Bewerber seine Unterlagen aufbewahrt und die er mitgeschickt hatte, sind zurückzugeben. Das Bewerbungsanschreiben ist mit der Entgegennahme durch den Bewerbungsempfänger in dessen Eigentum übergegangen und braucht nicht zurückgegeben zu werden.

Was geschieht mit Bewerbungsfragebogen?

Fragebogen, die der Arbeitgeber dem Bewerber zum Ausfüllen geschickt hat, sind Eigentum des Arbeitgebers. Der Bewerber kann darum nicht grundsätzlich verlangen, daß der Arbeitgeber den Fragebogen nach einer Absage an ihn herausgibt. Enthält der Fragebogen jedoch Angaben des Bewerbers, die seine Privatsphäre in besonderer Weise berühren, zum Beispiel Angaben über Vorstrafen, uneheliche Kinder oder Schulden, so ist das Interesse des Bewerbers an der Herausgabe des Fragebogens bei weitem höher einzuschätzen als das Interesse des Arbeitgebers, Eigentümer des Fragebogens zu bleiben. In diesem besonderen Fall muß er ihn an den Bewerber herausgeben.

Die Vorstellung

Als Einführung in das Thema ein Ausschnitt aus dem Drehbuch zum FAZ-Video II:

‚Das Vorstellungsgespräch'

Szene 1: Groß von oben: Die Hände der Regisseurin und des (hier nur angedeuteten Producers) kommen in einer Slow-motion-Aufnahme aufeinander zu und greifen zur Begrüßung ineinander. *Musikakzent.* Die Titel werden eingeblendet. Dann schwenkt die Kamera (wieder Realtime) aus einer langsamen Rückfahrt hoch auf die freundlich lächelnde Regisseurin. Aus dem Hintergrund treten Gabi und Markus, den Producer begrüßend, hinzu (halbnah). Im Hintergrund Umbauten.

Regisseurin (reagiert beschwichtigend auf die vorhergegangene [gedachte] Entschuldigung des Producers für sein Zuspätkommen. Die Stimme der Regisseurin beginnt leise, wird eingeblendet):
... nein, nein, wir freuen uns, daß sie überhaupt kommen konnten! (Gabi und Markus nicken freundlich bestätigend. Die Regisseurin augenzwinkernd weiter.) ... und wir haben nicht untätig auf Sie gewartet, wie Sie sehen werden! (Sie legt den beiden kameradschaftlich ihre Hände auf die Schultern und stellt sie dem Producer vor, indem sie sich ihnen jeweils ein bißchen deklamierend zuwendet.) Ich bin sicher, unsere Gabi hier kommt ihrer Rolle als Informatikerin, als Speziali-

stin, die sich zum Aufbau einer Datenbank beworben hat, schon ziemlich nahe ... (Zu Gabi) ... oder?

Gabi (selbstbewußt und kritisch):
Na ja, ich denk schon. Aber wir sind natürlich nicht perfekt und machen sicher die gleichen Fehler im Bewerbungsgespräch wie unsere Zuschauer ...

Regisseurin (bedeutend zum Producer):
Genau aus diesen Fehlern sollen unsere Zuschauer lernen. (Stellt Markus vor.) ... und Markus ist Vater zweier Kinder, treusorgender Ehemann, ... (Sie fragt ihn persönlich, und er nickt bestätigend.) ... biste tatsächlich, ne? – (Weiter deklamierend.) Sein Beruf Maschinenbauer, er will Abteilungsleiter werden in der Konstruktion ...

Markus (zeigt, daß er die Rolle spielen kann [theatralisch, aber nicht aufdringlich]):
Immerhin habe ich zehn Jahre Berufserfahrung auf dem Bukkel. Diesen Aufstieg wird man mir doch wohl gönnen?! (Die Regisseurin lacht, dreht sich dann ernst nach hinten um.)

Regisseurin (ruft in die Kulisse):
Bühne fertig?

Stimme (aus dem Off):
Alles klar. (In einer Halbtotalen gibt die Regisseurin, die sich neben Markus an den Rand der Bühne kniet, Jörg am Mischpult am Bühnenrand ein Zeichen. Er zieht mehrere Hebel gleichzeitig herunter. Das Licht erlöscht.)

Regisseurin (Schemenhaft ist zu erkennen, wie sie sich zur Kamera umdreht [Ranschnitt]. Sie flüstert dem Producer zu):
Sie sehen jetzt Markus einen Tag vor seinem Vorstellungsgespräch beim Personalberater.

Musik: Aufblende und Fahrt (groß) an ca. 20 deutsch- und englischsprachigen Buchtiteln zu Bewerberfragen vorbei, die auf einem Wohnzimmertisch liegen. Dazwischen Werbebroschüren vom Gedächtnistraining über leistungssteigernde Medikamente bis zu diversen technischen Zeichnungen. Abgekaute Bleistifte, mengenweise abgebrochene Minen, ein umgekipptes Tuscheglas und mehrere Zigaretten, die Markus unkonzentriert in verschiedenen Aschenbechern hat verglimmen lassen (sie qualmen noch), zeugen in ihrer starken Überzeichnung von Markus' zwanghafter Vorbereitung – seiner Ratlosigkeit.

Eine Kamerarückfahrt in eine Halbnahe eröffnet uns zunächst den Blick auf eine dicht hinter dem Tisch stehende, beschriebene Flip-Chart – die Aufzeichnungen eines Rhetorikkurses.

Mögliche Skizze auf der Flip-Chart:

Sender > *Information* > Verschlüsselung
(= Sprecher)

Informationsübertragung

> Entschlüsselung > *Information* > Empfänger
(= Hörer)

Von oben (die Kamera fährt nach unten): Auf dem Boden zwischen Tisch und Flip-Chart liegt ein großer Stadtplan ausgebreitet, auf dem mit Signalfarbe der offensichtlich kürzeste Weg zum Unternehmen eingezeichnet ist, bei dem sich Markus vorstellen wird. Auch U-Bahnstationen und Busbahnhöfe sind markiert.

Eine aufgeklebte Collage des futuristischen Firmenkomplexes zeigt das Ziel an. Am Start stehen: ein Miniaturfahrrad, ein Miniaturfußgänger, ein Miniaturbus und ein Miniaturzug. Am Ziel steht nur ein Miniaturauto (jeweils mit Magneten angebracht).

Die Kamera folgt (groß) dem gekennzeichneten Weg, bis

sie am Rand der Karte auf ein Paar Hausschuhe stößt. Hier schwenkt sie hoch auf Markus, der – eine laufende Stoppuhr in der Hand – in diesem Moment vom *Geräusch der geöffneten Zimmertür* erwacht und sich diszipliniert im Sessel aufrichtet.

Schnitt auf Markus' Frau *Sabine*, die mit einem Tablett (Tee, Kekse, Erdbeeren ...) auf Markus zuläuft – ihre kichernden Söhne (vier und sechs Jahre alt) im Hintergrund. In der Totalen (von hinten über Markus' Schulter) sehen wir jetzt einen Fernseher vor ihm und eine Videokamera, die auf ihn gerichtet ist. Die Kamera überträgt Markus live auf den Monitor.

Markus (deutet mit der flachen Hand kopfschüttelnd auf den Monitor. Zu Sabine, die ihm tröstend übers Haar streicht):
Ich glaube nicht, daß es gut ist, sich den ganzen Tag lang selbst zu beobachten. (Zieht den Hals ein, sein Gesicht schmerzverzerrt.) Ich bin so verspannt wie 'n Pferdedieb vor dem Jüngsten Gericht!

Sabine (schenkt ihm Tee ein, schmunzelnd):
Mit dem Unterschied, daß Du Dich auf ein Bewerbungsgespräch gezielter vorbereitest als auf ein Leben nach dem Tod! (Die Kinder setzen sich auf Markus' Schoß, greifen seine Hände, um ihn zum Kampf herauszufordern. Gedankenversunken kann er nicht auf sie eingehen.) Ilona hat heute mittag angerufen, als Du noch in der Firma warst: ihr Mann hat's geschafft – er ist jetzt Abteilungsleiter ... (Markus wird hellhörig, scheint etwas fragen zu wollen.) Ich habe natürlich meine Ohren gespitzt und mich schlau gemacht ...

Markus (die Kinder sitzen jetzt ruhig auf den Armlehnen und hören zu):
Ja, und?

Sabine (umfassende Geste, etwas deprimiert):
Ich will Dich nicht noch mehr verunsichern, aber offenbar haben wir so ziemlich alles falsch gemacht ...

Die Regisseurin läuft jetzt vom Rand der Bühne mit einem Klemmbrett auf Sabine zu. Erstmals sehen wir in der Totalen, daß die Bühne in zwei Hälften unterteilt ist, die linke ist noch dunkel. Konturen deuten auf einen Umbau hin.

Regisseurin (enttäuscht tippt sie mit einem Kugelschreiber auf ihre Aufzeichnungen):
In der letzten Probe hast Du ihm zu Recht 'nen Hoffnungsschimmer gegeben ... Es ist doch noch nicht zu spät ...

Sabine (hat einen Einfall):
O. k.

Die Regisseurin zieht sich erwartungsvoll-zögernd an den Bühnenrand zurück.

Sabine holt aus einem Koffer Broschüren, Bücher, Kopien, Briefe ... noch erkennen wir nichts Genaues.

Markus und die Kinder sehen gespannt in Sabines Richtung.

Sabine (geht an den Tisch und schiebt mit dem Ellenbogen die Bücher über Konstruktionstechnik und die technischen Zeichnungen beiseite):
Dein Fachwissen ist Grundvoraussetzung für den Job. Aber was, wenn Sie Dich fragen: ‚Was wissen Sie über unser Unternehmen?' (Markus kommt neugierig zu ihr, die Kinder im Schlepptau. Er sucht nach einer Antwort, doch sie übergeht ihn und legt die Unterlagen auf den Tisch, die sie aufzählen wird. Sie zeigt jeweils das Cover und schlägt dann die betreffende Seite auf, die sie mit Lesezeichen gekennzeichnet hat.) Nach dem Gespräch mit Ilona habe ich mich sofort auf den Weg gemacht ... (Legt den Hoppenstedt auf den Tisch.) Den Hoppenstedt gibt's in jeder Stadtbücherei ... (Schlägt betreffende Seite auf.) ... und hier erfährst Du die Größe, das Produktionsprogramm und die Gesellschaftsform von ... (demonstrativ) ... in Deinem Fall – Gabelmann und Scherer KG,

Maschinenbau. (Markus ist sichtlich überrascht und greift nach dem Buch.) Das ist noch nicht alles: (Legt die bezeichneten Unterlagen als Fächer auf den Tisch.) Die Prospekte der Firma ... (Blättert sie durch.) ... mit Beschreibungen und Fotos von den einzelnen Abteilungen ... und sogar von den Abteilungsleitern ...

Markus (strahlt vor Freude):
Die sehen aber sympathisch aus.

Sabine (fährt fort):
Es geht noch weiter: (Legt ihm diverse Wirtschaftsmagazine vor.) Ich habe die Seiten gekennzeichnet, in denen Du etwas über ‚Deine' Firma erfährst ... z. B. über den Umsatz oder deren Marktstrategien ... und ... (ein Stapel Zeitungen) ... ein Wust von Anzeigen, in dem Du entdecken wirst, welche Stellen die Firma noch ausschreibt ... (Die Kamera umfährt den Tisch, vor dem sich Sabine aufrichtet und Markus in seine ausgebreiteten Arme fällt.)

Markus (glücklich, erleichtert):
Du hast mir das Leben gerettet! (Die beiden drehen in ihrer Umarmung eine Pirouette, die Söhne am Rockzipfel.)

Langsam fährt die Kamera in eine Ausgangstotale zurück. Wir sehen die Regisseurin Jörg am Mischpult ein Zeichen zum Lichtwechsel geben. Das Licht auf Sabine und Markus dimmt ab, während ein Lichtkegel auf Gabi auf der linken Bühnenhälfte fällt.

Regisseurin (im Vordergrund groß in die Kamera [zum Producer]):
Ich werde später etwas dazu sagen, ich lasse das jetzt erst mal durchlaufen ...

SZENE 2:

Gabi liegt im Gymnastikanzug auf halber Höhe der Pyramiden neben einem Ghettoblaster. Langsam wird sie von der Kamera umfahren. Ihre Hand drückt die Starttaste. Zu *klassischer Musik* erhebt sich ihr Körper effektvoll zu einer ‚Kerze' und verharrt so einige Sekunden.

Musikalisch untermalt ertönt Gabis Stimme vom Band.

Gabis Stimme (einfühlend, beruhigend wie Yoga-Animation): Nun ist also Dein großer Tag. Für Dich sollte das aber kein Grund sein, nervös zu werden, denn Du bist gut vorbereitet. (Von oben sehen wir Gabi bestätigend nickend mit geschlossenen Augen auf dem Boden liegen.) In zwei Stunden wirst Du Dich einem Personalberater vorstellen, ... und in einer Stunde holt Dich Deine Freundin Anne ab ...

Die Repräsentation

Dieses Wort ist besser als Vorstellung. Sie präsentieren sich von Ihrer besten Seite und werden meist auch den Herren der Geschäftsleitung präsentiert. Das Ganze beginnt meist etwas steif oder gezwungen forsch. Sie können aber schon einen ganz wesentlichen Punkt für sich verbuchen. Man hat Sie eingeladen. Man hat sich auf Sie eingerichtet. Man hat sich Zeit genommen für Sie. – Kurz, man hat bereits eine Vorentscheidung getroffen für Sie; sonst hätte man Sie nicht eingeladen. Man ist aufgrund Ihrer Bewerbung, der evtl. eingeholten Referenzen und nach dem graphologischen Gutachten der Meinung, Sie seien geeignet.

Lassen Sie sich dadurch aber nicht zu der Ansicht verführen, Sie seien der einzige richtige Mann. Sie können sicher sein, daß man drei bis fünf Herren eingeladen hat. Sie können auch davon ausgehen, daß man eine exakte Vorstellung von dem hat, was man »kaufen« möchte, d. h., so ein Vorstellungstag kann auch mit dem Ergebnis »Null« enden. Die Firma, der Stellenanbieter, ist sich der hohen langlaufenden Investitionen bewußt, über die er dabei beschließen muß. Wenn keiner der eingeladenen Herren wunschgemäß ist, dann hat man viel Zeit verloren, aber keine Fehlentscheidung getroffen. Am nächsten Samstag wird die Position noch einmal ausgeschrieben in veränderter Form.

Der Punkt, den Sie für sich buchen konnten mit der Einladung zur Vorstellung, ist also relativ klein – aber er existiert, und wenn Sie aus fünfzig Zuschriften zusammen mit drei oder fünf anderen Herren übriggeblieben sind, dann ist das schon ein Erfolg.

Die Präsentation ist ein stummes und ein gesprochenes Austauschen von Eindrücken, Gesten, Fragen und Antworten. Der sachliche Teil ist durch Ihre Bewerbungsunterlagen in der Regel weitgehend geklärt. Es können noch Detailfragen kommen zur jetzigen Tätigkeit; ein »Schlagabtausch« unter Spezialisten eines Fachgebietes, um zu sehen, wie firm Sie wirklich sind. Wesentlicher ist »der Eindruck«, den man von Ihnen haben möchte. Dazu hat man Sie eingeladen. Der stumme Austausch von Gesten und Gefühlseindrücken ergibt das entscheidende positive oder negative Ergebnis. Da ist z. B. Ihre Figur: Das Lichtbild gibt darüber keine Auskunft. Es kann eher irreführen. Nehmen wir an, Sie haben sich als Assistent des Vertriebsdirektors beworben, der aber ist 1,65 cm groß, eher zierlich gebaut. Wenn Sie mit Ihren 1,95 cm schon durch die Tür kommen, ist der Mann »erschlagen«. Jedes weitere Wort ist überflüssig. Sie sind ihm einfach zu groß. Beste fachliche Eignung und bester sonstiger persönlicher Eindruck helfen da nichts mehr. Der Mann wird irgendeine Form finden, Sie abzulehnen. Oder drehen wir den Fall um: Der Vertriebsleiter ist ein athletischer, 1,95-cm-Mann mit riesigen Händen, rotem Gesicht und Stiernacken, mit hochgekrempelten Ärmeln und losgebundener Krawatte, er hat eine laute Stimme und zerquetscht Ihnen die Hand zur Begrüßung. Sie haben den Eindruck, daß der Sie gar nicht für voll nimmt. Das hatten Sie sich so nicht vorgestellt. Sie bekommen »Platzangst«, werden verschlossen und zeigen sich nicht mehr von Ihrer besten Seite. Die Sache ist für Sie erledigt.

Nehmen wir noch einen anderen Fall: Sie treffen auf ganz gewöhnliche Mitmenschen, die Ihnen gelockert gegenübersitzen und nach einer freundlichen Begrüßung einige Fragen stellen, auf die Sie gefaßt sind und richtig antworten. Je mehr Sie die Scheu verlieren, um so mehr beginnt Ihr Blick, die Gesprächspartner – die möglichen neuen Chefs – zu mustern. Dabei fällt Ihnen auf, daß der eine, der nur zuhört, bei jeder Ihrer Antworten mit dem linken Augenlid zwinkert. Sie beobachten die Sache schärfer und stellen fest, daß er unabhängig von Ihren Antworten nach bestimmtem Zeitplan zwinkert. Ihre Antworten werden unkonzentriert, weil Sie dem Zwinkerphänomen folgen. Zufällig ergibt sich, daß das Ihr künftiger direkter Vorgesetzter ist. – Sie bitten um eine Unterbrechung des Gesprächs, weil Sie auch das Gefühl haben, zwinkern zu müssen. – Die Vorstellung ist durch das Zwinkern für Sie negativ verlaufen.

In verschiedenen Absätzen wurde auf die Geschmacksfragen der Bewerbungsempfänger hingewiesen. Der Eindruck, den Ihre Bewerbung macht, ist abhängig von dem subjektiven Geschmacksurteil des Lesers. Bei der Vorstellung spielen auch solche subjektiven Geschmacksrichtungen eine große Rolle. Es müssen nicht immer so gravierende Unterschiede sein wie in unseren beiden ersten Beispielen. Auch Kleinigkeiten reichen aus. Nehmen wir an, der Interviewer ist ein durchtrainierter Sportsmann und weiß das und hält viel davon. Wenn Sie dann mit der üblichen Bürohaltung und Blässe sich vorstellen, dann sind Sie nicht mehr in der besten Position. Umgekehrt ist es auch möglich. Nehmen wir an, der nächste Vorgesetzte ist sechzig Jahre alt und hat noch volles Haar, und Sie haben schon eine Glatze. – Sie werden mit Recht fragen, was hat das mit meiner Qualifikation zu tun? – Überhaupt nichts. Aber der Mann mit diesem Glatzentick muß mit Ihnen nicht nur fachlich harmonieren. Sie müssen sich auch menschlich »riechen« können.

Diese Fragen der zwischenmenschlichen Beziehungen stehen im Vordergrund, auch bei der sachlichsten Vorstellung. Sie präsentieren den Inhalt der Floskel »Persönlichkeit«. Sie müssen auch mit Ihrer Motorik, Dynamik, Durchsetzungskraft – mit Ihrem Stil – hemdsärmelig oder distinguiert – in die neue Position passen. Sie müssen der Typ sein, der harmonisieren kann mit den künftigen Mitarbeitern. Sehen Sie diese Fragen zweiseitig. Versuchen Sie nicht nur den Interviewern und Geschäftsführern, mit denen Sie sich unterhalten, ein angenehmer Partner zu sein. Auch Sie müssen evtl. mit diesen Menschen täglich zusammenarbeiten. Prüfen Sie darum auch kritisch, ob Sie das können. An einigen Beispielen sei demonstriert, mit welchem Empfang Sie unter Umständen rechnen müssen.

Ach ja, der Bewerber
Personen: Der Bewerber B, der Personalchef P, der Geschäftsführer G, der Fachmann F.

Vorgeschichte: Die Firma XYZ, ein gut florierendes Unternehmen des Maschinenbaus, stark expansiv, mit erstklassigen Spezialmaschinenprogrammen, benötigt eine Verstärkung in der Konstruktionsabteilung. Der Abteilungsleiter hat schon mehrfach Überstunden angeordnet, aber es langt nicht hinten und nicht vorn. Nach einer langen Rede dieses Konstruktionschefs über rapide verschlechtertes Arbeitsklima durch Überforderung, Nachlassen der Arbeitsqualität und überhöhte Gehaltsforderungen seiner Mitarbeiter, »die wissen, wie nötig wir sie brauchen«, erklärt sich die Geschäftsleitung mit einer Neueinstellung einverstanden, der Personalsachbearbeiter (Lohnabrechnung und Soziales) erarbeitet zusammen mit dem Abteilungsleiter eine Anzeige. Sie erscheint. Ergebnis: fünfzehn Offerten. Sie liegen dem Konstruktionschef vor, und er ist verwundert, was für qualifizierte Kräfte für welches Geld zu haben sind. Das veranlaßt ihn zu einigen »trotzigen« Reden gegenüber seinen Mitarbeitern: »Übrigens, was Sie hier liegen sehen, sind fünfzehn erstklassige Konstrukteure, die bei uns arbeiten wollen – äußerst preiswert, kamen auf unsere Suchaktion. Den einen oder anderen werden wir wahrscheinlich einstellen.« – Damit bewirkt er eine deutliche Veränderung seines Abteilungsklimas und merkt nach einigen Tagen, daß sich offensichtlich die Grundlagen seines dramatischen Appells um Aushilfe und Unterstützung verändert haben – ja, daß sie bei gründlicher Prüfung eigentlich gar nicht mehr bestehen. Er wüßte gar nicht, was er den Neuen geben sollte an Arbeit. So beginnt er die Sache zu verschleppen.

Inzwischen hat sich aber der Gehaltsbuchhalter (und Soziales) als Personalchef betätigt und eine eifrige Korrespondenz eröffnet mit den Bewerbern. Er hat ordentlich bestätigt, Zwischenbescheide gegeben und den ihm gut Erscheinenden auch ausführlicher geschrieben. Er möchte dieses interessante Spiel zu Ende spielen und drängt den Konstruktionschef. Der hatte im ersten Schwung seiner Begeisterung über die Offerten einen Mann als sehr gut bezeichnet. Nach mehreren Besprechungen einigt man sich darauf, den Mann einzuladen. Die Geschäftsleitung ist einverstanden, hat aber keine Zeit. »Ich werde mal kurz reinschauen.« Dieses Rezept erscheint dem Konstruktionschef billig. Er hat zum vorgesehenen Termin auch keine Zeit. Er beauftragt seinen Assistenten: »Haben Sie sowas schon mal gemacht? – Stellen Sie ein paar sachdienliche Fragen zu den einschlägigen Problemen! Ich werde irgendwann mal reinschauen.«

Die Vorstellung

Der Bewerber erscheint. Er meldet sich im Empfang an und wartet. Der Empfang hat den »Personalchef« verständigt.

P an F: »Der Bewerber ist gerade eingetroffen. Sie wissen, die Sache, mit der Sie von Konstruktionschef Z beauftragt wurden.«

F: »Ja, ich erinnere mich, sitzt er bei Ihnen?«

P: »Nein, im Empfang. Wo wollen wir die Sache denn machen? – Bei Ihnen? Oder ist das Besprechungszimmer frei? – Ich werde das mal prüfen und ruf Sie gleich wieder an. Halten Sie sich aber bereit.«

P am Empfang: »Sagen Sie, ist das kleine Besprechungszimmer frei? – Ja! Dann führen Sie den Bewerber doch da rein. Wir kommen gleich.«

P an F: »Er sitzt jetzt im Besprechungszimmer. Kommen Sie bei mir durch, daß wir zusammen runtergehen? – Ja, ich warte.«

F bei P: »So. gehen wir!«

P: »Haben Sie eigentlich die Bewerbungsunterlagen?«

F: »Nein, ich dachte, die wären bei Ihnen – aber vielleicht hat der Konstruktionschef sie. – Ich gehe mal rasch rüber.«

F wieder bei P: »Ja, er hatte sie.«

P: »Was wollten wir den Mann eigentlich fragen. Nach den Unterlagen ist er doch erstklassig?«

F: »Ich dachte, so ein paar Sachfragen.«

P: »Wir sollten uns vielleicht vorher absprechen? – Müßten wir ihn nicht auch nach seinen genauen Forderungen fragen und . . .«

Der »Personalchef« und der »Fachmann« einigen sich nach längerer Diskussion über den Fragenkatalog und begeben sich etwas befangen und unsicher (schließlich macht man sowas nicht alle Tage) zu dem seit einer Stunde wartenden Bewerber. Den hat das »kleine Besprechungszimmer« und die lange Wartezeit schon ziemlich ernüchtert. Die Begrüßung ist steif und abschätzend. Der »Personalchef« eröffnet:

P an B: »Wir bedanken uns recht herzlich, daß Sie gekommen sind. Das ist Herr F., den der Konstruktionschef beauftragt hat mit diesem Gespräch. Mein Name ist Z, ich mache die Personal- und Sozialangelegenheiten in diesem Hause. – Ah« – (Wie soll er jetzt weitermachen? – Da fällt ihm die Anzeige ein:) »Wie Sie wissen, sind wir sehr in Verlegenheit wegen eines Konstrukteurs. Unsere Konstruktion ist völlig überlastet und – – äh – – da muß Abhilfe geschaffen werden (hilfesuchender Blick zu dem Fachmann –). Herr F. wird Ihnen darüber einiges zu sagen haben . . .«

F: »Ich bin der Assistent des Konstruktionschefs und sollte Ihnen vorab vielleicht ein paar Details unsres Produktionsprogramms erläutern. Also wir stellen . . .« (Die Erläuterungen dauern ca. eine halbe Stunde.)

B: (Er hört sich das alles an und beginnt zu ahnen, daß er an die falschen Gesprächspartner geraten ist.) Er versucht einen Ausweg: »Das ist alles sehr interessant, aber könnten Sie mir sagen, wie mein künftiges Einsatzgebiet, meine Arbeit in Ihrem Hause aussehen wird? – Konkret welche Aufgabe? –«

P + F: (Damit ist ihre Kompetenz überschritten, das wissen sie nicht. Außerdem wurde darüber noch nichts gesprochen.) Dem »Personalchef« kommt wieder eine Idee: »Zu diesen Fragen können wir noch nicht konkret Stellung nehmen. Äh – Sie müssen wissen, das hier soll nur ein klärendes Vorgespräch sein.«

B: »Ja, aber wenn ich schon hier bin, könnte ich diese Fragen vielleicht mit dem Konstruktionschef besprechen, oder der Geschäftsleitung?«

P + F: (Die aus der immer peinlicher werdenden Situation herauswollen, greifen nach dem Rettungsring.)

P: »Ja, das könnten wir versuchen. Wir sind ja doch mit den Vorfragen am Ende. – Ich werde einmal versuchen, jemanden zu erreichen.« (Er verläßt das kleine Besprechungszimmer.) Der Bewerber und der Fachmann sitzen sich argwöhnisch und witternd gegenüber. Der Bewerber macht einen Vorstoß:

B an F: »Sagen Sie, sind Sie nicht auch Maschinenbauer von Haus aus?«

F: (erleichtert) »Ja, ich habe in Z studiert, und Sie?« Zwischen B + F ergibt sich über dieses Thema ein erstes gelockertes Gespräch. Beide können sich »riechen«. Während der »Personalchef« verzweifelt versucht, »jemanden« zu erreichen, ergibt sich aus dem Zwiegespräch die Basis einer gegenseitigen Achtung, fast Sympathie. Nach einer halben Stunde taucht der »Personalchef« auf im Kielwasser des Geschäftsführers. Er hat ihn aus einer Besuchergruppe herausgeholt und ihm die Dringlichkeit seines Erscheinens nahegelegt. »Ach ja, der Bewerber, sollte der heute kommen? Wo ist er denn?«

G an B: (Begrüßung sehr freundlich) »Nett, daß Sie gekommen sind. Herr P hat mir kurz berichtet. Leider bin ich sehr in Zeitdruck. Ich habe das ganze Büro voll Besucher stehen. Freut mich aber, Sie kennengelernt zu haben. Besprechen Sie alle Einzelheiten mit den Herren. Wir lassen dann rasch von uns hören – (und verschwunden ist er).«

Je nach Geduld des Bewerbers kann die »Vorstellung« noch einige Zeit dahinplätschern. Dann bedankt man sich, regelt die Frage der Vorstellungskosten und verabschiedet sich.

Ist der Bewerber von dem Fachmann, der einer seiner Vorgesetzten würde, angetan, und der wiederum setzt sich für die

Einstellung des Bewerbers ein, dann kann ein gutes Arbeitsverhältnis daraus werden – selbst nach einer solchen Vorstellung.

Ausquetschen
Personen: wie im ersten Beispiel

Vorgeschichte: Ein bedeutendes Handelshaus sucht einen Chef-Einkäufer für XYZ. Er muß aus der Branche kommen und die Märkte kennen. Denn von ihm wird es abhängen, ob man weiter konkurrenzfähig sein kann auf dem XYZ-Sektor und erstklassige Angebote machen kann. Man hat inseriert und einige gute Zuschriften erhalten; unter anderem das eines Einkäufers der Konkurrenz. Er ist zwar z. Z. nicht auf dem XYZ-Sektor tätig, sondern auf dem Gebiet ZYX, aber er glaubt, für die Position geeignet zu sein. Bei einer Geschäftsleitungs-Besprechung geht man die Einzelheiten der Bewerber durch. Der zuständige Einkaufschef für das ZYX-Gebiet gibt zu bedenken, ob man den Bewerber aus diesem Sektor nicht auch anschauen könnte. Die Konkurrenz habe gerade auf seinem Sektor einen Vorsprung, und dazu würden ihn Einzelheiten interessieren. Die Geschäftsleitung stimmt zu. Man wird sich den Mann nach den anderen Vorstellungen am Schluß ansehen. Besprechungsort ist ein »neutraler Platz«, ein bekanntes, verkehrsgünstig gelegenes Hotel. Der Bewerber wird »in aller Form« eingeladen und erscheint. Der Personalchef eröffnet:

Die Vorstellung:

P: (Begrüßung, Vorstellung der Herren) »Wir danken Ihnen für Ihr Kommen. – Sind Sie mit dem Wagen da?«

B: »Ja, ich habe gleich vor dem Eingang einen Parkplatz gefunden.«

P: »Dann hatten Sie Glück. Wir benutzen meistens das Parkhaus um die Ecke. – Wie lange sind Sie denn gefahren von Z bis hierher?«

B: »Soundsoviel Stunden. Ich fahre einen ABC-Wagen.«

Nach dieser Eröffnung gestaltet sich das Gespräch locker und informativ – man plaudert, der Bewerber wird zutraulich. Der Fachmann greift ein:

F: »Ganz vertraulich können wir Ihnen ja sagen, was uns bewogen hat, Sie einzuladen, obwohl Sie eigentlich aus dem ZYX-Sektor kommen. – Es waren Ihre erstaunlichen Erfolge auf diesem Gebiet, über die wir natürlich informiert sind. Wir könnten uns vorstellen, daß Sie diese Erfolge auch auf dem XYZ-Gebiet fortsetzen können. Wie haben Sie das eigentlich gemacht?«

B: (Der Bewerber ist ganz begeistert von sich selbst. Sollte es möglich sein, daß die Geschäftsleitung der großen Z auf ihn aufmerksam geworden ist?)
»Ja, das waren die Sonderangebote in A und B und C, von denen die ganze Branche sprach. Im Grunde war das ein ganz einfacher Trick. – Ich kann mich doch auf Ihre Vertraulichkeit verlassen?«

F: »Aber selbstverständlich, schließlich werden wir ja wahrscheinlich in Zukunft zusammenarbeiten. Sie gehören doch schon praktisch zu uns . . .«

B: »Also ganz vertraulich . . .« (und dann packt der Mann aus).

Das Gespräch endet in der gleichen netten Atmosphäre wie es begann, man findet scheinbar Gefallen aneinander. Man ist sich praktisch über alle Einzelheiten einig. Man verspricht, rasch einen Vertragsentwurf zu schicken, und man regelt die Vorstellungskosten. – So billig ist man noch nie an eine so gute Information gekommen. Der Geschäftsführer bedankt sich bei seinem Einkaufschef für ZYX für den guten Tip. Im übrigen hat man natürlich schon einen Mann aus den vorhergehenden Vorstellungen »festgemacht«. Den geschilderten Bewerber würde man auch bei bester fachlicher Eignung nie einstellen. Wer sich mit so billigen Tricks die Würmer aus der Nase ziehen läßt, wird auch für andere eine gute Informationsquelle sein. »Erstaunlich, wie der zu seinen Erfolgen kam«, fragen sich die Herren. Sie übersehen dabei, daß sich der Bewerber nicht in seiner gewohnten Umgebung befand, daß er in einer

Ausnahmesituation war. Es ist durchaus wahrscheinlich, daß er in seinem Büro, mit seiner Arbeit befaßt, sich etwa von einem Lieferanten nie so hereinlegen lassen würde. Aber bei der Vorstellung, fast am Ziel seiner Wünsche (und was können da für Wünsche und Hoffnungen dranhängen), vergaß er alle guten Lehrsätze seines Metiers. Wenn er Glück hat, ergeben sich aus seiner »Vertraulichkeit« keine weiteren Folgen. Er kann vielleicht seinem Chef klarmachen, daß die Konkurrenz doch eines Tages auf den Trick kommen würde und daß er nichts damit zu tun hat. – Wie gesagt, wenn er Glück hat.

Zwar nicht – aber ...
Personen: wie oben

Vorgeschichte: Ein Unternehmen des Stahlbaus möchte eine neue kleine Produktion aufbauen. Ein neues Werk wurde gebaut. Man steht kurz vor der Fertigstellung und sucht nun einen Gesamtleiter, der technisch perfekt ist, aber auch die kaufmännischen Belange bewältigen kann. Besonders in der Aquisition, der Montage, der Kalkulation und der Projektbetreuung müssen Praxis da sein. Der Mann muß kein »großes Tier« sein. Die Dotierung hält sich in Grenzen, so wie das ganze Projekt. Man veröffentlicht eine Anzeige und erzielt nur einen mäßigen Erfolg. Die gewünschten Eigenschaften und Kenntnisse zu der vorgestellten Dotierung sind selten in einer Person anzutreffen. Ein Bewerber erscheint aber sehr interessant. Er kommt aus der Branche, hat Erfahrung in der Kalkulation und Projektierung und hat eine Reihe großer Aufträge »durchgezogen«. Von seiner Ausbildung schreibt er nichts. Darüber möchte man noch Genaueres wissen. Man lädt ihn ein.

Die Vorstellung:
P: (Nach der Begrüßung und Vorstellung der Anwesenden) »Wir möchten mit Ihnen über die angebotene Position sprechen. Nach Ihren Unterlagen erscheinen Sie uns geeignet zu sein für die Aufgabe. – Sie haben nur wenige An-

gaben gemacht zu Ihrem Werdegang bis in die jetzige Position. – Wie kamen Sie eigentlich zum Stahlbau?«

B: »Das lag einmal am Beruf meines Vaters, der war Konstrukteur bei Z. Daher stammt meine Freude an der Technik. Aber ich erkannte früh meine Begabung für den Verkauf. In meiner jetzigen Position mache ich praktisch den gesamten Umsatz.«

F: »Welche technische Ausbildung haben Sie eigentlich durchgemacht? – Haben Sie Ihren Ingenieur gemacht?«

B: »Nein, ich habe zwar kein Ingenieur-Studium absolviert, aber bei meiner jetzigen Tätigkeit muß ich z. B. bei den Angeboten alle wichtigen Berechnungen selbst ausführen.«

F: »Aber das müssen Sie sich doch irgendwie angeeignet haben! Das sind doch zum Teil komplizierte Rechnungen!«

B: »Ja, natürlich. In dem Maß, in dem ich in meine jetzige Aufgabe hineinwuchs, eignete ich mir das alles an. Ich habe Ihnen hier eine Angebotsmappe mitgebracht, die gibt Ihnen vielleicht einen Einblick in die Art, wie wir vorgehen.«

F: »Wir hatten schon in der Anzeige gesagt, daß auch die technische Leitung mit übernommen werden muß. Es handelt sich um eine Gesamtleitung techn. und kaufm. Haben Sie schon einmal eine Technikergruppe geführt?«

B: »Nein, zwar habe ich noch keine Techniker-Gruppe geführt, aber in meiner jetzigen Aufgabe muß ich mich täglich mit unseren Ingenieuren auseinandersetzen, und das klappt prima.«

F: »Na schön. Aber wie halten Sie es dann da mit Sachfragen, die zu entscheiden sind?«

B: »Also dafür habe ich ein gutes Beispiel; bei meinem letzten Projekt, dem XYZ, habe ich allein mit den Ingenieuren der Firma Z alle technischen Probleme allein gelöst. Das ging von A-Rechnungen bis zu den Z-Berechnungen. – Aber ich bin der Überzeugung, das Wichtigste ist doch der Verkauf. Erst muß man den Auftrag doch einmal unter Dach und Fach haben.«

F: »Natürlich, richtig. Nehmen wir z. B. die jetzt zur Diskussion stehende Aufgabe. Wir sind zur Zeit bei der Montage der Fertigungsstraße. Könnten Sie da schon mit Ihrem technischen Rat mithelfen?«

B: »In groben Zügen natürlich. Aber besonders würden mich Ihre Markterwartungen interessieren. Das ist eines meiner Spezialgebiete. Es ist mir z. B. gelungen, der Firma A unsere Programme zu verkaufen, obwohl sie sich schon grundsätzlich für eine Aluminiumkonstruktion entschieden hatte. Wenn Sie mal in Z durchkommen, müssen Sie sich das ansehen. Dazu habe ich natürlich auch die Berechnungen durchgeführt.«

So kann sich das Gespräch noch über Stunden schleppen. Der Mann ist interessant, hat aber eine Schwäche auf der technischen Seite. Das Ausmaß dieser Schwäche zu erkennen, ist entscheidend für die Interviewer. Dieses Ausmaß möglichst im unklaren zu lassen, ist entscheidend für den Bewerber. Das Gespräch kann zwei Ausgänge finden. Einmal könnte es dem Bewerber gelingen, die Interviewer zu einer Probezeit zu überreden. Wenn seine »technische Seite« sehr schwach ist, hat er sich damit keinen Dienst erwiesen. Er wird versagen. Ist seine technische Seite gut, dann wird er Schwierigkeiten mit den »ordentlich« Ausgebildeten bekommen. Zum anderen könnten die Interviewer rasch die Geduld verlieren und das Gespräch abbrechen. Große Vorteile kann der »Zwar nicht, aber ...« in keinem Fall herausholen.

Betriebsbesichtigung
Personen: wie oben

Vorgeschichte: Eine bedeutende Druckerei sucht einen Technischen Direktor. Man hat mit einem Kandidaten schon mehrere Vorgespräche geführt. Er erscheint passend für die Position, auch von der Persönlichkeit her ist er eigentlich genau das, was man sich vorgestellt hat. Vor Vertragsabschluß hat man sich auf eine Betriebsbesichtigung geeinigt, damit man noch ein paar Sachfragen diskutieren kann. Man trifft sich wie abgesprochen.

Die Betriebsbesichtigung

F: »Wir beginnen am besten mit der Setzerei: Hier haben wir die Maschinensetzerei mit soundsoviel Linotypemaschinen und soundsoviel Großkegelmaschinen.«

B: »Was haben Sie denn für Schriften auf den Großkegelmaschinen?«

F: »Wir haben z. Z. drei Schriftarten in allen Größenklassen bis herunter zu 24 Punkt eingerichtet.«

B: »Was, Sie haben nicht die Z-Schrift? Aber jede moderne Setzerei ist doch heute mit Z ausgestattet.«

F: »Wir behelfen uns da mit dem Handsatz. Wir werden gleich in die Akzidenzsetzerei gehen, dort werden Sie auch die Z-Schrift finden.«

B: »Im Handsatz! Mit welchen Gewinnspannen kalkulieren Sie eigentlich? Also bei meiner jetzigen Firma ist das ganz anders.«

F: »Hier haben wir jetzt die Mettage ...«

B: »Warum wollen Sie mir denn nicht ihre Tele-Typen zeigen, die gehören doch zu jeder modernen Setzerei?«

F: »Wir arbeiten z. Z. noch ohne Tele-Typer.«

B: »Ohne Tele-Typer!? Aber ...«

Der Geschäftsführer und der Personalchef, die dieser Diskussion mit wachsendem Unbehagen gefolgt sind, versuchen die Lage etwas zu entspannen:

G: »Wir befinden uns in einer Umstrukturierung auf größere Kapazitäten. Das ist mit ein Grund für Ihre Einstellung. Wir sind ganz erfreut über Ihre Anregungen. Aber Sie können überzeugt sein, daß wir bis jetzt mit dieser Ausstattung gut ausgekommen sind.«

B: »Aber ich bitte Sie, das soll natürlich keine Kritik sein. Ich meine nur ...« (Er beschränkt sich die nächsten fünf Minuten auf ein ausdrucksreiches Hochziehen der Augenbrauen. Aber beim Gang von der Mettage in die Akzidenzsetzerei reißt es ihn wieder hin.)

B: »Mein Gott, was sich hier ein Dreck an den Wänden abgesetzt hat. Wie alt ist das Gebäude eigentlich?«

Die Herren beginnen, an der Zuverlässigkeit ihres Urteils über den Kandidaten zu zweifeln. Der Bewerber ist ganz ungerührt, fühlt sich offensichtlich wie zu Hause und beginnt in der Druckerei schon ein Gespräch mit einem Arbeiter.

B: »Na, wie gefällt es Ihnen denn hier. Sind Sie mit Ihrer Arbeit zufrieden? – Was verdienen Sie eigentlich? – Na, darüber wird man einmal sprechen müssen – (und lächelnd zu den Herren:) Man muß den Leuten ja Hoffnung machen.«

Nun brechen die Herren die Betriebsbesichtigung ab. Über diesen Mann muß man sich noch einmal unterhalten. Man verabschiedet sich kühl und verspricht, wieder von sich hören zu lassen. Man ist ganz erleichtert, als er weg ist. Selbst, wenn der Mann aufgeregt war und sein Wissen demonstrieren wollte, lag er völlig schief. Die Zeugnisse und die Vorstellung gaben einen guten ersten Eindruck. Aber die Betriebsbesichtigung hat offensichtlich die Gespanntheit und Konzentration des Bewerbers, die er bei der Vorstellung hatte, gelockert. Andere Wesenszüge kamen durch. Er gab sich, wie er »natürlich« ist. Er ließ seiner Kritiksucht und Besserwisserei freien Lauf. Von den hier skizzierten »Reden« genügt oft eine einzige an der »richtigen« Stelle, um einen greifbar nahen Abschluß zu torpedieren.

Diese Beispiele sollen Ihnen zeigen, wie vielschichtig die Möglichkeiten noch bei der Vorstellung sind. Auch da ist noch alles offen. Die Vorentscheidung hat Sie in die Vorstellung gebracht. In der Vorstellung beginnt noch einmal ein scharfer sorgfältiger Prüfungsprozeß. Die vier skizzierten Fälle haben schon einige Klippen deutlich gemacht. Das folgende Kapitel bringt dazu mehr.

Das Fragerecht des künftigen Arbeitgebers bei der Vorstellung

Aus dem bereits angeführten vertragsähnlichen Vertrauensverhältnis beim Eintritt in Vorverhandlungen zum Abschluß eines Arbeitsvertrages ergibt sich, daß der Bewerber neben seiner fachlichen Eignung auch alle sonstigen für das Arbeitsverhältnis wichtigen Angaben wahrheitsgetreu machen muß. Seine persönlichen Verhältnisse muß er allerdings nicht schrankenlos offenbaren. Hier wird die Grenze durch die Erfordernisse der angstrebten Position bestimmt. So müßte zum Beispiel der Kassierer einen ehemaligen Griff in die Kasse oder der Busfahrer ein zurückliegendes Verkehrsdelikt nennen. Werden solche Dinge, die in direktem Zusammenhang mit der Position stehen, vom Arbeitnehmer verschwiegen, dann kann der möglicherweise zustande gekommene Arbeitsvertrag wegen arglistiger Täuschung angefochten werden.

Eine oft in diesem Zusammenhang auftauchende Frage ist die Erzielung eines höchstmöglichen Gehaltes bei der Vorstellung/Vorverhandlung. Hierzu sei auf zwei LAG-Entscheidungen hingewiesen: LAG Düsseldorf vom 29. 4. 1966 – 4 Sa 8/66 –: »Die vorsätzlich falsche Angabe des bisher bezogenen Gehaltes in der Absicht, dadurch eine höhere Gehaltszusage zu erreichen, berechtigt zur Anfechtung des Arbeitsverhältnisses wegen arglistiger Täuschung.« Ebenso LAG Baden-Württemberg vom 16. 11. 1959 IV Sa 44/59.

Es besteht die Möglichkeit für den Arbeitnehmer, auf ausdrückliche Fragen des künftigen Arbeitgebers nicht oder sogar falsch zu antworten, wenn der künftige Arbeitgeber kein Recht auf die verlangte Auskunft hat. Hierzu gibt es in einem BAG-Urteil vom 5. 12. 1957 interessante Ausführungen, die auch heute als geltende Rechtsmeinung ihre Gültigkeit haben (BAG vom 5. 12. 1957 – I AZR 594/56). Bei dem zugrunde liegenden Fall hatte eine Stenotypistin bei ihrer Einstellungsverhandlung die Frage nach Vorstrafen verneint. Die Antwort war falsch. Denn die Stenotypistin war kurz vor der Einstellung wegen Zugehörigkeit zu der damals verbotenen FDJ gemäß § 129a StGB mit Bewährung zu 2 Monaten Gefängnis verurteilt worden. Als der Arbeitgeber davon erfuhr, focht er den Arbeitsvertrag an. Die Stenotypistin erhob Einspruch und beantragte, den Fortbestand des Arbeitsverhältnisses festzustellen. Sie hatte in allen drei Instanzen Erfolg.

Das Gericht führte aus, daß nicht jede falsche Angabe in einem dem Arbeitnehmer bei der Einstellung vorgelegten Fragebogen eine arglistige Täuschung im Sinne des § 123 BGB darstelle. Die Frage muß zulässig sein. Unzulässig sind indiskrete Fragen, die als Einbruch in die Individualsphäre des Arbeitnehmers anzusehen sind.

Bei der Beurteilung, ob die Frage nach der Vorstrafe im Einzelfall zulässig ist, kommt es darauf an, ob die mit der Vorstrafe zusammenhängende Eigenschaft eine verkehrswesentliche für den zu besetzenden Arbeitsplatz ist. Bei dem Posten einer Stenotypistin war die Erforschung des gesamten Vorlebens der Bewerberin in strafrechtlicher Hinsicht nicht erforderlich.

Das BAG geht insbesondere darauf ein, daß es unzulässig sei, dem Vorbestraften, der sich redlich um einen neuen Arbeitsplatz bemüht, durch einschränkungsloses Befragen in Gewissenskonflikte zu stürzen und ihm damit die Resozialisierung zu erschweren. Nicht für jede Tätigkeit ist die Vorstrafe des Bewerbers ausschlaggebend und Hinweis auf das Fehlen einer verkehrswichtigen Eigenschaft. Wenn ein Arbeitgeber darum ohne sinnvolle Beschränkung auf den für den Arbeitsplatz wichtigen Straftatbestand den Bewerber fragt, so stellt dessen wahrheitswidrige Aussage auf eine unzulässig gestellte Frage keine arglistige Täuschung dar.

Um die Frage nach der politischen Einstellung, insbesondere die Frage nach der Gewerkschaftszugehörigkeit, gab es erhebliche Kontroversen. Es ist aber heute herrschende Meinung, daß diese Fragen unzulässig sind. Nur wenn es um die Tarifzugehörigkeit geht, kann die Frage nach der Gewerkschaft gestellt werden, nicht aber, um einen solchen Bewerber etwa von der Einstellung auszuschließen.

Die Frage nach der Schwangerschaft muß von der Bewerberin nicht wahrheitsgemäß beantwortet werden. Im Anschluß an die neuere Rechtsprechung des EuGH im Urteil vom 08.11.1990 (EuGHE 1990, 3941–3977) hat das BAG durch Urteil vom 15.10.1992 (2 AZR 227/92) seine sogenannte „gespaltene Lösung" aufgegeben und vertritt nunmehr die Auffassung, daß die Frage nach der Schwangerschaft vor Einstellung einer Arbeitnehmerin in der Regel eine unzulässige Benachteiligung wegen des Geschlechts enthält und damit gegen das Diskriminierungsverbot des § 611 a BGB verstößt, gleichgültig ob sich nur Frauen oder auch Männer um den Arbeitsplatz bewerben. Der Senat neigt allerdings dazu eine Anfechtung durchgreifen zu lassen, wenn das eingegangene Vertragsverhältnis überhaupt nicht realisiert werden kann, d.h. wenn die Bewerberin für die angestrebte Arbeit objektiv nicht geeignet ist. Als Beispiel werden genannt, die Tätigkeit als Mannequin oder einer Tänzerin oder auch in Fällen, in denen Beschäftigungsverbote nach dem Mutterschutzgesetz einer Beschäftigung der Bewerberin entgegenstehen, oder in denen von vornherein eine Tätigkeit z.B. in einem befristeten Arbeitsvertrag wegen sogleich eintretender Mutterschutzfristen, Erziehungsurlaub etc. nicht möglich ist.

Fragebeispiele der heiklen Fragen

1. Was wissen Sie über unsere Firma?
2. Warum wollen Sie für unsere Firma arbeiten?
3. Was könnten Sie für uns leisten? Was glauben Sie, können Sie tun, was ein anderer nicht kann?
4. Was reizt Sie an unserer Firma? Was erscheint Ihnen am wenigsten reizvoll?
5. Warum, glauben Sie, sollten wir Sie einstellen?
6. Worauf achten Sie bei einer Position?
7. Geben Sie uns bitte Ihre Definition der ... (die Position, um die Sie sich bewerben).
8. Wie lange, glauben Sie, brauchen Sie, um für unsere Firma produktiv werden zu können?
9. Wie lange beabsichtigen Sie, bei unserem Unternehmen zu bleiben?
10. Fühlen Sie sich nicht zu alt/zu jung für diese Position?
11. Sie mögen zu qualifiziert oder zu erfahren sein für die Position, wie wir sie anzubieten haben.
12. Wie sehen Sie das Problem Führungsphilosophie?
13. Welchen Führungsstil wenden Sie an?
14. Sind Sie ein guter Manager? Nennen Sie Beispiele. Warum, glauben Sie, haben Sie das Potential zur Führungskraft?
15. Worauf achten Sie, wenn Sie als Führungskraft Leute einstellen müssen?
16. Haben Sie in Ihrer Funktion als Führungskraft jemals Leuten gekündigt? Wenn ja, was waren die Ursachen, und wie haben Sie sich verhalten?
17. Worin sehen Sie die schwierigste Aufgabe in der Funktion des Managers oder der Führungskraft?
18. Welche wichtigen Entwicklungen sehen Sie in unserem Industriezweig?
19. Was sind die Zukunftsprobleme Ihres Berufes?
20. Warum wollen Sie Ihre gegenwärtige Position aufgeben?
21. Wie empfinden Sie darüber, daß Sie mit Verlassen Ihrer jetzigen Firma sämtliche Vorteile aufgeben?
22. Beschreiben Sie, was Sie sich unter einer idealen Arbeitsumgebung vorstellen.

23. Wie stufen Sie Ihre jetzige Firma ein?
24. Konnten Sie den Umsatz steigern? Den Gewinn?
25. Konnten Sie zur Kostenreduzierung beitragen? Wie?
26. Wie hoch lag Ihre bisherige Umsatzverantwortung?
27. Für wie viele Mitarbeiter hatten Sie Personalverantwortung?
28. Liegt Ihnen mehr der Umgang mit Zahlen als mit Schriftlichem?
29. Wie schätzen Ihre Untergebenen Sie ein?
30. Was sind/waren die Hauptmerkmale, die Sie in Ihrer jetzigen/bisherigen Position am meisten mochten? Welche mochten Sie am wenigsten?
31. Was sind oder waren die *fünf* hervorstechendsten Leistungen in Ihrer jetzigen oder bisherigen Position? Ihrer bisherigen beruflichen Karriere?
32. Warum haben Sie bisher noch keine neue Position finden können?
33. Hatten Sie bereits schon einmal erwogen, Ihre jetzige Firma zu verlassen? Wenn ja, was glauben Sie, hat Sie dort festgehalten?
34. Wie denken Sie über Ihren Vorgesetzten?
35. Könnten Sie uns einige Situationen beschreiben, in denen Ihre Arbeit kritisiert wurde?
36. Was, glauben Sie, würde Ihr ehemaliger Vorgesetzter mir als Ihre Stärken und Schwächen nennen?
37. Können Sie unter Druck, Terminen, usw. arbeiten?
38. Wie haben Sie die Positionen auf sich abgewandelt?
39. Arbeiten Sie lieber in Stabs- oder Linienfunktionen?
40. Welche Probleme konnten Sie in Ihrer jetzigen Position aufdecken, die zuvor nicht erkannt wurden?
41. Glauben Sie nicht, daß Sie in einer Firma anderer Größenordnung besser untergebracht wären als bei unserem Unternehmen? In einer anderen Art von Firma?
42. Wenn Sie im Hinblick auf Position und Firmen die Auswahl hätten, wofür würden Sie sich entscheiden?
43. Warum verdienen Sie in Ihrem Alter nur so wenig?

44. Warum würde sich diese Position für Sie auszahlen?
45. Welche Vorstellung haben Sie, was wir an Gehalt zahlen würden?
46. Was glauben Sie, was Ihre Arbeitskraft wert ist?
47. Haben Sie bei psychologischen Tests irgendwelche Einwände?
48. Erzählen Sie über sich selbst.
49. Welche Positionen kämen für Sie noch in Betracht; welche Firmen wären für Sie interessant?
50. Sprechen Sie in der Regel mit Unternehmen, bevor man auf Sie zukommt?
51. Welches Buch haben Sie zuletzt gelesen? Welchen Film gesehen? Irgendwelche Sportveranstaltungen, denen Sie beigewohnt haben? etc.
52. Sind Sie darauf aus, die Position Ihres Vorgesetzten einnehmen zu wollen?
53. Können Sie kreativ sein? Nennen Sie Beispiele.
54. Wie schätzen Sie Ihre eigene Person ein?
55. Sind Sie eine Führungskraft? Nennen Sie Beispiele.
56. Welche Ziele haben Sie?
57. Worin liegen Ihre Stärken?
58. Worin liegen Ihre Schwächen?
59. Warum haben Sie keinen besseren Universitätsabschluß?
60. Was empfinden Sie Minoritätsgruppen gegenüber?
61. Hätten Sie Einwände, für einen weiblichen Vorgesetzten zu arbeiten?
62. Wo, glauben Sie, karrieremäßig in fünf Jahren zu stehen?
63. Was ist Ihre Zielsetzung?
64. Was tun Sie, um diese Zielsetzung zu erreichen?
65. Wenn Sie noch einmal beruflich von vorn beginnen könnten, was würden Sie anders machen?
66. Welche Karriereaussichten haben Sie zur Zeit?
67. Wie würden Sie die Notwendigkeit der Erfolgserlebnisse umschreiben? Glauben Sie, Ihrer Beschreibung nach bisher erfolgreich gewesen zu sein?

Vorbereitungsfragen

Vorstellungen laufen meist anders, als man sie sich gedacht hat. Besonders für Fach- und Führungskräfte, die sich nicht jedes Jahr vorstellen, die »so etwas« vielleicht noch nie gemacht haben. Hier eine Zusammenstellung von Fragen, die im Zusammenhang mit einer Vorstellung relevant werden können. Grundlage dieser Zusammenstellung ist die Erfahrung aus der Praxis, daß der Bewerber auf die Interviewer um so besser wirkt, je umsichtiger, präziser und gelassener er passiv das Gespräch führt. Voraussetzung für eine solche souveräne Vorstellungsgesprächsführung ist eine solide umfassende Vorbereitung. Es ist sinnvoll, die folgenden Fragengruppen für sich oder mit einem Bekannten konkret durchzuspielen, um gut vorbereitet zu sein. Dabei wurden hier natürlich nicht alle denkbaren Fragen aufgenommen, sondern lediglich die in der Praxis mit einer gewissen Wahrscheinlichkeit auftretenden.

Mögliche/typische Fragen in der Vorstellung	Ihre Antwort
Vorfragen und Hintergrundfragen Können Sie sich einen Wechsel des Arbeitsplatzes nicht nur vorstellen, sondern sind Sie wirklich bereit zu handeln? (ready to act)	
Gibt es Gründe, die Sie an bestimmte Postionen oder an bestimmte Orte binden?	
Haben Sie noch einen »inneren« Kontakt zu Ihrer Firma, oder sind ihre Koffer schon reisefertig gepackt?	
Wie stark sind Sie durch Kündigungsfristen gebunden?	
Welche Möglichkeiten haben Sie, diese Fristen zu verkürzen?	
Könnte Haus- und Grundbesitz Sie in der Frage eines Positionswechsels hemmen, oder könnten Sie Ihre Besitzverhältnisse den Erfordernissen Ihrer Berufslaufbahn unterordnen?	
Können Sie den Wechsel Ihrer Familie zumuten, sind alle verständigt und einverstanden?	
Wie sieht Ihre Eigenmotivation, Ihr »Fangnetz« aus für den Fall, daß die Vorstellung nicht zur Einstellung führt und zunächst oder länger alles beim alten bleibt?	

Mögliche/typische Fragen in der Vorstellung	**Ihre Antwort**
Wie sehen Ihre Gründe für den Wechsel aus, wie würden Sie diese in einem Vorstellungsgespräch darstellen? Beispiele: Keine Aufstiegschancen / Höhere Bezüge in einer neuen Position / Mißerfolge in der jetzigen Position / Weitsichtige Laufbahnplanung mit klaren Zielen / Ärger mit dem/der Vorgesetzten / Schlechte Ertragsaussichten Ihres jetzigen Unternehmens / Technische oder organistorische Rückständigkeit des jetzigen Unternehmens / Ablehnung des praktizierten Führungsstils / Mangelnde Einsatzmöglichkeiten für Ihr Können und Wissen.	
Haben Sie sorgfältig alle Gründe geprüft, die gegen einen Wechsel sprechen, und sind alle diese Gründe nicht schwerwiegend genug, daß sie doch ein Verbleiben in der derzeitigen Position rechtfertigen? Beispiele: Besitzverhältnisse / Familienbindungen (Verwandte und Bekannte) / Sonstige außerberufliche Bindungen / Schulfragen und Ausbildung der Kinder / Bedenken vor dem Risiko einer neuen Aufgabe / Bedenken vor Indiskretionen / Zufriedenheit mit dem jetzigen Zustand.	
Zielfragen Was möchten Sie in 5/10/15 Jahren erreicht haben?	
Was möchten Sie in 3/5/10 Jahren verdienen, welche Gehaltssteigerung müßte dementsprechend eine neue Position bringen?	

Mögliche/typische Fragen in der Vorstellung	**Ihre Antwort**
Könnten Sie diese Ziele auch in Ihrem jetzigen Unternehmen verwirklichen?	
Was hindert Sie, Ihr Ziel schon heute zu erreichen, was hindert Sie in Ihrem derzeitigen Unternehmen daran?	
Wann muß nach Ihrer Meinung der entscheidende Durchbruch nach oben für Sie geschaffen sein, und welche Zwischenstufen müssen Sie noch durchmachen?	
Sind Sie vielleicht schon am Ende Ihrer Laufbahn, oder sehen Sie nur zur Zeit kein Weiterkommen?	
Wie verhaftet sind Sie an vorgefaßte Laufbahnvorstellungen?	
Haben Sie sich vielleicht schon so stark auf eine bestimmte Laufbahn in einem bestimmten Unternehmen festgelegt, daß Sie keine anderen Chancen mehr sehen?	
Haben Sie in Ihrem Beruf in fünf Jahren noch Chancen weiterzukommen? Wie zukunftssicher ist Ihr jetziger Beruf?	
Lösungsfragen In welcher Form wollen Sie kündigen und mit welcher Beründung? Wollen Sie alle Brücken abbrechen, oder können Sie sich eine Rückkehr vorstellen?	
Könnte ein offenes Abschlußgespräch für Sie sinnvoll sein?	

Mögliche/typische Fragen in der Vorstellung	**Ihre Antwort**
Wieweit wollen Sie Ihren jetzigen Arbeitgeber informieren über den möglichen neuen Arbeitsplatz und Arbeitgeber und von der Möglichkeit Ihres Ausscheidens?	
Könnte ein gutes Verhältnis zu Ihrem jetzigen Arbeitgeber für Sie in der neuen Position nützlich sein? Wie muß dann Ihre Abschiedsvorstellung aussehen?	
Haben Sie sorgfältig geprüft, welche Chancen Sie bei einer schriftlichen Bewerbung in Ihrer jetzigen Firma hätten, um weiterzukommen?	
Könnten Sie sich überhaupt bei anderen Firmen der gleichen Branche bewerben? Könnte das wegen der Konkurrenzverhältnisse als »Fahnenflucht« verstanden werden? Wie hoch ist das Indiskretionsrisiko durch Personalleitertreffen / -kreise / -essen innerhalb der Firmen Ihrer Branche?	
Fangfragen Welche Hobbys haben Sie? Können Sie darüber mit einem Experten ein Fachgespräch führen?	
Was lesen Sie? (Antworten Sie nicht »Goethe«, wenn Sie den Herrn nur dem Namen nach kennen.)	
Können Sie Ihren politischen Standort so definieren, daß auch ein verständiger Zuhörer auf alle drei im Bundestag vertretenen Parteien tippen könnte?	

Mögliche/typische Fragen in der Vorstellung	Ihre Antwort
Wie würden Sie Ihr Familienleben beschreiben und die Einstellung Ihrer Frau zu Ihrem Beruf / Ihrer Position / Ihrem geplanten Wechsel?	
Können Sie die Informationen, die Sie über Ihre derzeitige Arbeitgeber besitzen, genau trennen in solche, die Sie weitergeben dürfen, und solche, die als Betriebsgeheimnisse zu bezeichnen sind?	
Sind Sie fähig, die in Ihrem Lebenslauf erwähnten »perfekten« Sprachkenntnisse unter Beweis zu stellen?	
Ortsfragen Haben Sie sich schon mit der »landschaftlichen Lage« Ihres neuen Arbeitsplatzes beschäftigt?	
Haben Sie an Ihrem möglichen neuen Arbeitsort schon ein Wochenende verbracht und die Einkaufs-/Versorgungsmöglichkeiten getestet?	
Wie sind die Schulverhältnisse?	
Läßt sich die Wohnungsfrage gut lösen?	
Wie günstig sind die Verkehrsverhältnisse (Entfernung zur nächsten Großstadt)?	
Welchen Freizeitwert und welche kulturellen Möglichkeiten bietet der neue Arbeitsort?	

Mögliche/typische Fragen in der Vorstellung	Ihre Antwort
Fragen zum Unternehmen Handelt es sich bei dem zukünftigen Arbeitgeber um ein Großunternehmen, einen Konzern, einen Mittelbetrieb oder um ein kleines Familienunternehmen?	
Welche Gesellschaftsform hat das Unternehmen – Kapitalgesellschaft, Privatfirma? Wer sind die Besitzer?	
Gibt es noch Tochterfirmen oder Beteiligungen im Inland oder Ausland?	
Welche Produkte stellt die Firma her? Ist sie damit konkurrenzfähig? Was ist über die Marktstellung zu erfahren? Wie liegen die Wachstumsraten?	
Welcher Führungsstil wird in dem Unternehmen praktiziert – wie ist das Betriebsklima?	
Ist eine Besichtigung des Betriebes, des Arbeitsplatzes möglich? Wann? Können Gespräche mit zukünftigen Kollegen/Kolleginnen geführt werden?	
Fragen zur Position Warum wurde diese Stelle ausgeschrieben? Ist der Vorgänger aus Altersgründen ausgeschieden, hat er gekündigt, oder ist der Arbeitsplatz neu geschaffen worden?	
Wo ist die Position in der Unternehmenshierarchie angesiedelt – wie sind die Kompetenzen?	

Mögliche/typische Fragen in der Vorstellung	**Ihre Antwort**
Ist eine Arbeitsplatzbeschreibung vorhanden, eine Abgrenzung gegenüber anderen Mitarbeitern/ Vorgesetzen?	
Wie groß ist die Abteilung, welche Aufgabe hat sie, wie viele Mitarbeiter sind unterstellt?	
Ist ein eigenes Büro vorgesehen – mit Sekretärin –, oder befindet sich der Arbeitsplatz in einem Großraumbüro?	
Welche Entwicklungsmöglichkeiten bestehen innerhalb der Abteilung / des Unternehmens, bezogen auf die persönliche Zielsetzung?	
Wie hoch ist die Dotierung, erfolgt eine Bezahlung nach Tarif oder außertariflich? Werden Zuschläge gezahlt? Sozialleistungen? Wird ein Dienstwagen gestellt, mit oder ohne private Nutzung? Besteht eine betriebliche Altersversorgung, eine Unfall-Lebensversicherung?	
Wie ist die Arbeitszeit geregelt – Gleitzeit? Urlaubsregelung?	

Informiert sein

Sie sollten die Größe, das Produktionsprogramm, die Gesellschaftsform, den Umsatz des Unternehmens, bei dem Sie sich bewerben, kennen. Gute Quellen sind die einschlägigen Wirtschaftshandbücher. Sie können beim Archiv einer großen Wirtschaftszeitung um Material bitten. Sie können bei Ihrer Bank Auskunft erhalten, sie kann Ihnen den Bericht über die letzte Hauptversammlung besorgen. Sie können eine Auskunftei befragen, Sie sollten die Prospekte der Firma kennen. Bitten Sie einen Freund, sie unter einem Vorwand anzufordern. Auch Handelsregisterauszüge sind in manchen Fällen interessant. Schauen Sie sich die großen Stellenanzeigenteile der Tageszeitungen an, um zu wissen, was die Firma noch sucht und in welcher Form. Wenn Sie irgendeine lose Verbindung, und sei es über »drei Ecken«, mit einem Mann herstellen können, der in der Firma arbeitet, dann sollten Sie ein unverbindliches – und natürlich vertrauliches – Gespräch vereinbaren.

Es gibt ganz neugierige Bewerbungskandidaten, die machen vorher eine »Ortsbesichtigung« und finden zielsicher die Restauration, in der man zu essen pflegt und sich unterhält. Man kann dabei in manchen Fällen zu guten Anhaltspunkten über den »gängigen« Umgangston kommen.

Pünktlichkeit

Überlassen Sie diese Höflichkeit nicht allein Ihren Gesprächspartnern. Auch wenn Sie über genaue Ortskenntnis verfügen, sollten Sie Zeit für Verzögerungen einplanen. In der Regel wird der Gesprächsort aber mehr oder weniger unbekannt sein. Besorgen Sie sich einen Stadtplan und kalkulieren Sie genau den Anreiseweg. Bei langen Strecken ist es sinnvoll, eine Übernachtung in Kauf zu nehmen. Es ist besser, frisch und ausgeruht zu erscheinen als nach einer zehnstündigen Auto- oder Bahnfahrt. Sie haben dann auch noch die Gelegenheit zu einer ersten Ortsbesichtigung, wenn die Vorstellung am Ort des Unternehmens stattfindet.

Es gibt Unternehmen, die solche Dinge einplanen. Oft übernehmen sie dann auch die Übernachtungskosten. Eine nette Aufmerksamkeit ist dann auch der mitgeschickte Lageplan. Verlassen Sie sich aber nicht auf Ihre Ortskenntnis. Gehen Sie davon aus, daß eine Vorstellung meist eine genau geplante Organisation hat mit exaktem Zeitplan. Für jeden Bewerber ist eine bestimmte Zeit eingeplant. Wenn Sie zu spät kommen, macht das nicht nur einen schlechten Eindruck, Sie haben außerdem die ganze Organisation aus dem Tritt gebracht. Gehen Sie nicht davon aus, daß man andere Ihretwegen warten läßt. Wenn Sie Glück haben, nimmt man Sie mal kurz zwischen zwei andere Bewerber. Aber es ist auch möglich, daß man Sie an das Ende des Vorstellungstermins setzt. Wenn Sie dann am Nachmittag wieder auftauchen, kann die Entscheidung bereits gefallen sein. Wenn Sie trotz aller Vorsichtsmaßnahmen den Termin nicht schaffen aus Gründen, die einfach nicht vorhersehbar waren, dann sollten Sie die Interviewer, die mit Ihnen zum abgemachten Zeitpunkt rechnen, sofort verständigen. Bei rechtzeitigem Anruf kann man die Organisation noch umstellen und Verständnis für Ihre Schwierigkeiten aufbringen.

Kommen Sie nicht abgehetzt an

Nehmen wir an, Sie sind genau pünktlich am Werksgelände, das sich über mehrere tausend Quadratmeter erstreckt. Sie beginnen mit einem nicht informierten Pförtner zu diskutieren. Sie kommen bereits in leichte Panikstimmung, denn während Sie mit dem sturen Pförtner immer barscher herumschreien, vergeht Zeit. Endlich erreichen Sie, daß er sich mal erkundigt. Es stellt sich nach fünfzehn Verbindungen heraus, daß die Herren im Gebäude C auf Sie warten. Und es vergeht Zeit. Wo ist das Gebäude C? Der Pförtner erklärt Ihnen umständlich, wievielmal Sie rechts und wievielmal links einbiegen müssen.

Und es vergeht Zeit. Endlich sind Sie so weit, daß Sie den Eingang des Gebäudes C zu finden glauben. Sie hetzen los über das Werksgelände. Wenn Sie endlich völlig verschwitzt und deprimiert vor dem Eingang des Gebäudes C stehen, kennen Sie inzwischen auch die Gebäude A, B, D, E, F, G und die entsprechenden Pförtner.

So kann es Ihnen auch in einem einzigen riesigen Bürohaus gehen oder in einer Stadt. Sie gehen davon aus, daß Sie das schon finden werden. Mit wachsendem Zeitdruck beginnt dann das Drama. Mit einem so dezimierten Selbstbewußtsein und verzweifeltem Luftschnappen machen Sie kein gutes Bild mehr. Es fehlt Ihnen die Gelassenheit, die Ausgewogenheit, die Sicherheit, die Ihre mitleidig lächelnden Gesprächspartner haben. Natürlich werden sie Verständnis haben für Ihr Mißgeschick. Ein besonders glücklicher Beginn ist es aber nicht. Zusammen mit Ihrer auf dem schrecklichen Weg abhanden gekommenen Hochform könnten Sie Ihre Chancen erheblich geschwächt haben.

Fragen Sie, wieviel Zeit man für Sie eingeplant hat

Sie können dann besser Ihren »Stoff« einteilen. Es ist ein ganz einfacher Trick, den Bewerber nach der Gesprächseröffnung reden zu lassen. Wenn er seine erste Munition verschossen hat und die Zuhörer angeregt nicken und offensichtlich noch mehr hören wollen, kommt er in die Gefahr des Sich-Verlierens in nichtssagendes Gerede. Was soll er dann sagen? Wie lange soll er noch reden? Die Gefahr ist dann groß, daß er Dinge von sich gibt, die er eigentlich nicht sagen wollte, oder daß er den fachlichen, knappen guten Gesprächsteil des Beginns verläßt und ins Schwafeln gerät. Geschickte Interviewer werden ihn schwafeln lassen. Am Ende hat er seine Chance zerredet.

Wenn Sie über die Zeitspanne informiert sind, können Sie noch einen Pfeil im Köcher behalten für den Schluß. Außerdem können Sie selbst Schluß machen. Es gibt Interviewer, die dauernd auf die Uhr schauen oder die an einem bestimmten

Punkt eine Uhr summen lassen oder abrupt dem Gespräch ein Ende machen, einfach weil die vorgesehene Zeit um ist. Das kann verwirren. Außerdem wollten Sie vielleicht gerade zur großen Kür ansetzen, und nun ist es schon vorbei.

Führen Sie das Gespräch defensiv

Wenn Sie die vorgesehene Gesprächsdauer kennen, sollten Sie die Führung des Gesprächs den Interviewern überlassen. Verkehren Sie nicht die Rollen. Sie sind zum Antworten da. Fragen müssen gestellt werden. Auch Bitten um Schilderungen etwa Ihres jetzigen Einsatzgebietes sollten Sie als Fragen auffassen, die Sie fachlich vollständig beantworten, ohne dabei »weit auszuholen«. Ein guter Eindruck entsteht durch klares, knappes, sachliches Antworten – freundlich vorgetragen. Wenn Ihren Interviewern die Fragen ausgehen, müssen Sie die Pausen nicht unbedingt überbrücken. Gleiche Chancen bedingen, daß auch die Interviewer in Schwierigkeiten kommen können.

Die defensive Gesprächstechnik hat noch den Vorteil, daß Sie Ihre Fähigkeit, zuhören zu können, beweisen. Es gibt Interviewer, besonders solche, die in dieser Tätigkeit nicht besonders erfahren sind, die reden und reden und reden – von sich, von der Firma, warum man Sie eingeladen hat und wieder von sich, von ihrem Aufstieg, von ihren Hobbys, von ihren Familien. Meist sind es entscheidende Herren. Lassen Sie sie reden und hören Sie aufmerksam zu. Zuhören ist hier Gewinnen. Wenn Sie noch einige verständnisvolle, passende und kurze Zwischenbemerkungen machen, kann es sein, daß der Redner von Ihnen begeistert ist. Endlich hat er einen gefunden, der ihm aufmerksam zuhört und auch noch den Eindruck macht, als ob er ihn verstünde.

Bei der defensiven Gesprächsführung, der knappen, exakten und freundlichen Antwort-Technik, kann es Ihnen auch nicht passieren, daß Sie aus der »Reserve gelockt« werden. Sie sollen nett und aufgeschlossen wirken, aber wissen, was Sie sagen wollen und was nicht. Sparen Sie nicht mit Höflichkeit und Freundlichkeit. Aber achten Sie auf die anscheinend nebensächlichen Fragen, auf die Bewerber gewöhnlich mit ganzen Romanen antworten. Genau das ist auch beabsichtigt. Man möchte Ihre »Persönlichkeit« zum Sprechen bringen. Lassen Sie Ihre Persönlichkeit sprechen, auch privat, aber kennen Sie auch hier Ihre Grenze. Solche Fragen können sein: Wie kamen Sie eigentlich zu Ihrem interessanten Beruf? Fragen nach der Militärzeit, der landschaftlichen und familiären Herkunft, den Hobbys.

Verlieren Sie beim Sprechen nicht die Kontrolle über den Rest Ihrer Person

Es gibt Leute, die ihren Zuhörern beim Sprechen immer näherrücken und ihnen dann unter unaufhörlichem Reden einen Jackettknopf nach dem anderen abdrehen. Achten Sie gelegentlich beim Sprechen auf Ihre Hände! Oder haben Sie gerade eine Federschale geleert und sind dabei, den letzten Bleistift zu zerbrechen, oder zerkrümeln Sie einen Teil einer Schreibunterlage, oder haben Sie gerade eine interessant verlaufende Rille mit Ihrem scharfen Daumennagel in die Tischplatte geritzt? Vielleicht falten Sie schon zum einhundertfünfzigsten Mal eine Visitenkarte in immer neue Varianten, oder Sie haben die Hände gemächlich vor dem Nabel verschränkt, aber Ihre beiden Daumen kreisen unaufhörlich umeinander. Vielleicht haben Sie die Hand zur Faust geballt und beklopfen damit den Tisch, oder Ihre Hände gleiten irrend über alle erreichbaren Gegenstände, vielleicht sind Sie nervös oder suchen eine Stütze? Achten Sie auch auf Ihre Füße – vielleicht bilden sich um den Stuhl schon Gleitspuren von Ihren hin und herfahrenden Füßen, die den Stuhl zu umklammern versuchen. Vielleicht ist das Zucken Ihres Zuhörers weniger der Erfolg Ihres spritzigen Vortrags – Sie treten ihm ständig gegen das Schienbein. Diese kleinen Dinge sind für den aufmerksamen Interviewer aufschlußreich.

Seien Sie natürlich

Das heißt, Sie sollten einen gelassenen, ruhigen, konzentrierten, aber aufgeschlossenen Eindruck machen. Diesen Zustand, den Sie normalerweise haben, wenn Sie gut geschlafen haben, ein gutes Frühstück hinter sich und einen ganz normalen Tag vor sich, zu dessen Bewältigung Sie sich gelassen erheben. Diese Natürlichkeit läßt sich fast nur durch Negationen umschreiben und eingrenzen, weil sie so ganz normal ist. Sie ist ein Mittelzustand zwischen der Euphorie und dem Gehemmtsein. Beide Extreme müssen Sie vermeiden. Die Euphorie führt zu ausladenden Bewegungen, zu Gelächter, zu Heiterkeitsausbrüchen, auch wenn Ihre Gesprächspartner nur verlegen lächeln. Und Gehemmtsein hat mit kluger Zurückhaltung nichts zu tun, Sie machen dann einen verklemmten, ungeraden, unsicheren Eindruck, Sie wirken verschüchtert, ohne Motorik.

Wittern Sie nicht hinter jeder Frage eine Falle

Sie können fast in allen Fällen davon ausgehen, daß man nicht die Absicht hat, Sie hereinzulegen. Alle Fragen haben nur das eine Ziel, Ihr Können und Ihre Person möglichst genau kennenzulernen. Man möchte ganz genau wissen, was man da kauft. Sie müssen also nicht gespannt auf jede Frage springen, sie hastig umdrehen, um zu sehen, was dahintersteckt und sie dann dem Fragesteller zurückgeben mit der Bemerkung, »auf so faule Tricks falle ich nicht rein«. Antworten Sie darum nicht »wie aus der Pistole geschossen«. Denken Sie kurz nach. Wenn die Frage über das hinausgeht, was Sie sagen wollten, dann können Sie die Antwort ablehnen. Vertrauliche Dinge auch vertraulich zu behandeln, kann Ihnen nur die Achtung Ihrer Gesprächspartner eintragen. Eine taktlose Frage, deren Beantwortung Sie ablehnen, fällt auf den Frager zurück und gibt in manchen Fällen für Sie einen »moralischen« Pluspunkt.

Ziehen Sie einen bequemen Anzug an

Wählen Sie Ihre Garderobe so, daß Sie genau das anhaben, was man von einem Mann Ihres Berufs und Ihrer Stellung erwartet. (Möglichst nichts Auffälliges, Extravagantes, Verblüffendes.) Wählen Sie etwas gut Sitzendes. Bequem heißt hier nicht mit offenem Kragen, aber der Kragen soll nicht so eng sein, daß Sie ständig diskret versuchen, ihn mit beiden Händen zu sprengen. Auch der Anzug soll nicht überall klemmen und quetschen. Sie werden dadurch abgelenkt, nervös und schwitzig. Ihr Selbstvertrauen leidet darunter und Ihre Selbstsicherheit. Sie verlieren die Ruhe, die Gelassenheit, nur weil Sie glaubten, daß dieser selten getragene Anzug (der für die besseren Gelegenheiten) Sie besonders gut kleidet.

Berücksichtigen Sie Ihren »schlechten Tag«

Es gibt Tage, an denen Sie nicht wach werden. Sie sind schläfrig, antriebsarm und bei Kleinigkeiten schon gereizt. Sie kennen das und tun etwas dagegen: Sie trinken einen starken Kaffee, Sie rauchen eine Pfeife, Sie duschen kalt, und dann sind Sie wieder fit. Die Ursache ist oft Wetterfühligkeit oder einfach ein zu schweres Essen. Sollte Ihr Vorstellungstag mit solch einer »Formkrise« zusammenfallen, dann tun Sie gut daran, sie vor der Vorstellung zu beheben. Es sind solche vorübergehenden »Formkrisen«, die zu gravierend unterschiedlichen Erscheinungsbildern bei der ersten und der zweiten Vorstellung führen können. Ein »kräftiges« Essen vorher (man weiß ja nie, wie lange es dauert) und ein »Kurzer« zum Aufmuntern sind schlechte Vorbereitungen. Ein nüchterner Kopf und ein unbelasteter Magen sind förderlicher.

Methoden bei Vorstellungsgesprächen

Beim Vorstellungsgespräch will man herausbekommen, ob der Bewerber, von dessen »Papierform« man einen guten Eindruck hatte, auch wirklich der richtige Mann ist. Nach dem richtigen Gesichtspunkt »Eine Fehlbesetzung kann wesentlich teurer kommen, als eine falsch eingekaufte Maschine« geht es bei der Vorstellung, die zur Einstellung führen soll, um oft erhebliche Beträge. Um diese Entscheidung sicherer zu machen, um Fehlurteile auszuschließen, wohl auch, um die persönliche Verantwortung zu relativieren, suchte man schon immer nach der absolut sicheren Beurteilungsmethode. Dem entsprechen rasch wechselnde Schul- oder Glaubensrichtungen über die garantiert sichere Methode.

Meist kommen die neuen, »absolut sicheren« Methoden aus Amerika, so ähnlich wie die jeweils aktuellen und absolut sicheren Methoden des Managements by ... (by flipping coin, by chaos etc.).

Nur ein Beispiel aus der Fülle: das Streß-Interview. Auf einen kurzen Nenner gebracht, versucht man dabei, den Bewerber auf seine psychische Belastbarkeit zu testen, indem man in der Vorstellung Situationen provoziert, die ihn an die Grenzen seiner Belastbarkeit bringen sollen. Theoretisch wird der Bewerber den Job erhalten, der sich als der härteste Brocken herausgestellt hat. Es bleibt die Frage, ob dieser Bewerber auch der geeignete Mann für eine betriebliche Umwelt ist, die nicht nur aus harten Brocken besteht.

Auswahlverfahren

Die Kenntnis der üblichen Auswahlverfahren der Kandidaten für eine neue Position, die gängigen Überlegungen des Unternehmens, des Personalberaters bei der Entscheidung für einen bestimmten Bewerber, sind für die Abfassung der Bewerbung und für die Argumentation und Darstellung des Bewerbers bei der Vorstellung wichtig. Er kann durch den Inhalt und die Form seiner Auskünfte auf die ihm üblicherweise unbekannten Überlegungen eingehen und Fehler vermeiden.

Er muß sich dabei allerdings klar darüber sein, daß bei der Entscheidung im Auswahlverfahren das Unternehmen immer versuchen wird, eine Wahlmöglichkeit zu haben. Das heißt, daß außer ihm mindestens noch ein Kandidat im Rennen ist. Daß alle seine Informationen nicht ausschließen können, daß die Entscheidung im Auswahlverfahren auch auf persönlichen, subjektiven Bewertungen des Entscheiders beruht. Daß jede Entscheidung mit dem Risiko behaftet ist, eine Entscheidung in die Zukunft zu sein, die der Entscheider nicht genau kennt.

Der folgende Fragenkatalog ist so angelegt, daß sich der Bewerber sozusagen als Entscheider in der Kandidatenauswahl selbst gegenübersitzt und prüft. Er muß dabei eine konkrete Positionsausschreibung als Grundlage heranziehen und in die Person des Entscheiders schlüpfen.

Mit der Bewerbung geschieht beim Empfänger oft zunächst gar nichts. Es kommt hier ganz darauf an, wie viele Zwi-

Bewerber-Test: Auswahlverfahren

Fragen des Entscheiders beim Auswahlverfahren	**Was können/sollten Sie an Infortionen/Entscheidungshilfe bei der Bewerbung/Vorstellung bedenken**
Inwieweit beruhen die Informationen des Kandidaten auf Fakten?	
Welche Referenzen könnten / sollten nochmals geprüft werden?	
Was könnte durch die Wahl dieses Kandidaten innerhalb des Bereichs, in den er kommt, nachteilig beeinflußt werden?	
Was könnte durch die Wahl dieses Kandidaten innerhalb des Unternehmens nachteilig beeinflußt werden?	
Wie groß ist die Tragweite zusätzlicher Fähigkeiten des Kandidaten für die Position / seine Mitarbeiter / seine Vorgesetzten?	
Wie groß ist die Tragweite fehlender Fähigkeiten des Kandidaten für die Position / seine Mitarbeiter / seine Vorgesetzten?	
Wo gibt es möglicherweise Differenzen zwischen der Selbstdarstellung des Kandidaten und seiner tatsächlichen Arbeitsweise in der Praxis?	
Welche externen / internen Faktoren könnten sich ändern und Auswirkungen auf die Position oder den Kandidaten haben?	

In welcher Weise könnte die Gehaltsvereinbarung den neuen Mitarbeiter / seine Kollegen veranlassen, die Motivation zu verlieren?	
Welche Nachteile könnten gegenüber wichtigen Kunden entstehen, wenn der Kandidat neuer Mitarbeiter im Unternehmen wird?	
Was sind die Motive / Einstellungen der Vorgesetzten / der Mitarbeiter zu dem neuen Mann in der neuen Position?	
Wer muß wie im Unternehmen informiert werden?	
Ist die Verantwortung und Delegation für die neue Position klar und mit den betroffenen Stellen abgesprochen?	
Welches waren in der Vergangenheit die Schwierigkeiten bei / in dieser Position; wie können sie jetzt vermieden werden?	
Was, wo, wann könnten andere Schwierigkeiten sein / auftreten, die vermeidbar sind?	

schenstationen eingeschaltet sind. Man kann die Empfänger in drei größere Gruppen einteilen: solche, die oft über Anzeigen Fach- und Führungskräfte suchen und in der Auswahl erfahren sind; solche, die nur sehr selten suchen und in der Auswahl kaum größere Erfahrung haben, und solche, die sich eines Beraters bedienen.

Auswahl beim Personal-Berater

Der Personal-/Unternehmensberater ist für den Bewerber in der Regel eine gute Adresse. Er verfügt meist über ein genaues Anforderungsprofil, das er mit dem Unternehmen zusammen erarbeitet hat. Es gibt auch die Fälle, bei denen er vom Unternehmen schon eine detaillierte Beschreibung des gesuchten Mannes fertig übernimmt. Besonders in diesem letzteren Fall kann es vorkommen, daß sämtliche auf die entsprechende Anzeige eingehenden Zuschriften mit einer Absage zurückgehen müssen. Zum Beispiel, weil das Unternehmen Vorstellungen entwickelte, für die sich im Markt der Fach- und Führungskräfte kein passender Bewerber fand. Damit ist ein wichtiger Punkt für Absagen von Zuschriften auf Anzeigen unter dem Namen eines Beraters angeschnitten. Der Berater wird immer versuchen müssen, nach mehr oder weniger ausführlicher Information und Arbeit mit dem Unternehmen den Personalwunsch in einer Anzeige mit eigenen Worten zu konkretisieren. Natürlich werden solche Texte in der Regel vom Unternehmen ausdrücklich und Wort für Wort genehmigt; aber über die Wirkung von Texten und Textstellen in einem Stellenangebot auf mögliche Bewerber liegen keine Untersuchungen vor. Schon die Wahl der Anzeigengröße kann hier zu falschen Vorstellungen beim Bewerber führen. Etwa, wenn der Beratungsklient eine »repräsentative« Anzeige wünscht, während der Berater ursprünglich ein kleines Format vorgeschlagen hat. Als Bewerber kann man durchaus von der Anzeigengröße einen Schluß auf die vorgesehene Dotierung ziehen, vorausgesetzt, die Größe wurde nach solchen bekannten Gesichtspunkten gewählt. Daß es sich dabei auch einmal um eine »repräsentative« Größe handelt, kann der Bewerber nicht wissen. Er wird dann eine Absage erhalten, weil er schlicht zu teuer ist. Das wird man ihm kaum so sagen. Er wird eine Absage erhalten aus Gründen, »die nicht in seiner Person« liegen. In solchen Fällen findet genaugenommen überhaupt keine Bewerber-Auswahl statt.

Ein anderer, nicht so selten auftretender Fall basiert auf der Ungenauigkeit der Unternehmenswünsche. Der Berater erhält ein ganz exaktes Anforderungsprofil, das darüber hinwegtäuscht, daß man sich über die genauen Einsatzmöglichkeiten, die Stellung in der Hierarchie und die Kompetenzen des Gesuchten überhaupt noch nicht im klaren ist. Es findet hier zunächst anhand des Anforderungsprofils eine Bewerber-Auswahl statt. Es kann sogar zu Vorstellungen kommen. Aber am Ende bleibt kein Kandidat mehr auf dem Tisch. Die Suche muß neu beginnen.

Die hier skizzierten Fälle sollen zeigen, daß es falsch ist, davon auszugehen, jede Anzeige, jeder Text sei die optimale Darstellung des vakanten Arbeitsplatzes der gesuchten Fach- und Führungskraft. Der Bewerber kann hier nichts tun, als die neu formulierte Anzeige des gleichen Beraters (oder eines anderen) abzuwarten, um an den Abweichungen abzulesen, wie sich die Vorstellung des Unternehmens konkretisiert. Er hat darüber hinaus in manchen Fällen die Möglichkeit, mit dem Berater ein offenes Telefongespräch zu führen.

Der Berater als Offertenempfänger ist auch aus anderem Grund eine gute Adresse für den Bewerber: Er hat, wenn es sich um einen qualifizierten Bewerber handelt, keine endgültig vorgefaßte Meinung, kein fertiges Ein-für-allemal-Urteil. Diese Gefahr besteht bei Zuschriften auf Anzeigen, die an den Personalchef direkt gehen. Wenn der Bewerber bei der ersten Gelegenheit nicht in die erste »Wahl« in der Spitzengruppe gelangte, dann wird er beim gleichen Empfänger mit seiner Zuschrift auf eine andere Anzeige des gleichen Unternehmens schon auf eine vorgefaßte Meinung treffen: Den kennen wir doch schon, der paßte doch damals schon nicht, warum sollte der heute passen? Der Personalberater kennt solche vorgefaßte Meinungen nicht. Der Bewerber ist mit seiner Zuschrift auf jede neue Anzeige ein neuer Bewerber, ein Kandidat, der objektive und vorurteilsfreie Beurteilung erhält. Manche Berater bringen das in ihren Absagen deutlich zum Ausdruck: Wir würden uns freuen, Ihrer Zuschrift bei anderer Gelegenheit wieder zu begegnen. Den wirklichen Grund für die Absage geben sie auch nicht an, jedenfalls nicht schriftlich. Dazu sind sie vom auftraggebenden Unternehmen nicht befugt. Oft wissen sie ihn selbst nicht. Das Unternehmen hat sie lediglich damit beauftragt, eine bestimmte Anzahl von Zuschriften mit einer Form-Absage zurückzuschicken.

Ein weiteres allgemeines Kennzeichen bei der Bewerber-Auswahl durch den Berater ergibt sich aus der externen Stellung des Beraters. Das Ziel seiner Aufgabe bei der Stellensuche ist es, einen Mann zu finden. Falls aus irgendwelchen Gründen dieser Mann nicht gefunden/eingestellt wird, hat er zwar sein Bestes getan, aber das Ziel der Aufgabe ist nicht erreicht. Es ist nur ein schwacher Trost, wenn sich Berater und Unternehmen darauf einigen, daß es einen solchen Mann offensichtlich überhaupt nicht gibt. Die Gründe, die zu solchen Nicht-Erfolgen führen, liegen oft beim Unternehmen und in Unklarheiten und Unentschiedenheiten der zuständigen Leute. Hier kann der Berater als Externer bei der Bewerber-Auswahl eine Meinung vertreten und durchsetzen, die für einen Insider kaum möglich ist. Er kann zum Beispiel im Gespräch mit der Unternehmensleitung deutlich machen, daß der Bewerber K. vom technischen Leiter abgelehnt wurde für die Position eines Leiters der AV, weil er ihm fachlich und persönlich zu stark vorkam – nicht weil er bestimmte Verfahren nicht beherrscht. Er vertritt damit seine Interessen, weil er seiner Aufgabe gerecht wird und den besten Mann für die vakante Position findet; er wird auch den Interessen seines Klienten gerecht, indem er die Bewerber-Auswahl freihält von betriebsinternen Rücksichten. Dabei wäre es kurzsichtig, einen bestimmten Mann in eine Position »hineindrücken« zu wollen. Das Verhältnis zwischen Unternehmen und Personal-/Unternehmensberater ist in der Regel ein Dauerverhältnis, das auf der Qualität der geleisteten Arbeit beruht. Der Berater übernimmt ein hohes Risiko, wenn er dem Unternehmen seine Bewerber-Auswahl, »seinen Mann Nummer eins« präsentiert. Wenn er damit falsch liegt, wird er sich einen neuen Klienten suchen müssen.

An dem Risiko des Beraters, wirklich den besten Mann zur Einstellung zu empfehlen, mag es liegen, daß eine Reihe von Beratern nach einer ersten Bewerber-Auswahl die herausgefilterten Kandidaten zunächst einmal selbst ansieht, mit ihnen ein sogenanntes Vorgespräch führt. Auch das ist ein Vorteil für den Bewerber.

Denn diese Vorgespräche zeigen ihm einmal, daß er auf dem Weg in die engere Wahl ist, zum anderen werden sie meist unter vier Augen und sehr offen geführt.

Das Ergebnis kann sein, daß der Bewerber seine Zuschrift zurückzieht, aber trotzdem für das Gespräch dankbar ist. Etwa, weil ihm der Berater deutlich gemacht hat, daß seine berufliche Zielprojektion völlig falsch ist, daß er besser seinen derzeitigen Aufgabenbereich behalten soll.

Es kann auch geschehen, daß er ihm sagt: Sie sind fachlich Spitze. Sie bringen auch sonst alle Voraussetzungen für die Position mit, Ausbildung, Werdegang, Einkommensvorstellung, frühester Eintrittstermin – alles prima – aber mit so einem Kopf, so einer Frisur, so einem Bart kann ich Sie meinen Klienten nicht präsentieren. Dieses Vorgespräch ist ein Teil der Bewerber-Auswahl. Das bedeutet für den Bewerber, daß er sich schon jetzt – obwohl der mögliche neue Arbeitgeber nicht anwesend ist – von seiner besten Seite präsentieren muß. Es ist auch denkbar, daß der Berater den Auftrag hat, die Vorstellungsgespräche selbst zu führen und lediglich einen oder zwei Spitzenkandidaten dem Klienten vorzuführen.

Erste, zweite, dritte Wahl

Man rechnet in der Regel mit einer Wirkung der Stellenanzeige von ca. sechs Wochen, innerhalb dieses Zeitraums gehen Zuschriften ein. Erfahrungsgemäß sind die allerersten Bewerbungen, die schon am Montag nach dem Erscheinungs-Samstag per Eilboten eingehen, nicht immer solche von Hochqualifizierten. Oft trifft den interessierten Fachmann die Anzeige unvorbereitet. Im Augenblick denkt er nicht an einen Wechsel, aber der Text hat ihn angeregt. Bis er sich entschließt, seine Offerte abzugeben, können einige Tage vergehen, oft einige Wochen. Darum gibt es Bewerbungsempfänger, die grundsätzlich erst nach sechs Wochen mit der Bewerber-Auswahl beginnen. Sie geben den einzelnen Kandidaten zunächst lediglich Eingangsbestätigungen. Eine andere Form besteht darin, alle eingehenden Bewerbungen vorzusortieren in solche, die überhaupt nicht in Frage kommen, und solche, die in Frage kommen könnten. Die erste Gruppe wird kontinuierlich mit einer Standardabsage zurückgeschickt, die andere bekommt einen Zwischenbescheid und muß in der Regel auch sechs Wochen auf die Entscheidung warten. Bei der ersten Vorauswahl sind Fragen der Ausbildung und des Alters sowie die zuletzt eingenommene Position die Filter.

Wird zum Beispiel ein Leiter des Finanz- und Rechnungswesens gesucht, »möglichst jüngerer Diplom-Kaufmann mit Praxis aus einer vergleichbaren Position oder der Vorstufe dazu«, dann fallen alle Betriebswirte grad., alle Berufsanfänger, alle Bilanz- und Kontokorrentbuchhalter sowie alle über Fünfzigjährigen aus der ersten Filterung heraus. Es bleiben die Zuschriften von Diplom-Kaufleuten, die bereits Leiter des Finanz- und Rechnungswesens sind oder in einer entsprechenden stellvertretenden Position. Erfahrene Personalfachleute werden sich natürlich auch eine Reserve bilden aus fachlich erstklassigen Betriebswirten grad., die die Position eines Leiters des Finanz- und Rechnungswesens ebenfalls erreicht haben. Denn es könnte sich herausstellen, daß beim Vergleich kein Diplom-Kaufmann übrigbleibt, der wirklich alle Voraussetzungen mitbringt, wohl aber ein Betriebswirt grad., dem lediglich das Diplom fehlt. Dieser Fall gilt auch in besonderem Maß für technische Positionen.

Nachdem die sogenannte dritte Wahl aus sachlichen Gründen ausgeschieden ist und eine Absage erhielt, steht die Entscheidung zwischen der ersten und der zweiten Wahl. Die Absagen der dritten Wahl enthalten in der Regel keine Begründung. Man möchte niemanden verletzen. Nur in den seltensten Fällen heißt es etwa: Als Anlage erhalten Sie Ihre Zuschrift zurück. Leider kommen Sie für die ausgeschriebene Position nicht in Frage, weil Sie die in der Anzeige geforderten fachlichen Voraussetzungen nicht erfüllen. Trotzdem sei hier einmal darauf hingewiesen, daß in solchen Fällen ein klarer Text auch dem Bewerber Vorteil bringt. Er kommt dann wenigstens von seiner Illusion weg, er sei im Grunde für solche Positionen trotz fehlender fachlicher Voraussetzungen (eventuell aufgrund seiner starken Persönlichkeit) geeignet. Er könnte sich dann eine Menge Bewerbungen und Absagen ersparen.

Den Anzeigentext wörtlich nehmen

Es ist immer wieder überraschend, welche Leute auf welche Anzeigen ihre Bewerbung abschicken. Man könnte zunächst meinen, man hätte Zuschriften auf eine ganz andere Anzeige versehentlich in der Hand. Offensichtlich lesen solche Bewerber den Anzeigentext nicht sorgfältig. Sie sehen lediglich die Schlagzeile, und schon geht die Bewerbung zur Post. Es reicht solchen Kandidaten, wenn die Schlagzeile der Anzeige auch nur entfernt mit ihrer derzeitigen Positionsbeschreibung eine Ähnlichkeit aufweist. Daneben gibt es immer wieder eigenwillige Interpreten, die meinen, der Texter habe sich geirrt, das Unternehmen meine im Grunde etwas ganz anderes. Außer diesen krassen Fällen, die immer zu einer Absage führen, gibt es die weniger deutlichen. Etwa wie oben angedeutet, wenn ein Diplom-Kaufmann gewünscht wird, und ein Betriebswirt grad. schickt seine Bewerbung. Das kann in Ausnahmefällen gutgehen. In der Regel führt es zu einer Absage. Wer sich auf eine Anzeige bewirbt, obwohl er einige der geforderten Voraussetzungen nicht mitbringt, muß sicher sein, daß es die geforderte Kombination praktisch nicht gibt, daß man also eine Stufe zurückgehen muß. Unter diesen Voraussetzungen kann er Glück haben.

Eine andere Gruppe handelt sich Absagen ein, weil sie schlicht den Anzeigentext nicht bis zu Ende liest oder Umschreibungen mißversteht. Wenn da etwa steht: Englische

Sprachkenntnisse sind von Vorteil, dann ist das in der Regel eine Forderung. Wer keine Englischkenntnisse mitbringt, kommt in die dritte Wahl. Das wird besonders dann der Fall sein, wenn die höflich angedeutete Voraussetzung bei vielen Bewerbern als gegeben angenommen werden kann.

Neben der fachlichen Qualifikation

Wenn sich nach weiteren Filterungen die Kandidaten herausgeschält haben, die auch alle anderen fachlichen Voraussetzungen mitbringen – von ihrem derzeitigen Aufgabengebiet und der damit verbundenen Verantwortung und Kompetenz, von der Branche her und von der Unternehmensgröße, vom ganzen Werdegang her –, dann kommen andere Gesichtspunkte für die Ausscheidung ins Spiel. Bis zu diesem Punkt ist auch die zweite Wahl abgeschlossen. Das sind solche Bewerber, die grundsätzlich in Frage kommen, aber vielleicht noch nicht lange genug die Verantwortung einer entsprechenden Position getragen haben. Oder solche, denen die Branchenerfahrung fehlt, die zu jung sind, die die eine oder andere Vorstufe, die man als wesentlich empfindet, nicht durchlaufen haben und so weiter. Diese Bewerber haben in manchen Fällen die Chance, für eine andere Position in Frage zu kommen. Sie erhalten dann einen entsprechenden Vorschlag. Etwa, wenn ein Konstruktionsleiter gesucht wird, könnten aus der zweiten Gruppe einige gute Konstrukteure herausfallen. Besteht ein solcher Bedarf nicht, wird man diesen Bewerbern in der Regel eine etwas persönlicher gehaltene Absage geben. Man könnte ja ihre Bewerbung bei anderer Gelegenheit wieder brauchen. Sachliche Begründungen für die Absage sind hier ebenfalls nicht üblich, obwohl sie für den Bewerber brauchbar wären, gerade weil sich hier meist eine wirkliche Sachbegründung geben ließe, die ihm weiterhelfen würde.

Bei der Entscheidung zwischen den wenigen verbleibenden Spitzenkandidaten der ersten Wahl wird das nachprüfbare Feld der konkreten Fakten und Daten des Ausbildungs-, Praxis- und Erfahrungsbereichs verlassen. Der Idealfall, daß die Spitzengruppe lediglich aus einem Mann besteht, der wirklich alle nachprüfbaren Voraussetzungen mitbringt, ist selten. In der Regel führt eine kleine Spitzengruppe von drei bis fünf Kandidaten zur »Qual der Wahl«. Ein Kriterium kann in der subjektiven Meinung des mit der letzten Entscheidung Betrauten liegen, daß der Kandidat B »rein menschlich« besser in die vorgesehene Position paßt als die anderen Anwärter. Manche Firmen versuchen, eine solche subjektive Entscheidung irgendwie zu objektivieren. Es ist ihnen zu banal, unter drei fachlich und sachlich gleich guten Kandidaten den auszuwählen, dessen Nase am besten gefallen hat. Sie versuchen das Ganze zu verwissenschaftlichen durch alle möglichen Tests oder Fragebogen, durch Psychologen und Graphologen. Daraus können sicher eine ganze Reihe von Anhaltspunkten für die Entscheidung kommen. Aber was nützt es, wenn alle diese objektiven, wissenschaftlichen Ergebnisse für den Kandidaten A sprechen, den Mann, mit dem der Technische Vorstand, dem er zugeordnet werden soll, einfach »nicht kann«? Eine »wissenschaftlich« abgesicherte Entscheidung würde hier zu einer glatten Fehlentscheidung, einer Fehlbesetzung mit vorprogrammiertem Konflikt. Die Praxis zeigt, daß die Entscheidung unter den Spitzenkandidaten aufgrund subjektiver, mehr aus der Psychologie der Betroffenen resultierender Kriterien fällt. Dementsprechend werden die Absagen sehr nett sein, aber keine Sachgründe enthalten.

Sicher gibt es solche »objektiven« Auswahl-Verfahren. Ihre Verbreitung in der Praxis ist allerdings nicht sehr groß. Sie sind relativ aufwendig und erfordern in der Regel einen oder mehrere externe Berater. Im Normalfall verläßt sich der Personalchef oder Berater auf seine fundierten Kenntnisse der jeweiligen Branche und ihrer Usancen, im fortgeschrittenen Entscheidungsstadium wird er meist einen für das bestimmte Fachgebiet kompetenten Mitarbeiter des Betriebes zuziehen. In den Fragen der persönlichen Eignung, der Charaktereigenschaften und der menschlichen Qualitäten verläßt man sich meist auf das Urteilsvermögen und vereinbart eine Probezeit. Da es aber vorkommen kann, daß der Bewerber mit wissenschaftlichen Verfahren der Auswahl konfrontiert wird, zeigt das folgende Beispiel, womit dabei zu rechnen ist.

Tests

Die Aufgabe besteht in der Auslese von geeigneten Fachlehrern und Fachausbildern der Fachrichtung Elektrotechnik-Elektronik für eine Umschulungseinrichtung. Man hatte es mit graduierten Ingenieuren und Meistern zu tun.

Die Bewerber informierte man über den bevorstehenden Test, der aus einem schriftlichen Teil, einem 15-Minuten-Lehrvortrag über ein selbst gewähltes Thema vor neutralem Publikum und einem persönlichen Gespräch von 15–20 Minuten mit einer Psychologin bestand.

Der schriftliche Test sollte die Fähigkeiten der praktisch-kaufmännischen Anstelligkeit für Büroarbeiten und die Kooperationsfähigkeit des Bewerbers zeigen. Er bestand aus 3 Fragekatalogen. Der erste enthielt sechs Aufgaben, die sich auf logisches und schnelles Denken bezogen, z. B.: »Unser Betrieb beschäftigt 25 Lehrlinge. Von diesen sollen jeweils zwei Lehrlinge für den Postfrühdienst und drei Lehrlinge für den Postspätdienst eingeteilt werden, so daß in jeder Woche jeder Lehrling einmal Postdienst hat. Aus verkehrstechnischen Gründen können acht Lehrlinge keinen Frühdienst und neun Lehrlinge keinen Spätdienst machen. Stellen Sie bitte einen Wochenplan (Montag bis Freitag), in dem Sie alle Namen der Lehrlinge für den Postdienst (früh und spät) auf das Lösungsblatt übertragen.«

Der zweite Katalog bestand aus einem Formlegespiel; damit

sollte die Kombinationsgabe, die Fähigkeit zum Erreichen der optimalen Lösung bei der Vervollständigung der aufgezeichneten Formen festgestellt werden.

Der dritte Katalog bestand aus Fragen, die sich auf den Umgang mit Menschen bezogen, z. B.:

»Ich lasse anderen Personen in ihrem Handeln weitgehend freie Hand« oder »Ich spiele bei gesellschaftlichen Ereignissen gern eine aktive Rolle«.

Die Beantwortung ließ sechs Möglichkeiten zu, von »trifft gar nicht zu« bis »trifft vollständig zu« über »kaum«, »bedingt«, »weitgehend«.

Der darauffolgende Tag brachte für jeden Teilnehmer eine 15-Minuten-Lehrprobe vor einem Beurteilungsgremium, bestehend aus ca. 15 zukünftigen Kollegen, Außenstehenden und Fachberatern. Sie waren – eine wesentliche Voraussetzung der künftigen Schüler – Laien auf den Fachgebieten Elektrotechnik-Elektronik. Jeder dieser Beobachter hatte einen Beurteilungsbogen vor sich, in den er innerhalb der 15 Minuten seine Eindrücke eintragen mußte: über Körperbewegung: steif, unbeweglich, unruhig, nervös; Ausdruck, Mimik: streng, unpersönlich, freundlich; Sprechtempo: fließend, stockend; Veranschaulichung des Lehrstoffes: durch Beispiele, durch Zeichnungen – selten, häufig; Unterrichtsstil: auf die Teilnehmer eingehend, ohne Lenkung; Lob: zu häufig, schematisch, nicht vorhanden. Die beiden Gruppen der Kandidaten – Praktiker/Theoretiker – waren unterschiedlich zu beurteilen.

Der Probelauf

Etwas Gemeinsames hatten die Kandidaten alle: die steifen, unbeweglichen, nervösen Bewegungen. Die Spannung wurde sichtbar, unter der sie standen. Die letzten 10 Minuten der Lehrprobe wurden per Videorecorder aufgezeichnet, die ersten 5 Minuten nicht, um dem Teilnehmer die Möglichkeit der Lockerung, der Überwindung der ersten Befangenheit zu geben. Nach dem Vortrag konnte sich jeder Kandidat selbst beurteilen.

Auffallend war der geringe Blickkontakt zu den »Schülern«, speziell bei den Theoretikern, die mehr dozierten, als eine Kommunikation mit Fragen und Antworten zu betreiben. Die Probanden wurden am Anfang des Vortrages ausdrücklich darauf hingewiesen, daß sie ihren Unterricht so gestalten sollten, als hätten sie ihre zukünftigen Schüler vor sich.

Der Aufbau der Vorträge war oft so unsystematisch, daß der Kandidat in der ihm zur Verfügung stehenden Zeit keine wirkliche Information an den Zuhörer weitergeben konnte. Er ließ sich teilweise durch Fragen aus seinem Konzept bringen und verlor sich in Erklärungen, die dem Thema nicht mehr entsprachen.

Die Veranschaulichung des Lehrstoffes durch Zeichnungen an der Tafel, durch Vorzeigen der zu erklärenden Gegenstände aus dem technischen Bereich war fast nicht vorhanden, In einem Fall, in dem viel Material zur Anschauung mitgebracht wurde (es wurde etwas lautstark auf dem Tisch ausgebreitet, was ein leichtes Lächeln bei den Testern auslöste), war der Kandidat jedoch nicht fähig, diese Gegenstände nach ihrer Bedeutung zu erklären. Er überließ sie den »Schülern« lediglich zum Anfassen, versehen mit einem Oberbegriff aus der Elektrotechnik, gleichzeitig führte er den Vortrag weiter.

Diese Darstellung führte dazu, daß keiner der Schüler wußte, was er gesehen hatte, und die weiteren Informationen des Lehrers nicht verfolgen konnte.

Ein wesentlicher Bestandteil des Unterrichts wurde von den meisten Kandidaten vergessen, die »Erfolgskontrolle«. Nach Beendigung der Ausführungen wurden keine sachbezogenen Fragen gestellt, die zeigen konnten, ob der »Schüler« den Ausführungen folgen konnte und sie verstanden hatte.

Der gesamte Ablauf wurde nach Beendigung des Vortrages über Bildschirm wiedergegeben, wobei man die wesentlichen Merkmale des Kandidaten in Sprache und Bewegung nochmals komprimiert sehen und überdenken konnte.

Der Vortragende selbst mußte anschließend eine Eigenbeurteilung, mittels des Fragebogens, den das Beurteilungsgremium auch hatte, abgeben. Danach führte der Fachberater allein mit dem Bewerber ein Gespräch über den abgelaufenen Vortrag und die Eigenbeurteilung.

Die Beobachter untereinander diskutierten über jeden einzelnen. Das Gespräch mit der Psychologin fand gleich anschließend statt, unter Ausschluß der Öffentlichkeit. Bei diesem Gespräch ging es um die persönlichen Eigenschaften des Bewerbers, seine Lebensart, Vergangenheit, Probleme etc.

Diese drei Kriterien, Ergebnis der schriftlichen Tests, des Vortrages und des persönlichen Gesprächs mit der Psychologin, waren für die Endauswahl entscheidend.

Beispiel-Fragen aus Intelligenz-/Bildungs-Tests für Berufsanfänger/Auszubildende

Denken

Ergänzen Sie folgende Zahlenreihen:

a) 3–9–15–21–27 ____________________
b) 1–2– 4– 7–11 ____________________
c) 4–8– 7–11–10 ____________________
d) 7–4– 6– 3– 5 ____________________

In einer Dose sind drei kleine Dosen und in jeder kleineren Dose vier noch kleinere. Wie viele Dosen sind vorhanden?

Ein Hafervorrat, der für 7 Pferde 78 Tage reicht, reicht für 21 Pferde wie lange?

Ein Junge ist dreimal so alt wie seine Schwester. In fünf Jahren wird er nur noch zweimal so alt sein. Wie alt ist er jetzt?

Bei einer Versammlung von 30 Teilnehmern wird ein Antrag mit 6 Stimmen Mehrheit angenommen. Wie viele Teilnehmer stimmten gegen den Antrag?

In einer Familie hat jede Tochter dieselbe Anzahl von Brüdern und Schwestern und jeder Sohn zweimal so viele Schwestern wie Brüder. Wie viele Söhne hat die Familie?

Im nachfolgenden Text sollen Sie immer, wenn einer der Buchstaben a, i, r oder s erscheint, diesen Buchstaben durchstreichen, wie Sie es in der ersten Zeile als Beispiel sehen:

Text:

De~~r~~ Bunde~~s~~prä~~si~~dent ~~is~~t ~~S~~t~~aa~~t~~s~~obe~~r~~h~~a~~upt de~~r~~ Bunde~~sr~~epubl~~i~~k Deutschland. Er hat damit das an Würde und Ansehen höchste Amt der Bundesrepublik inne. Er steht über den Parteien und vertritt die Interessen des Staates sowohl nach innen als auch nach außen. Der Bundespräsident wird von der Bundesversammlung, die jeweils nur zu diesem Zweck zusammentrifft, gewählt. Die Bundesversammlung setzt sich aus den Abgeordneten des Bundestages und der gleichen Zahl von Vertretern der Länder zusammen, die von den Länderparlamenten gewählt werden. Als Kandidat für das Amt des Bundespräsidenten kann jeder Deutsche auftreten, der das 40. Lebensjahr vollendet hat, im Besitz der bürgerlichen Ehrenrechte ist und das Wahlrecht für den Bundestag besitzt. Der Bundespräsident wird auf fünf Jahre gewählt. Einmalige Wiederwahl ist möglich. Die Wahl fand bisher stets in Berlin statt. Gewählt wird ohne Aussprache, das heißt, es wird keine Diskussion über die Kandidaten gepflogen.

Berechnen Sie die Durchschnittskosten für ein Kilogramm einer Ware, die aus folgenden Bestandteilen hergestellt wird:

140 kg zu je 4,28 DM ____________________
25 kg zu je 1,02 DM ____________________
320 kg zu je 9,17 DM ____________________

Wenn 12 Arbeiter täglich 10 Stunden arbeiten, erledigen Sie einen Auftrag in 48 Tagen. Wie viele Arbeiter sind erforderlich, wenn die gleiche Arbeit – bei einer täglichen Arbeitzeit von 8 Stunden – in 20 Tagen vollbracht werden soll?

Ein 48 cm langer Draht dehnt sich beim Erwärmen auf 52 cm aus. Wie lang wird ein 72 cm langer Draht nach dem Erwärmen sein?

Für je 3,– DM, die Hans hat, besitzt Klaus 5,– DM. Wenn sie zusammen 120,– DM haben, wie viele DM hat dann Klaus?

Ein Kaufmann nimmt bei einer Bank einen Kredit in Höhe von 4780,– DM auf. Nach 60 Tagen muß er den Kredit zuzüglich 10 Prozent Zinsen zurückzahlen. Wie hoch ist der zurückzuzahlende Betrag?

Deutsch / Deutsche Sprachkenntnisse

Korrigieren Sie folgende Sätze:

Aus ihrem Zeugnis haben wir ersehen, das Sie mehr wissen als die Anderen.

Innerhalb einer Woche erhalten Sie entgültig Bescheidt, ab sie zu uns paßen.

Wir sind davon überzeugt, daß sie alle Fragen aus dem allgemein Wissen beantworten können.

Sollte ihnen noch ein bischen Zeit verbleiben, empfehlen wir ihnen, die Lösungen noch einmal durch zu lesen.

Sie haben sich für einen Interessanten und fielseitigen Beruf entschieden.

Von einem Vorfall, der sich eventuell abspielen könnte, sagt man, er ist:

zweifelhaft / möglich / vermutlich / wahrscheinlich

Welches der nachstehenden Wörter paßt nicht zu den vier übrigen?

Hammer / Zange / Nagel / Feile / Säge

Welcher der folgenden Ausdrücke kennzeichnet einen Charakterzug?

Kraft / Wankelmut / Reichtum / Ruhm / Einfluß / Schönheit / Intelligenz

Wortbeziehungen

Betrachten Sie die folgenden Wortkombinationen. Die Wörter vor und hinter dem Gleichheitszeichen stehen zueinander in Beziehung. Sie sollen das fehlende vierte Wort (?) herausfinden. Kreuzen Sie unter den fünf möglichen Lösungen die richtige an.

Sommer : Regen = Winter : ?

a) Ofen
b) Schnee
c) Frühling
d) Weihnachten
e) weiß

Auto : Straße = Eisenbahn : ?

a) Damm
b) Brücke
c) Schiene
d) Bahnhof
e) Weiche

Krug : Töpferscheibe = Auto : ?

a) Straße
b) Fließband
c) Werkstatt
d) Tankstelle
e) Hebebühne

Stuhl : Sessel = Garten : ?

a) Park
b) Wald
c) Wiese
d) Gartenbank
e) Zaun

Maschine : Metall = Mensch : ?

a) Geist
b) Seele
c) Kind
d) Fleisch
e) Hände

Kind : Familie = Stadt : ?

a) Rathaus
b) Bürger
c) Landschaft
d) Dorf
e) Staat

Auge : Gemälde = Ohr : ?

a) Geräusch
b) Lied
c) Ton
d) Note
e) Klang

Finden Sie bei den folgenden Testworten unter den fünf Vorschlägen das Wort heraus, das am ehesten das Gegenteil bedeutet.

Rache

a) Vergebung
b) Sühne
c) Genugtuung
d) Recht
e) Vergeltung

gefangen

a) fliehen
b) flüchten
c) rennen
d) wehren
e) entkommen

Karriere

a) beruflicher Aufstieg
b) Berufserfolg
c) Mißerfolg
d) beruflicher Abstieg
e) Rüge

Feigheit

a) Heldentum
b) Kampfeslust
c) Forschheit
d) Mut
e) Wut

herrschen

a) arbeiten
b) dienen
c) ausführen
d) sich einfügen
e) abstimmen

Schande

a) Ehre
b) Lob
c) Stolz
d) Begnadigung
e) Reue

sprechen

a) singen
b) reden
c) schweigen
d) brummen
e) lachen

Geiz

a) Reichtum
b) Verschwendung
c) Armut
d) Gönnerhaftigkeit
e) Mäzenat

Allgemeine Bildung:

Nennen Sie die Bundesländer der Bundesrepublik Deutschland:

Nennen Sie zu den Bundesländern mindestens vier Landeshauptstädte:

Nennen Sie die derzeitigen Mitgliedsstaaten der »Europäischen Gemeinschaft«:

Man spricht von den Sinnen des Menschen. Welche Sinne sind damit gemeint?

Nennen Sie die drei Länder Lateinamerikas:

In welche Besatzungszonen wurde Deutschland nach dem Zweiten Weltkrieg aufgeteilt?

Erklären Sie kurz die folgenden Fremdwörter:

Export

Rekord

Protest

Amateur

Inflation

Beispiel: Testauswertungsbogen II

Ergebnis 16 P.F.-Test bei Kandidat:

Sachorientierung:											*Kontaktorientierung:*
unbeugsam, kalt, furchtsam, präzis, hart, sorfältig,	1	2	3	4	5	6	7	8	9	10	offen, warmherzig, großzügig, gemütvoll, weich,

gewissenhaft	sorglos, heiter
Konkretes Denken: konkret	*Abstraktionsvermögen:* abstrakt denkend
Emotionalität: geringe Ich-Stärke, geringe Frustrationstoleranz, labil	*Belastbarkeit:* hohe Ich-Stärke, emotional stabil, realitätsor., reif, ruhig, stetig
Folgebereitschaft: nachgebend, sich unterwerfend, hingebend	*Behauptungsstreben:* bestimmt, gebietend, sich behauptend, sich durchsetzend
Besonnenheit: ernst, vorsichtig, gesetzt, gespannt, störbar	*Begeisterungsfähigkeit:* lebhaft, impulsiv, gesprächig, zufrieden, aufgelockert
Selbstzweckorientierung: sorglos, verwantwortungslos, fühlt sich nicht verpflichtet	*Selbstlosigkeit:* gewissenhaft, pedantisch, Verantwortung suchend, moralisierend
Zurückhaltung: gehemmt, scheu, reflektiert, ängstlich	*Initiative:* selbstsicher, spontan, sorglos, wagemutig, ungehemmt, freundlich
Robustheit: selbstgenügsam, phantasiearm, unabhängig, lebenspraktisch	*Sensibilität:* feinfühlig, sentimental, unreif, abhängig, ungeduldig, fordernd
Toleranz: vertrauensvoll, anpassungsfähig, wenig eifersüchtig, gelassen	*Skeptizismus:* mißtrauisch, argwöhnisch, ungeduldig, intrigierend
Pragmatismus: sorgfältig, praktisch veranlagt, konventionell, alltagsorientiert	*Individualität:* phantasievoll, bohemienhaft, unkonventionell, ungewöhnlich
Offenheit: schlicht, einfach, gerade heraus, spontan	*Cleverness:* berechnend, geschliffen, scharfsinnig
Selbstvertrauen: gelassen, zuversichtlich, selbstbewußt	*Besorgtheit:* Schuldgefühl, geringes Selbstvertrauen, vorwurfsvoll
Konventionalität: konservativ, respektiert etablierte Ideen	*Aufgeschlossenheit:* analytisch, liberal, freidenkend
Gruppenverbundenheit: gruppenabhängig, unselbständig, Mitläufer, unterliegt Gruppengedanken	*Eigenständigkeit:* selbstgenügsam, selbstorientierend, eigenständig, kontraformistisch
Spontaneität: undiszipliniert, triebhaft, folgt eigenen Impulsen	*Selbstkontrolle:* willentlich kontrolliert, selbstdiszipliniert, gewissenhaft
Ausgeglichenheit: entspannt, ruhig, nicht frustiert	*Innere Spannung:* gespannt, überreizt, frustiert, verklemmt

Uneffektiver Stil
a) Missionar
b) Kompromißler
c) Deserteur
d) Autokrat

Grundstil
1) Streng MA-orientiert
2) Integriert
3) Gelöst (separatistisch)
4) Streng arbeitsorientiert

Effektiver Stil
A) MA-Förderer
B) Manager
C) Bürokrat
D) Wohlwollender Autokrat

Beispiel: Testauswertungsbogen I

Negative Werte:		Positive Werte:
erfaßt langsam	⑩	erfaßt rasch
geistig schwerfällig	⑨	geistig beweglich
konzentrationsunfähig		konzentrationsfähig
denkt logisch		denkt folgerichtig
denkt unpraktisch		denkt praktisch
urteilsunfähig		urteilsfähig
unfindig		findig
Mangel an	⑧	Gestaltungswille
Mangel an		Gestaltungskraft
überbl. Aufgabengeb. nicht	⑨	überblickt Aufgabengebiet
beobachtet ungenau		beobachtet genau
kann nicht kombinieren		kann kombinieren
unterscheidet ungenau		unterscheidet genau
kann nicht disponieren	⑦	kann disponieren
kann nicht organisieren	⑧	kann organisieren
Mangel an	⑨	fachliches Verständnis
anpassungsunf. an Aufgabe	⑧	anpassungsfähig an Aufgabe
mit Mitteln unökonomisch	⑨	mit Mitteln ökonomisch
mit Kräften unökonomisch		mit Kräften ökonomisch
braucht Anstoß		initiativerfüllt
träge	⑩	fleißig

flau	⑨	frisch
unbeharrlich		beharrlich
unbelehrbar		belehrbar
ablenkbar	⑦	unablenkbar
ziellos	⑧	zielbewußt
geschwätzig	⑨	verschwiegen
schlampig		sorgfältig
oberflächlich		gründlich
unpünktlich		pünktlich
nicht umsichtig	⑦	umsichtig
unvorsichtig	⑧	vorsichtig
unbeherrscht		beherrscht
Mangel an	⑨	Verständnis für andere
nicht umgänglich		umgänglich

1 = sehr stark, 2 = stark, 3 = durchschnittlich, 4 = weniger, 5 = verschwindend, 6 = schlecht, 7 = unterdurchschnittlich, 8 = durchscnittlich, 9 = gut, 10 = sehr gut.

Die Erstattung der Vorstellungskosten

Die Vorstellung ist für den Bewerber mit Kosten verbunden. Fahrtkosten, Übernachtung, Verpflegung können sich zu beachtlichen Summen zusammenrechnen, deren Verlust besonders dann schmerzlich ist, wenn es zu keinem Vertragsabschluß bei der Vorstellung kam. Wer muß für diese Kosten aufkommen? – Die Rechtsprechung geht hier von § 670 BGB aus. Es heißt da: »Macht der Beauftragte zum Zweck der Ausführung des Auftrags Aufwendungen, die er den Umständen nach für erforderlich halten darf, so ist der Auftraggeber zum Ersatz verpflichtet.«

Dazu einige neuere Urteile, die auch in Details Klarheit bringen. Zunächst ein rechtskräftiges Urteil des Arbeitsgerichts Berlin vom 25. 6. 1975 – 10 Ca 681/74 – Die Leitsätze:

1. Vorstellungskosten aus Anlaß der Anbahnung eines Arbeitsvertrages sind auch ohne ausdrückliche oder stillschweigende Vereinbarung jedenfalls dann zu erstatten, wenn die Anreise mit Wissen und Wollen des möglichen Vertragsgegners erfolgt.

2. Zu den erstattungsfähigen Kosten gehören in der Regel die Fahrt-, Verpflegungs- und Unterbringungskosten, wenn der Interessent (Bewerber) nicht am Sitz der Firma wohnt.

3. Bei der Benutzung des eigenen Kraftwagens richtet sich die Erstattung nach steuerlichen Grundsätzen, es sei denn, daß anderweitige Vereinbarungen getroffen worden sind.

Das Gericht führte im einzelnen dazu aus, daß die Firma dem Bewerber gemäß § 670 BGB Vorstellungskosten dem Grund nach zu erstatten habe. Nach § 670 seien die Aufwendungen zu ersetzen, die der Bewerber zum Zwecke der Ausführung des Auftrages (Erscheinen zur Vorstellung) den Umständen nach für erforderlich halten durfte. Maßgebend sei ein objektiver Maßstab mit subjektivem Einschlag. Dem Bewerber stehe zwar ein gewisses Ermessen zu, doch müsse er dabei die Interessen des suchenden Unternehmens und Ihr Verhältnis zur Bedeutung des Geschäfts (Abschluß eines Arbeitsvertrages) und zum angestrebten Erfolg berücksichtigen. Die Reisekosten waren für den Bewerber notwendige Aufwendungen, und es entspreche einer weitverbreiteten Auffassung, der sich die Kammer anschließe, daß Reisekosten sowohl die Fahrt als auch die Verpflegungs- und Übernachtungskosten umfassen können.

In der arbeitsrechtlichen Literatur werde die Frage, ob der Bewerber Fahrtkosten der niedrigsten Klasse des zweckmäßigsten öffentlichen Verkehrsmittels oder bei Benutzung des eigenen Pkws Kilometergeld-Erstattung verlangen könne, unterschiedlich beantwortet. Angesichts der weiten Verbreitung von Kraftfahrzeugen in der Bundesrepublik Deutschland müsse man aber grundsätzlich davon ausgehen, daß eine Kilometergeld-Pauschale erstattungsfähig sei. Aus Gründen der Gleichbehandlung könne sich aber die Höhe der Kilometergeld-Pauschale nur im Rahmen der steuerrechtlichen Bestimmungen halten, wonach bei der Benutzung eines Kraftfahrzeuges DM –,36/km einmal für die Hin- oder Rückfahrt zu berechnen sind (§ 20 Abs. 2 LStDV).

Entgegen der Auffassung des Klägers (Bewerbers) könnten dagegen die Kilometersätze der ADAC-Tabellen nicht zum Nachweis der tatsächlichen Aufwendungen herangezogen werden.

Ferner könne der Bewerber zu Recht von der Firma die Erstattung der Übernachtungskosten in Höhe von 97,– DM verlangen.

Bei einer Gesamtstrecke von 948 km zwischen Gütersloh–Berlin–Gütersloh wäre es jedenfalls dem Bewerber nicht zuzumuten, die Gesamtstrecke an einem Tag zurückzulegen, weil es nicht entscheidend darauf ankomme, ob das Vorstellungsgespräch nur kurze Zeit, wie vorliegend 15 Minuten, gedauert habe. In diesem Zusammenhang erscheine es auch nicht rechtsmißbräuchlich, wenn der Bewerber statt mit dem Flugzeug zu kommen seinen eigenen Pkw benutzt habe und auf diese Weise länger als mit dem Flugzeug unterwegs gewesen sei. Zwar sei für das beklagte Unternehmen zuzugeben, daß die Hotelkosten in Höhe von DM 97,– für eine Übernachtung in Berlin nicht gerade unterhalb der untersten Grenze liegend angesehen werden könnten. Der Bewerber habe jedoch unwidersprochen vorgetragen, daß er sich bei seiner Ankunft in Berlin sowohl bei einer privaten Zimmervermittlung am Bahnhof Zoo als auch beim städtischen Verkehrsamt vergeblich bemüht habe, ein preiswerteres Zimmer zu erhalten. Mit Rücksicht darauf, daß zur damaligen Zeit in Berlin die »Grüne Woche« stattfand, sei mit dem Bewerber davon auszugehen, daß er eine andere preiswertere Unterbringungsmöglichkeit in Berlin nicht gefunden habe.

Schließlich sei unter den dargestellten Umständen auch nicht zu beanstanden, wenn der Bewerber für zwei Reisetage Tagesspesen in Höhe von insgesamt DM 50,– geltend mache, da steuerrechtlich sogar DM 30,– pro Tag absetzbar sind.

– Vorsicht bei Kopplung von Vorstellungsreisen mit anderen Reiseabsichten!

Eine interessante Variante zur Auslegung des § 670 BGB und dem Ersatz von Vorstellungskosten ergibt sich aus dem – öfter auftretenden – Fall, daß der Bewerber gegenüber dem möglichen künftigen Arbeitgeber beim Aushandeln des Vorstellungstermins zum Ausdruck bringt, an einem bestimmten Tag befinde er sich sowieso in der Nähe des entsprechenden Ortes, und dann könne er das ja mit der Vorstellung verbinden. Hierzu führt das Arbeitsgericht Wuppertal in seinem rechtskräftigen Urteil vom 1. 6. 1976 – 1 Ca 3638/75 – aus anläßlich eines Falles, in dem der Bewerber zum Ausdruck gebracht hatte, daß er sich an einem bestimmten Tag in der Nähe der Firma – nur 4 km entfernt – befinde, aber die gesamten Fahrtkosten von seinem Wohnsitz bis zum Sitz der Firma in Rechnung stellte: War die Bitte der Firma an den Bewerber, sich vorzustellen, ein Auftrag im Sinne des § 670 BGB, so lasse sich aus ihr der Anspruch des Bewerbers nur insoweit herleiten, als er von seiner schon vorher geplanten Fahrt abweichen mußte. Insoweit habe er nämlich die Fahrtkosten zur Ausführung des Auftrages aufgewendet, im übrigen aber nicht im Sinne dieses Gesetzes. Die Fahrt des Bewerbers bezweckte nicht nur die Vorstellung bei der Firma, sondern auch die Erfüllung seines vorher gefaßten Wunsches, nach L. zu fahren. Entscheidend sei, daß der Bewerber die Fahrt nach L. auch dann unternommen hätte, wenn er von der Firma nicht zu der Vorstellung gebeten worden wäre. Mit dem Wunsch des Bewerbers, nach L. zu fahren, war die Ursache für die Entstehung der Kosten der Fahrt unabhängig vom »Auftrag« der Firma gesetzt. Es liege aber im Sinne des § 670 BGB, daß dann die Kosten (bis auf den hinzukommenden Umweg) der Bewerber und nicht die Firma trage. Sinn und Zweck des § 670 BGB sei es nämlich, den Beauftragten (Bewerber) von Vermögensopfern zu entlasten, die er ohne Annahme des Auftrags nicht gehabt hätte. Dem Beauftragten (Bewerber) Aufwendungen zur Erfüllung eigener Zwecke zu ersparen, steht im Widerspruch hierzu. Es liege auch die Verpflichtung, einen »Auftrag« unentgeltlich auszuführen (§ 662 BGB) näher, es dem Auftraggeber (Firma) zugute kommen zu lassen, wenn der Beauftragte (Bewerber) die Aufwendungen ohnehin für eigene Zwecke machen wolle. So habe auch der Bundesgerichtshof entschieden, daß eine Erstattungspflicht nicht besteht, wenn die Belastung des Beauftragten mit einem Vermögensopfer darauf zurückzuführen sei, daß er mit der Geschäftsbesorgung ein eigenes Geschäft verbunden habe.

Das Gericht geht dann auf das ein, was als heute allgemein üblich anzusehen ist: Die Erstattung der Kosten für eine erbetene Vorstellung sei nämlich heute ganz allgemein üblich. Mit der Vorstellungsaufforderung gelte deshalb im Rechtsverkehr stillschweigend eine Kostenerstattungszusage als verbunden. Die Erstattungspraxis habe es aber in der Regel nur mit den Fällen zu tun, in denen der Bewerber nur wegen der Vorstellungsaufforderung anreist. Nur für diese Fälle könne dementsprechend eine allgemeine Übung und eine inhaltsgleiche Zusage als stillschweigend erteilt angenommen werden.

Es bestehe aber keine Veranlassung, einem Bewerber Vorstellungskosten zu erstatten, wenn er ohnehin aus anderen Gründen zum Vorstellungsort reise.

Verjährung des Anspruchs auf Ersatz der Vorstellungskosten

Die Rechtslage bei der Verjährung des Anspruchs auf Ersatz der Vorstellungskosten kommt gut zum Ausdruck in einem Urteil des Bundesarbeitsgerichts vom 14. 2. 1977 – 5 AZR 171/76 –.

Es wird dabei deutlich, daß die Ansprüche des Bewerbers auf Ersatz der Vorstellungskosten der kurzen Verjährung des § 196 Abs. 1 Nr. 8 u. 9 BGB unterliegen. Das gilt auch dann, wenn der Bewerber nicht eingestellt wurde. Die entsprechenden Stellen aus dem BGB lauten: »§ 196 In zwei Jahren verjähren die Ansprüche: 1.–7 . . .

8. derjenigen, welche im Privatdienst stehen, wegen des Gehalts, Lohnes oder anderer Dienstbezüge, mit Einschluß der Auslagen, sowie der Dienstberechtigten wegen der auf solche Ansprüche gewährten Vorschüsse;

9. der gewerblichen Arbeiter – Gesellen, Gehilfen, Lehrlinge, Fabrikarbeiter –, der Tagelöhner und Handarbeiter wegen des Lohnes und anderer an Stelle oder als Teil des Lohnes vereinbarter Leistungen, mit Einschluß der Auslagen, sowie der Arbeitgeber wegen der auf solche Ansprüche gewährten Vorschüsse.«

Dem Urteil des BAG vom 14. 2. 1977 lag folgender Fall zugrunde: Ein Bewerber hatte sich auf eine Stellenanzeige – im

Sommer 1972 erschienen – bei der inserierenden Firma am 2. 8. 1972 vorgestellt. Es kam nicht zu einer Einstellung. Der Bewerber hat dann der Firma mit Schreiben vom 15. 8. 1972 die ihm entstandenen Vorstellungskosten in Höhe von 308,35 DM mitgeteilt. Die Firma zahlte aber nicht. Mit einem am 6. 8. 1975 beim Arbeitsgericht eingegangenen und der Firma am 7. 8. 1975 zugegangenen Zahlungsbefehl verlangte der Bewerber Ersatz seiner Vorstellungskosten. Er hatte mit seiner Klage keinen Erfolg.

Das Gericht führte dazu aus, daß dem Bewerber an sich ein Ersatz der Vorstellungskosten zustünde. Die Firma sei aber berechtigt, die geforderte Leistung zu verweigern, da der Anspruch inzwischen verjährt sei.

Der Anspruch auf Ersatz der Vorstellungskosten sei ein Anspruch auf Ersatz von Auslagen im Sinne von § 196 Abs. 1 Nr. 8 BGB; Entsprechendes gelte für § 196 Abs. 1 Nr. 9 BGB. Wenn ein Arbeitgeber einen Arbeitnehmer zur Vorstellung aufgefordert habe, müsse er ihm in der Regel alle Aufwendungen ersetzen, die der Bewerber den Umständen nach für erforderlich halten durfte, etwa Fahrtkosten oder Mehrkosten für Verpflegung und Übernachtung.

Die kurze Verjährungsfrist des § 196 Abs. 1 Nr. 8 BGB greife nicht nur ein, wenn ein Anspruch auf Ersatz von Auslagen gefordert werde, die während der Dauer eines Arbeitsverhältnisses entstanden seien, vielmehr unterlägen auch solche Ansprüche, die sich aus Verhandlungen über die Eingehung eines Arbeitsverhältnisses ergeben, dieser kurzen Verjährung.

Nach Sinn und Zweck der Bestimmung des § 196 Abs. 1 Nr. 8 sei es geboten, auch Ansprüche auf Ersatz von Vorstellungskosten der kurzen Verjährung zu unterwerfen. Der kurzen Verjährung sollen Ansprüche aus Geschäften des täglichen Verkehrs unterliegen. Erfahrungsgemäß würden solche Forderungen alsbald beglichen. Häufig würden keine Quittungen erteilt; soweit sie erteilt wurden, würden sie nicht aufbewahrt, so daß der Beweis für die Erfüllung dieser Forderungen dem Schuldner regelmäßig erschwert würde. Es bestehe deshalb ein

Bedürfnis, die Rechtslage alsbald klarzustellen. Diese Erwägungen treffen auch für Ansprüche auf Ersatz der Vorstellungskosten zu. Bewerbungen und Vorstellungen gehörten zu den typischen Geschäften des Arbeitslebens. Es bestehe das gleiche Bedürfnis nach rascher Klarstellung der Rechtslage. Bei der Durchsetzung dieser Ansprüche könnten sowohl auf seiten des Gläubigers als auch auf seiten des Schuldners die gleichen Gefahren auftreten, wie sie für Ansprüche auf Lohn- und Auslagenersatz innerhalb eines Arbeitsverhältnisses typisch seien.

Daß es für die Anwendbarkeit des § 196 Abs. 1 Nr. 8 und 9 BGB nicht auf ein voll wirksames Arbeitsverhältnis ankomme, haben Bundesarbeitsgericht und Bundesgerichtshof wiederholt für Vergütungsansprüche entschieden. Für Ansprüche auf Auslagenersatz könne nichts anderes gelten als für Vergütungsansprüche. Auch hier entscheide in erster Linie die wirtschaftliche Betrachtungsweise und nicht die rechtliche Einordnung des Anspruchs.

Für diese Auslegung spricht auch die rechtliche Behandlung eines solchen Anspruchs in den Fällen, in denen sich der Arbeitnehmer mit Erfolg beworben hat. Sein Anspruch auf Ersatz der Vorstellungskosten muß als Anspruch auf Auslagenersatz aus einem Arbeitsverhältnis behandelt werden; er verjährt in zwei Jahren. Es gebe keinen sachlichen Grund dafür, den gleichen Anspruch erst in 30 Jahren verjähren zu lassen, wenn der Arbeitsvertrag nicht zustande gekommen sei. Die Länge der Verjährungsfrist könne nicht davon abhängen, ob die Bewerbung Erfolg hatte oder nicht. § 196 Abs. 1 Nr. 8 BGB erfasse Ansprüche auf Auslagenersatz unabhängig davon, ob sie regelmäßig wiederkehren oder ob es sich – wie hier – um einmalig entstandene Auslagen handele. Ansprüche auf Ersatz der Vorstellungskosten seien daher Ansprüche auf Ersatz von Auslagen im Sinne des § 196 Abs. 1 Nr. 8 BGB mit der Folge, daß sie der kurzen Verjährungsfrist unterliegen.

Übergangsfragen bei einem Arbeitsplatzwechsel

Auch nach dem erfolgreichen Abschluß der Vorstellung stehen noch wichtige Entscheidungen aus. Nachdem Sie sich den Weg freigemacht haben zu einem Wechsel, nachdem Sie alles Nötige getan haben, stehen Sie vor dem Vertragsabschluß. Ein neuer Abschnitt Ihres Berufsschicksals kann beginnen. Vorher aber müssen Sie das letzte Kapitel schließen, zu Ende bringen. In aller Form und so selbständig und überlegt, wie Sie das neue Kapitel vorbereitet haben. Diese Schluß- und Übergangsphase birgt noch eine Reihe von Problemen, die jetzt besprochen werden sollen.

Die Lösung des Arbeitsvertrages

Voraussetzung ist der Abschluß des neuen Vertrages. Erst wenn Sie den neuen Vertrag haben, sollten Sie den alten aufkündigen. Verlassen Sie sich nicht auf mündliche Zusagen. Wenn aus Zeitgründen der neue Vertrag zum Termin nicht fertig wird, ist es das Beste, auf den nächsten Termin zu warten. Eine provisorische Zwischenlösung kann ein Vorvertrag sein. Er muß die in den Tips genannten acht Punkte enthalten. Wenn Sie erst einmal gekündigt haben und schriftlich lediglich über die Zusicherung einer Anstellung »wie besprochen« verfügen, dann müssen Sie u. U. unter stark verschlechterten Bedingungen neu verhandeln. Der neue Arbeitgeber könnte darauf verfallen, daß Sie jetzt auf ihn angewiesen sind und er die Bedingungen diktieren kann. Sie müßten dann unter Zeitdruck neu suchen oder zunächst auf die Erpressung eingehen.

Voraussetzung ist auch die korrekte Einhaltung der vertraglich vereinbarten Fristen. Es gibt Arbeitgeber, die »Reisende nicht aufhalten wollen«. Sie lassen mit sich reden über eine Verkürzung der Kündigungsfrist. Verpflichtet sind sie dazu nicht. Als Grundregel für Kündigungsfristen des Arbeitnehmers gilt die seit dem 15. Oktober 1993 bestehende Neuregelung des § 622 BGB. Die gesetzlich geregelte Kündigungsfrist beträgt demnach einheitlich für Arbeiter und Angestellte vier Wochen zum Fünfzehnten oder zum Ende eines Kalendermonats. Sie ermöglicht dem Arbeitnehmer ein verhältnismäßig kurzfristiges Wechseln. Kündigt der Arbeitgeber, so muß er die für den kündigenden Arbeitgeber gemäß § 622 Abs. 2 BGB einseitig geltenden von der Beschäftigungsdauer des Arbeitnehmers abhängigen Kündigungsfristen beachten. Hat das Arbeitsverhältnis zwei Jahre bestanden, so verlängert sich die Kündigungsfrist zugunsten des Arbeitnehmers auf einen Monat zum Ende eines Kalendermonats. Diese Regelung setzt sich gestaffelt bis zu einer Beschäftigungsdauer von zwanzig Jahren fort, die eine Kündigungsfrist von sieben Monaten zum Ende eines Kalendermonats festsetzt. Bei der Berechnung der Beschäftigungsdauer werden Zeiten, die vor der Vollendung des fünfundzwanzigsten Lebensjahres des Arbeitnehmers liegen, nicht berücksichtigt.

Mit der Einhaltung der Frist ist auch die Rückzahlung evtl. eingeräumter Darlehen verbunden, der Firmenwagen und die Firmenwohnung müssen erstattet werden.

Erst wenn es nötig wird, solche Bedingungen zu lösen, fallen sie auf, und es stellt sich heraus, daß sie ganz kräftig sind. Lange Kündigungsfristen können drückende Fesseln werden. Sie sind nur durch einen Kompromiß mit dem Arbeitgeber lösbar. Berücksichtigen Sie solche schlechten Erfahrungen mit scheinbaren Vorteilen bei der Gestaltung Ihres neuen Vertrages.

In welcher Form wollen Sie kündigen?
Schreiben Sie keinen Kündigungsbrief wie den folgenden: »Heute ist es soweit. Endlich kann ich diesem Hause den Rükken kehren. Ich kündige hiermit fristgemäß meinen Arbeitsvertrag zum Soundsovielten. Glauben Sie ja nicht, daß ich einen Formfehler begehe und Ihnen die Möglichkeit zum Querschießen gebe! Es ist mir ein persönliches Bedürfnis, sehr geehrter Herr Z, Ihnen einmal in aller Form zu sagen, was ich von Ihnen halte. Sie haben mir durch Ihre bösartigen Quertreibereien alle Chancen verpatzt. Sie waren es, der durch ständiges Stänkern meine Leistungen bei der Geschäftsleitung heruntergespielt hat. Sie haben durch Ihr Geschwätz meinen Ruf vernichtet. Sie . . .« Der geneigte Leser kann sich das nach Art seiner Phantasie ausmalen, was da so an Haß, Eifersucht, Rachsucht und angestautem Ärger herauskommen kann.

Wer ein solches Kündigungspamphlet verfaßt, vergißt, daß der Empfänger die Annahme verweigern kann oder, wenn er scharf reagiert, Privatklage erheben kann. Außerdem vergißt er, daß er noch kein Abschlußzeugnis hat. Die Form »Jetzt werd ich es euch mal zeigen« ist also nicht zu empfehlen. Eine Kündigung muß schriftlich gemacht werden und fristgemäß. Eine Begründung muß sie nicht enthalten. Es genügt ein Brief mit kompletten Anschriften und Datum sowie dem Satz »Hiermit kündige ich mein Arbeitsverhältnis mit Ihnen/Ihrem Hause fristgemäß zum soundsovielten«. Hochachtungsvoll/Unterschrift. Es ist möglich, die Kündigung per Post und Einschreiben zu schicken. Aber auch die persönliche Übergabe ist möglich. Wenn Sie nicht sicher sind vor »Tricks«, z. B. dem fristgerechten Verschwinden Ihres Kündigungsschreibens, von dem keiner etwas gewußt haben will, dann können Sie sich bei Abgabe einer Kopie mit »Zur Kenntnis genommen« und Unterschrift des Empfängers bestätigen lassen.

Eine Formfrage ist auch der Zeitpunkt Ihrer fristgemäßen Kündigung. Dabei spielt es eine Rolle, wie sich das Restarbeitsverhältnis gestalten wird. Sie können zum allerletzten Termin, der noch zulässig ist, kündigen (vergessen Sie bei

Postzustellung nicht, Verzögerungen einzuplanen, oder gar einen Verlust). Die sechs Wochen bis zum Ausscheiden können Sie mit Ihrem Urlaub füllen. Einmal, um sich auf die neue Position vorzubereiten und zu stärken, zum anderen, um Gerede und Sticheleien aus dem Wege zu gehen. Wenn Sie nur über vier oder drei Wochen Urlaub verfügen, können Sie den Rest der sechs Wochen mit unbezahltem Urlaub verbringen. Bedenken Sie aber bei so knappen Terminen, daß Sie den bisherigen Arbeitgeber in Bedrängnis bringen. Er muß Ersatz für Sie suchen und finden. Am Ende des Quartals-Kündigungstermins kann das erhebliche Schwierigkeiten machen. Besser ist es, ihm eine faire Frist einzuräumen durch Kündigen vor dem letzten Termin. Es sei denn, ein möglicher Nachfolgekandidat ist schon da, und Ihre Aufgaben können ohne Schwierigkeiten von anderen mit übernommen werden.

Wollen Sie alle Brücken abbrechen, oder können Sie sich eine Rückkehr vorstellen?
An dieser Frage sollten Sie die Sachlichkeit Ihrer Kündigungsgründe überlegen und prüfen. Warum glauben Sie, nie mehr in dieses Unternehmen zurückzukehren? Besteht wirklich unüberwindliche Abneigung und Zerrüttung? Oder ist es sachlich und fachlich allein der Aufstieg, die Karriere, die zählen? Damit könnte aber doch der erste Schritt zur Rückkehr gegeben sein. Nehmen wir an, Ihre Karriere ist blockiert durch einen jungen Prokuristen, den Sie nicht überspringen können. Dann könnte doch die Position in der neuen Firma den Zweck haben zu überspringen, eine Position einzunehmen, die der des jungen Prokuristen gleich ist. Wenn Sie sich in dieser nötigen Zwischenstufe bewährt haben, könnten Sie doch die nächste Stufe wieder bei Ihrem alten Arbeitgeber einnehmen. Sozusagen tief rausgehen und nach einer Zeit der Bewährung in anderen Häusern hoch wieder einsteigen. Dieses Konzept ist möglich und wird auch praktiziert. Dazu muß man aber eine gewisse Brücke offenhalten; Kontakt halten, mit den entscheidenden Herren auf gutem Fuß bleiben. Dann kann es gesche-

hen, daß man direkt zurückgerufen wird. Man muß seine Anschrift hinterlassen, erreichbar sein und klar gesagt haben, daß man geht, um sich woanders die nötigen Meriten zu holen für ein Wiedereinsteigen in die angestrebte höhere Position. Man muß sich ab und zu mal sehen lassen.

Viele sind der Meinung, daß eine Rückkehr das letzte Eingeständnis des Versagens sei. Man hat es eben nicht geschafft und bittet um Unterschlupf. Das sollte natürlich nicht passieren. Erfolg ist nötig, um zurückzukehren. Nach dem römischen Rezept muß man erst sein Gallien erobert haben, um den Rubikon zu überschreiten.

Wenn es nicht klappt, ist die Rückkehr nicht empfehlenswert, dann müssen Sie aus einer sehr schwachen Position verhandeln, besonders wenn Sie mit »Theaterdonner« ausgeschieden sind. Dann sollten Sie in einer anderen Firma Ihr Glück neu versuchen. Es ist ein unter Personalpraktikern bekanntes Phänomen, daß es bei manchen Wechslern auf Anhieb mit dem ersten neuen Arbeitgeber nicht klappt. Ein dafür typischer Werdegang zeigt nach einer längeren Arbeitszeit bei einer Firma (fünf, sechs, acht Jahre) einen Wechsel und gleich darauf, innerhalb eines halben Jahres, noch einen und nach einem Jahr noch einen, und jetzt sucht der Mann wieder. Meist hat er sich eine bestimmte Vorstellung gemacht, und die hat sich in allen Fällen nicht erfüllt. Solche Kräfte schaut man sich besonders gerne an, weil man den Wunsch nach »seßhaft werden« voraussetzen kann. Mehrere kurzfristige Wechsel (zwei/drei) nach einem längeren Arbeitsverhältnis müssen sich also nicht negativ auswirken.

Könnte ein offenes Abschlußgespräch für Sie sinnvoll sein?
Für manchen unselbständigen Arbeitnehmer bringen die Umstände des Arbeitsplatzwechsels, die Bestandsaufnahme, die Bewerbung, die Vorstellung, das lange abhanden gekommene Gefühl der Selbständigkeit wieder. Man wird aktiv, selbstbewußter und selbstkritischer. Man sieht viele Dinge anders, neu, man ist aufgetaucht, heraus aus dem Trott. Bei den Vor-

stellungen hat man dazugelernt, man hat seinen Wert erkannt. Von dieser neuen »Eigenschau« aus rentiert sich in manchen Fällen ein offenes, aber sachliches und freundliches Gespräch mit dem Vorgesetzten oder der Geschäftsleitung. Sie stehen nicht mehr im täglichen Kleinkrieg. Sie stehen schon fast mit beiden Beinen draußen. Ihr Gespräch könnte den Inhalt haben: »Ich sehe jetzt manches anders. Werte manche Sache anders. Könnte mir vorstellen, daß ich auch für die und die Position geeignet wäre. Wie hätten langfristig meine Chancen hier ausgesehen?« Auch Ihr Gesprächspartner hat ja nun eine neue Ausgangsbasis. Er hat für Ihre Position bereits neu geplant, ein Neuer ist vorgesehen. Zurück in die alte Position ist für ihn auch nicht mehr diskutabel. Sie könnten ihm aber Ihren neuen Vertrag mit der noch fehlenden Unterschrift von Ihnen zeigen. Wenn er sieht, was Sie »draußen« gelten, wird er vielleicht eine noch bessere Möglichkeit sehen. Wie gesagt – vielleicht. So ein Gespräch muß richtig abgeschätzt werden. Sie müssen Ihren Gesprächspartner kennen und richtig einschätzen. Man könnte Ihnen eröffnen, daß man froh ist, Sie loszuwerden. Man könnte Ihnen aber auch interessante Zukunftsplanungen eröffnen, mit denen Sie nicht gerechnet hätten.

Wie weit wollen Sie Ihren jetzigen Arbeitgeber informieren über Ihren neuen Arbeitsplatz?
Diese Frage zielt auf ein denkbares Extrem: Die nicht zu überwindende Verstimmung Ihres jetzigen Arbeitgebers. Es gibt solche Fälle, z. B. wenn er ganz fest mit Ihnen rechnete, wenn Ihre Kündigung sein ganzes Konzept durcheinanderbringt oder wenn er Sie als seinen »Besitz« betrachtete und nun sein »Eigentum« geschmälert sieht. Dann ist er zu keinem vernünftigen Gespräch bereit. Im Gegenteil, er könnte soweit gehen und versuchen, Ihnen zu schaden. Wenn Sie eine solche Entwicklung befürchten müssen, ist es besser, den neuen Arbeitgeber nicht zu nennen. Niemand kann Sie dazu zwingen. Die Möglichkeiten des Schadens und der üblen Nachrede sind groß und meist nicht nachweisbar und gerichtlich zu ahnden.

Es könnten Querverbindungen bestehen durch Clubs oder Verbände. »Übrigens hat sich ja mein Herr Z bei Ihnen vorgestellt. Ich war völlig überrascht, daß Sie sowas brauchen können, also wenn ich Ihnen ...« etc. Es können auch bestimmte Grade wirtschaftlicher Abhängigkeit bestehen durch Beteiligungen, Vorstandssitze, Zuliefererverträge oder in Aussicht gestellte große Aufträge. Dann würde so ein ärgerlicher Arbeitsplatzwechsel die gepflegten Beziehungen stören. Das sind nur einige Anregungen zum Nachdenken – wenn Ihr Chef, Ihre Geschäftsleitung, »sauer« reagieren sollte. Sie zeigen, daß es auch sinnvoll sein kann, den neuen Arbeitgeber zu verschweigen, besonders solange noch kein Vertrag besteht und während der Probezeit. Danach wird Ihr neuer Arbeitgeber im schlimmsten Fall die Fristen einhalten müssen. In der Regel können Sie aber davon ausgehen, daß er Sie braucht und daß seriöse Firmen sich nicht zu den angedeuteten Praktiken hergeben. Sie würden auch ihrem »Personalimage« großen Schaden zufügen.

Könnte ein gutes Verhältnis zu Ihrem jetzigen Arbeitgeber für Sie in der neuen Position nützlich sein? – Wie muß dann Ihre »Abschiedsvorstellung« aussehen?

Bei der vielfältigen Verflechtung der Wirtschaft ist das »goodwill« die angenehme Erinnerung des alten Arbeitgebers, eine besondere Empfehlung bei dem neuen. Ganz deutlich ist das bei Unternehmen, die miteinander in Geschäftsverbindung stehen. In Ihrer neuen Position haben Sie dann den großen Vorteil, die Herren von der »anderen Seite« zu kennen und mit ihnen auf freundschaftlichem Fuß zu verkehren. Mit einer solchen Verbindung lassen sich Reklamationen, Mißverständnisse etc. viel besser ausräumen. Man kennt sich und schätzt sich, da besteht kein Grund, sich unnötig aufzuregen oder gar zu beschimpfen. Ein neuer Arbeitgeber wird das zu schätzen wissen. Besonders gut kann sich dieser Gesichtspunkt auswirken bei dem Wechsel von einem großen Unternehmen zu einem kleinen. Das kleine Unternehmen hat mit Ihnen dann den Fachmann, mit dem man die Politik gegenüber dem Großen risikoloser kalkulieren kann.

Ihre »Abschiedsvorstellung« beim jetzigen Arbeitgeber muß dann gut vorbereitet werden. Es darf zu keinem »Brükkenabbrechen« kommen. Im Gegenteil, mit einem leisen Anflug von Bedauern und der festen Zusage, die Verbindung aufrechtzuerhalten, muß es ausklingen. Dazu müssen die Gründe Ihres Wechsels passen. Z. B. ist es bei großen Konzernen vielfach nicht möglich, aus dem Gehaltsgefüge auszubrechen. Wenn Sie in einer neuen Position bei dem Kleinen das Doppelte verdienen, dann wird kein vernünftiger Personalchef Sie verdammen oder Ihnen Steine in den Weg werfen. Er wird es bedauern (vorausgesetzt, Sie haben sich wirklich qualifiziert), daß er Ihnen nicht das gleiche bieten kann. Er schätzt Sie auch persönlich. Sie haben ein gutes Verhältnis zu den Kollegen und zur Geschäftsleitung. Alle bedauern Ihr Weggehen, aber das Gehaltsargument versteht man. »Sie sind ja nicht aus der Welt, wir hören ja voneinander. Wir werden ja weiter zusammenarbeiten.« So müssen die ehrlich gemeinten Kommentare lauten. So kann sich die Pflege der zwischenmenschlichen Beziehungen verbunden mit guter Leistung auszahlen. Zu den Fragen der Auflösung des Arbeitsverhältnisses kommen die damit vielfach verbundenen Veränderungen im privaten Bereich, die

Fragen zur Ortskenntnis und Familienpflege

Die vielen Probleme der Bewerbung, der Vorstellung und der Vertragsabfassung, die Begeisterung über den Erfolg, eine neue bessere Position gefunden zu haben, der Stolz auf den neuen Arbeitsplatz, die neue Firma, mit der man sich schon identifiziert, all das läßt so banale Fragen wie die nach der »Lage« des Unternehmens in den Hintergrund treten. Sie verdienen aber die gleiche Aufmerksamkeit wie die Frage nach den Menschen, mit denen Sie an Ihrem neuen Platz zusammenarbeiten müssen. Sie müssen auch mit Ihrer privaten Umgebung zufrieden sein, sonst können Sie auf die Dauer nicht zu den vorgenommenen Erfolgen kommen. Einige Fragen sollen die wichtigsten Punkte herausstellen:

Haben Sie sich schon mit der »landschaftlich reizvollen Lage« Ihres neuen Arbeitsplatzes beschäftigt?

Sie sind vielleicht schon mehrmals mit dem Wagen oder der Bahn hingefahren. Aber auf die Landschaft, die Umgebung, die Lage haben Sie nicht geachtet. Sie hatten andere Dinge im Kopf. Die Fragen Ihres Partners können Sie nur vage beantworten. Sie versprechen, bei der nächsten Fahrt darauf zu achten. Bei der nächsten Fahrt achten Sie auf die Landschaft. Nachdem Sie die Autobahn verlassen haben, beginnen die Wälder, ziemlich viel Wald, dann kommt das flache Land. Je näher Sie dem neuen Arbeitsplatz kommen, um so mehr Weidezäune zerteilen die weite Ebene, und zur Straße hin unter den Obstbäumen stehen oder liegen jede Menge Kühe. Auch die Luft ist so würzig. – Am Ziel Ihrer Reise sind Sie richtig begeistert von der »landschaftlichen Lage«. Auch der Ort ist so idyllisch klein, und wenn man darauf achtet, kann man richtige Bauern aus ihren Gehöften treten sehen. – Eigentlich genau das richtige Urlaubsgebiet. Weit ab vom Lärm der großen Städte, der Luftverpestung und den Verkehrsstauungen. Diesen Vorteil Ihres neuen Arbeitsplatzes hatten Sie noch gar nicht so richtig erkannt. – Wieder zu Hause, beginnen Sie, Ihrer Frau von dem tollen Glücksfall zu erzählen: nicht nur gleich die Urlaubsmöglichkeit direkt vor der Tür. Wer fährt schon noch ans Meer oder nach Italien, höchstens die kein Geld haben, hier zu bleiben. Wer etwas auf sich hält, kennt ein verschwiegenes Eckchen in den schönen deutschen Landschaften und macht da Urlaub und ... dann unterbricht Sie Ihr geduldig zuhörender Partner mit der Frage: Hat der Ort auch eine Apotheke? – Sie werden hart aus Ihrer Urlaubsträumerei gerissen und müssen zugeben, daß sie keine Apotheke gesehen haben. – Aber, jeder Ort hat doch eine Apotheke! – Und nun beginnt das traurige Spiel zwischen Ihnen und Ihrem Partner. Sie versuchen verzweifelt unter Mißachtung der Realitäten Ihr gottverlassenes Kuhdorf zu retten, weil Sie nicht mehr zurückkönnen vom Vertrag, weil Sie nicht mehr zurückwollen in die alte Firma, weil sie so stolz waren auf Ihren Erfolg. Es ist darum empfehlenswert, vor Vertragsabschluß dieses Gelände zu sondieren. –

Haben Sie schon ein privates Wochenende mit Frau und Familie am Ort des neuen Arbeitsplatzes verbracht?
Am besten nehmen Sie die ganze Familie mit zur Ortsbesichtigung. An einem schönen Freitagnachmittag fahren Sie los und mieten sich ein. Am nächsten Morgen lassen sich gleich die *Einkaufs- und Versorgungsmöglichkeiten testen.*

Bummeln Sie durch die Einkaufsstraße (-straßen). Ihre Frau wird nicht nur Preisvergleiche über Lebensmittel anstellen. Auch die Versorgung mit Kleidung ist ein Problem. Wie lange hinkt die Mode in den Orts-Boutiquen hinter der Stadt her? Welche Größen werden geführt? – Ist das Sortiment sehr eng (blaue und rote Socken haben wir, sonst keine)?

Wie sieht es mit Apotheken, Drogerien, Haushaltswarengeschäften aus?

Wieviel Ärzte sind am Platz und welche?

Wenn Sie diät leben, können Sie dann im Ort einkaufen? Ist ein Buchladen im Ort und wie ist er sortiert?

Wie sind die Schulverhältnisse?
Schauen Sie sich die Schule an. Wie groß ist sie? – Was sagt Ihr Hotelwirt über die Schulverhältnisse? – Schickt er seinen Sohn morgens um sechs mit dem Bus in die nächste Stadt? – Wie sieht es mit weiterführenden Schulen aus? – Realschule, Gymnasium, Fachschulen?

Ist die Wohnungsfrage geklärt?
Wo liegt die neue Wohnung oder das Haus? – Wie sind die Entfernungen zur Schule, zum Ortszentrum, zum Arbeitsplatz? – Hat die Umgebung des neuen Wohnorts annehmbare Formen? (weit und breit nichts, oder mitten zwischen Gehöften oder in einem sog. Neubaugebiet, das bei jedem Regen ein

Morast wird). – Ist die Wohnung oder das Haus wirklich fertig, oder kann man »gerade so« einziehen? – Welche Nachbarn werden Sie haben?

Wie günstig sind die Verkehrsverhältnisse?
Alle bis jetzt genannten Fragen lassen sich in einem Kompromiß mit den günstigen Verkehrsverbindungen lösen. Nehmen wir an, der Ort liegt im Fünfzig-Kilometer-Umkreis einer Großstadt, per Auto oder Bahn sind Sie in zwanzig Minuten dort. Dann genügt ein Zweitwagen, um viele Versorgungsprobleme zu lösen. – Die Schulfragen bleiben und ebenso der Arzt.

Die Vorteile der mittleren und kleinen Städte
Nach dieser Reihe kritischer Fragen ist es angebracht, auch die Vorteile eines Ortswechsels in die kleinen Städte zu nennen. Vielfach erfüllen sie die Ansprüche an reine Luft und angenehme landschaftliche Lage mit einer gut zu schaffenden Entfernung zu den großen Zentren und guten bis erstklassigen Einkaufsmöglichkeiten. Die Mieten sind oft ganz wesentlich günstiger als in den Großstädten und die Schulverhältnisse besser, weil überschaubarer. Gerade diese Überschaubarkeit der kleinen Städte mit 10- bis 20tausend Einwohnern machen sie »familienfreundlich«. Man kennt sich persönlich, den Arzt, die Lehrer, die Einzelhändler und die Handwerker. – Die Kultur sitzt in den großen Städten – aber dort kann man in zwanzig Minuten sein.

Die Vorteile der großen Städte ergeben sich aus dem Gesagten. Ihre Nachteile sind bekannt.

Anhang

Die elektronischen Medien im Bewerbungsprozeß

Das Telefon

Sich telefonisch zu bewerben, wird in aller Regel nur bei untergeordneten Positionen und nur bei kleineren Firmen akzeptiert. Hier kann man als Anrufer die Vereinbarung eines Vorstellungstermins erreichen, zu dem dann die vollständigen Bewerbungsunterlagen mitzubringen sind.

Bei gehobenen Positionen, die detailliert beschriebene Anforderungen an den Bewerber stellen, sollte das Telefon nur für das Einholen ergänzender Informationen genutzt werden. Viele große Unternehmen geben am Telefon nur ungern Auskünfte, die über den Inhalt einer Stellenanzeige hinausgehen. Wichtig für den Anrufer ist es zu wissen, daß er sich schon mit der Qualität seiner Fragestellung einer ersten Beurteilung durch den Angerufenen aussetzt. Wer unsystematisch Fragen stellt, die sich bei sorgfältigem Lesen einer Anzeige erübrigt hätten, sagt auch etwas über seine Arbeitsweise aus. Personalberater bieten den telefonischen Informations-Service ausdrücklich und gerne an, denn sie stehen meist unter großem Zeit- und Erfolgsdruck und wollen möglichst schnell erste Ergebnisse präsentieren können. Da diese Dienstleister in aller Regel mehrere Search-Projekte bearbeiten, kann ein Telefonat auch völlig andere Perspektiven eröffnen.

Der Anrufbeantworter

Wenn Sie zu den Bevorzugten gehören, die vom Personalleiter oder Personalberater zurückgerufen werden, weil Ihre Bewerbung einen guten Eindruck erweckt hat, dann können Sie mit dem Text auf Ihrem Anrufbeantworter ein Eigentor schießen; viele Messages, die dem in nüchterner Arbeitsatmosphäre tätigen Personalprofi entgegenschallen, entsprechen leider nicht der Vorstellung, die in eher konservativen Unternehmenskulturen von einer zukünftigen Führungskraft bestehen. Denken Sie also bei der Formulierung Ihrer Telefon-Botschaft daran, daß nicht nur Freunde, Bekannte, Geschwister oder die Schwiegereltern anrufen, die Sie mit Ihrer Kreativität und einem witzigen Text beeindrucken wollen. Da kann der Schuß auch mal nach hinten losgehen.

Im folgenden zwei Beispiele für die Textformulierung auf dem Anrufbeantworter:

Beispiel 1:
„Guten Tag, dies ist der Anschluß von Vor- und Zuname. Ich/wir bin/sind derzeit nicht persönlich zu erreichen und möchte/n Sie bitten, mir/uns eine Nachricht zu hinterlassen. Ich/wir werde/n Sie umgehend zurückrufen. Bitte sprechen Sie nach dem Signalton. Vielen Dank für Ihren Anruf!"

Beispiel 2:
„..., dies ist der Anschluß Ort und Rufnummer.
Ich/wir .." (siehe Beispiel 1) (möglich, falls Namensnennung unerwünscht und/oder nicht sinnvoll ist)

Worauf Sie achten sollten:
- deutliche Aussprache,
- dialektfrei sprechen,
- Sprachgeschwindigkeit (nicht zu schnell und nicht zu langsam),
- Textlänge sollte der Dauer der Ansage angepaßt sein.

Was Sie auf jeden Fall vermeiden sollten:
- „Du-Form" als Anrede,
- Musikeinspielungen,
- Umgangsfloskeln verwenden,
- dem Anrufbeantworter einen Namen geben,
- Hintergrundgeräusche bei der Aufnahme.

Überprüfen Sie Ihre Ansage selbstkritisch und lassen Sie Ihre Stimme auf sich wirken!

Das Telefax

Wer sich über Fax bewirbt, sollte dieses Vorgehen nur als erste Information für den Stellenanbieter gestalten. Anschreiben und ein übersichtlich aufgemachter Lebenslauf, insgesamt nur 3 Seiten, sind absolut ausreichend. Fotos sind sehr problematisch, da die Fax-Wiedergabe Horror-Bilder erzeugen kann. Wenn das Interesse des Partners geweckt wurde, sollte man auf Anforderung die kompletten Bewerbungsunterlagen einreichen.

Das E-Mail

Bei jüngeren Bewerbern kann man einen Trend feststellen, der in Richtung E-Mail Bewerbung geht. Zwar kann der Bewerber damit deutlich machen, daß er ein High Tech-Kommunikator ist, dennoch sollte auch hier nur der Gedanke einer ersten Kontaktaufnahme verfolgt werden. Die Praxis hat gezeigt, daß nicht alle Online-Teilnehmer auf der Basis eines einheitlichen technischen Systems kommunizieren, so daß Informationen auch mal auf der Strecke bleiben können. Insgesamt bringt die E-Mail-Bewerbung aus heutiger Sicht auch nicht genügend Sicherheit in Fragen des Datenschutzes, der Diskretion und Vertraulichkeit. Ein Vorstellungsgespräch findet in Deutschland und Europa immer noch in der realen Welt statt, wozu auch Bewerbungsunterlagen in Papierform gehören.

Im Internet gibt es eine Reihe von Firmen, die offene Positionen anbieten. Für den Bewerber interessant sind die sogenannten Homepages der Unternehmen, die für ihn als Arbeitgeber in Frage kommen.

Als Beispiel die Eröffnungshomepage der Siemens AG:

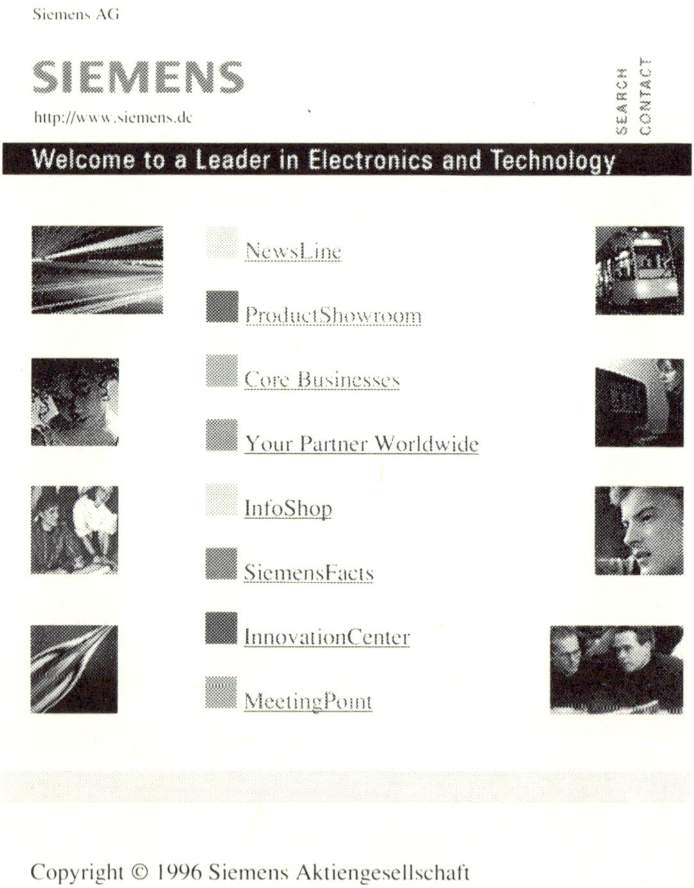

SIEMENS Semiconductor Homepage

SIEMENS

http://www.siemens.de/Semiconductor

NEWS
INDEX
CONTACT

Semiconductor Group

A Leader in Electronics and Technology

Welcomes the users of WWW!

- Important Notes - Please Read
- Technical Product Information
- Literature
- Addresses
- Human Resources
- Other Siemens WebSites

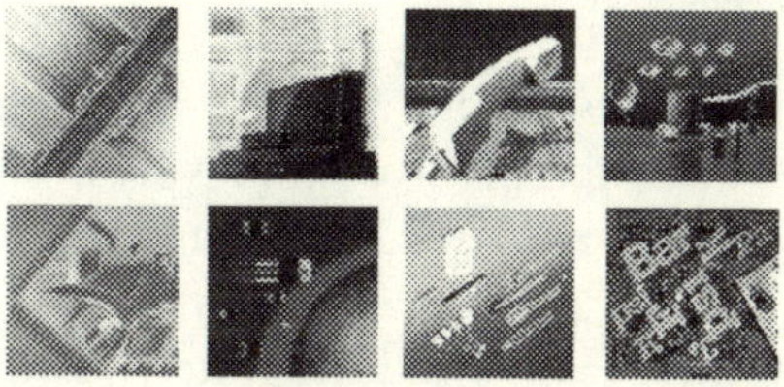

For any correspondence regarding Siemens Web services, please contact webmaster@siemens.semiconductor.de

Resume Banks

Adressen im Internet, über die man seine Bewerbung eingeben kann:

http://www.tiac.net/users/mtsbostn
CandidatePool - sponsored by MTS-Boston, an information services company .

http://www.careerfile.com
CareerFile - a free and confidential resume referral service for executive, managerial and technical talent.

http://www.tenkey.com/cshop/
Career Shop - a nationwide databank of resumes that is instantly accessible by hiring employers seeking to fill current job openings.

http://www.careersite.com
CareerSite - Comprehensive employment services for both job hunters and employers in all industries. Uses the power of Virtual Agents and Virtual Recruiters to find jobs or employees quickly, easily, and accurately. Totally confidential job searching.

http://www.reap.org.nz/cvweb.html
CV-Web - A New Zealand based job-search site. Write about yourself & your skills, or search for personnel. Maintained by Stimulus Inc.

http://www.tnc.com/ejmi/
Electronic Job Match International - an „electronic resume listing service“ to which you can submit your resume for prospective employers to look at.

http://www.webcom.com/resumes
Hyper-Media Resumes - internet resume management services. Maintained by Internet Executive Professionals, Inc., a member of PARW (Professional Association of Resume Writers).

http://www.intellimatch.com/intellimatch/
IntelliMatch - a commercial resume database service, to which you can submit your resume for prospective employers; specializing in finance, hardware, and software development. Uses an on-line structured resume tool.

http://www.jobbankusa.com
JobBank USA - Directory of employment & jobs websites, newsgroups, job search engines and career resources. Resume webpages and database. National recruitment network. Employer and employee services.

http://www.joblinks.com
JobLinks - List of 100-200 Silicon Valley Professionals currently seeking work. Assosciated with ProMatch, EDD and NOVA. Also will provide homepages for recruiters for a fee.

http://www.conquest-prod.com/resume.html
The Job Network - Employment resource center offering job announcements and resume listing services.

http://www.tiac.net/users/jobs/index.html
Jobs Through PursuitNet - Submit your Resume free for database searches which match against a continuing flow of Job requirements.

http://www.occ.com/
The Online Career Center has a searchable resume database which includes detailed instructions on how to enter your resume into their database.

http://www.cois.com/houg/con.html
Oracle Contractor Database - a database of independent oracle contractors. Free signup and free searching.

http://www.passportaccess.com/
Passport Access - uses a fast search engine to link up prosepctive employers and recruiters to potential job candidates.

http://www.cris.com/~bellicos/pimp.html
Personal Information Management Pages - Increase your visibility, get your own URL, be considered by employers nation-and world-wide with WWW resume placement.

http://www.promatch.org
ProMatch '96 - a no-fee source for employers seeking proactive candidates ready for placement in a variety of professional disciplines.

http://www.iquest.net/reg-recar/
Regional Re-Careerment Center - an outplacement and retraining center for executives and upper managers. Includes a resume posting service for clients.

http://www.crocker.com:80/resumes/
Resumes On-Line provides resume consulting, preparation, and online posting services.

http://www.webcom.com/~cha
The Resume Publishing Company - TRPC provides a place to confidentially post an HTML resume with a unique URL which the job seeker can give to prospective employers.

http://pizza.bgsu.edu/~harshba
Rob's College Resume Archive - dedicated to serving the

college student, both grad and undergrad. A free resume posting service for college students.

http://www.seniorsnet.com/jobbank.htm
Seniors Job Bank - Free listing to persons over 50 years of age and to companies looking to hire older workers.

http://www.inpursuit.com/sirc/
Shawn's Internet Resume Center - Post your resume on the Internet as its own home page. Has a „guest book" which lists the employers who are surfing the resumes. Other services include resume and career counseling

http://www.lapis.com/skillbank
SkillBANK - a fully automated employer/employee matching service. Users control adding, updating and deleting of information. All contact by email.

http://www.webcom.com/resguide
Southern California Technical Resource Guide - Resumes from computer professionals are collected and distributed quarterly to over 500 hiring MIS executives in Southern California.

http://www.suntek.mb.ca/targetu
Target U - a national pilot in the Canadian employment market. This program assists university and college graduates connect with employers through the hidden job market.

http://www.techreg.com/techreg/
Technology Registry - a resume database devoted exclusively to the technology industries.

http://www.jwtworks.com/tvjf/index.html
Thompson Virtual Job Fair - a „virtual job fair" to which you can send your resume. Once a quarter, top companies will search the resumes for qualified candidates.

http://www.ripley.org/Web9/resumes/
Web's resume archive - A general resume bank, just one of the services offered by Web9.

http://www.cban.com/resume/
World Job Seekers - you can submit a description of what type of job you're seeking and a brief description of your qualifications.

http://www.lookup.com/homepages/79353/resume.html
Job Express - Job offers in Germany and a resume database.

http://www.job-direct.co.at/job-direct/jobsuche/regform.htm
JOB-DIRECT - fill in a form to send your resume to this German resume database

Stichwortverzeichnis

C

D

E

L

M

N

O